Jürgen Roloff   Die Offenbarung des Johannes

Zürcher Bibelkommentare

herausgegeben von Hans Heinrich Schmid und Siegfried Schulz

Jürgen Roloff

Die Offenbarung des Johannes

TVZ **Theologischer Verlag Zürich**

CIP-Kurztitelaufnahme der Deutschen Bibliothek

Roloff, Jürgen:
Die Offenbarung des Johannes / Jürgen Roloff. –
Zürich: Theologischer Verlag, 1984.
(Zürcher Bibelkommentare: NT; 18)
ISBN 3-290-14735-5
NE: Zürcher Bibelkommentare / NT

Printed in Germany by Buch- und Offsetdruckerei Sommer, Feuchtwangen

Inhaltsverzeichnis

Vorwort

Jede Auslegung eines biblischen Textes ist ein dialogischer Prozeß. Der Text kommt nur dann zum Sprechen, wenn der Ausleger Fragen an ihn stellt. Dabei kommt es zunächst darauf an, daß diese Fragen nicht am Text vorbeigehen, sondern der Sache, die er zu sagen hat, gemäß sind. Zugleich aber werden die Fragen des Auslegers unweigerlich auch durch dessen Situation und geschichtlichen Standort bedingt sein. Bei meiner Beschäftigung mit der Johannesoffenbarung habe ich gelernt, daß dieses Buch in besonderer Weise auf Fragen zu antworten vermag, die der christlichen Gemeinde in unseren Tagen auf den Nägeln brennen, etwa auf die nach unserem Verhältnis zur Schöpfung und nach der politischen Dimension des christlichen Glaubens. Wenn über diesen Fragen andere, auf die der Text auch zu antworten vermöchte, vielleicht allzusehr in den Hintergrund treten sollten, so wäre das ein unvermeidlicher Tribut an die Situationsbedingtheit auch dieser Auslegung.

Im übrigen habe ich mich darum bemüht, deutlich zu machen, daß die Offenbarung kein abstrakter Monolog ist, sondern das Ergebnis einer lebendigen Kommunikation ihres Verfassers mit konkreten Gemeinden darstellt. Bei dieser Betonung der Bedeutung der brieflichen Strukturelemente des Buches konnte ich mich auf die Ergebnisse der Dissertation meines Schülers Martin Karrer «Die Johannesapokalypse als Brief» stützen. Darüber hinaus war Herr Dr. Karrer für mich in den letzten Jahren ein Gesprächspartner, der mit Anregungen und sachkundiger Kritik viel zum Werden dieser Auslegung beigetragen hat. Dafür danke ich ihm an dieser Stelle herzlich.

Mein Dank gebührt ferner Frau Irma Grill für die Fertigung des Manuskripts sowie den Assistenten Walter Kotschenreuther und Rainer Oechslen für Hilfe bei den Korrekturen.

Erlangen, im September 1983   Jürgen Roloff

Einführung

Wirkungsgeschichte

Kein anderes biblisches Buch läßt sich hinsichtlich des Reichtums seiner Wirkungsgeschichte mit der Johannesoffenbarung vergleichen. In der alten und mittelalterlichen Kirche übertraf ihre Bedeutung bei weitem die der Paulusbriefe, ja selbst die des Matthäusevangeliums. Mit ihrer reichen Bildersprache lieferte sie weithin das Vorstellungsmaterial, aus dem sich christliche Frömmigkeit speiste. So ist das Bild des Pantokrators, des herrschenden Christus, der das versiegelte Buch in seiner Rechten hält (5,8), zu einem der Leitbilder des Glaubens der Ostkirche geworden; es findet sich regelmäßig in der zentralen Kuppelwölbung byzantinischer Kirchen. Ähnlich prägende Bedeutung hatte für die Frömmigkeit des Mittelalters das Bild des richtenden Christus, aus dessen Mund ein scharfes, zweischneidiges Schwert hervorgeht (1,16; 2,12; 19,15). Wir finden es häufig im Tympanonfeld über den Portalen romanischer und gotischer Kirchen. Für die Mariendarstellung wurde das Bild der (fälschlich als Mutter Jesu verstandenen) himmlischen Frau aus Kap. 12 maßgeblich. Ja, sogar auf die kirchliche Architektur wirkte die Offenbarung ein: Das Gotteshaus sollte das himmlische Jerusalem abbilden, in seinen Proportionen (21,16) wie auch in vielen Details seiner Ausstattung. Unter den zahllosen von der Offenbarung inspirierten Kunstwerken seien hier nur etwa die Wandteppiche von Angers (13. Jahrh.), Michelangelos «Jüngstes Gericht» in der Sixtinischen Kapelle (20,11–15) und Albrecht Dürers Holzschnittzyklus genannt. Noch in den lutherischen Bilderbibeln des 16. Jahrhunderts überwiegen die Abbildungen zur Offenbarung weit diejenigen zu anderen neutestamentlichen Büchern. Aber auch in den für reformatorische Frömmigkeit zentralen künstlerischen Ausdrucksmedien, dem Kirchenlied und der Kirchenmusik, spielt die Offenbarung eine nicht wegzudenkende Rolle. Lieder wie «Ihr lieben Christen, freut euch nun» (Erasmus Alber), und «Wachet auf, ruft uns die Stimme» (Philipp Nicolai), dem wiederum die bekannten Kantaten von Dietrich Buxtehude und Johann Sebastian Bach folgen, seien hier stellvertretend für viele andere genannt.
Dieser reichen positiven Wirkungsgeschichte steht nun freilich seit den Tagen der alten Kirche eine Geschichte des Mißtrauens, ja sogar der heftigen Ablehnung gegenüber. Sie setzt bereits gegen Ende des 2. Jahrhunderts bei einer Gruppe von kleinasiatischen Christen ein, die Epiphanius als «Aloger» bezeichnete. Diese sahen in der Offenbarung eine Fälschung des gnostischen Irrlehrers Kerinth, der sich des Namens des Johannes nur bedient habe, um seine Häresien zu verbreiten. Diese Kritik war nun freilich eine Reaktion darauf, daß die Montanisten, eine in schwärmerischer Naherwartung lebende häretische Gruppe, sich bei ihren Spekulationen über den Anbruch der Endzeit vorwiegend auf die Offenbarung berufen hatten. So tritt hier erstmals ein weiterer wesentlicher Aspekt der Wirkungsgeschichte der Offenbarung zutage. Weil

ihre Bilder und Visionen immer wieder zu Spekulationen über den Ablauf der Endzeitereignisse und die Nähe des Weltendes herausgefordert haben, war und ist sie bis heute das Buch der Schwärmer und Sektierer geblieben. Vor allem der Chiliasmus, die Erwartung eines irdischen Gottesreiches von tausendjähriger Dauer (vgl. 20,1–6), gewann trotz seiner wiederholten Ablehnung durch die offizielle Kirchenlehre (z. B. Confessio Augustana Art. XVII) aus der Offenbarung immer wieder von neuem Nahrung, was wiederum für viele kirchliche Theologen zum Anlaß reservierter Distanz ihr gegenüber wurde.

In der Reformationszeit meldet sich erstmals eine entschiedene theologische Kritik zu Wort. So spricht Luther in der Vorrede zum Septembertestament von 1522 rundweg der Offenbarung den Charakter eines apostolischen Zeugnisses ab, weil sie an zwei entscheidenden Punkten den sachlichen Kriterien der Apostolizität nicht entspreche: Zum einen vermißt er die Klarheit lehrhafter Aussagen. Die Offenbarung sei weder apostolisch, noch prophetisch, weil «die Apostel nicht mit Gesichten umgehen, sondern mit klaren und dürren Worten weissagen wie Petrus, Paulus, Christus im Evangelium auch tun». Zum andern aber beanstandet Luther, daß das Christuszeugnis der Offenbarung hinter dem des Paulus und der Evangelien zurückbleibe, und kommt zu dem harten Urteil, daß in diesem Buch Christus «weder gelehrt noch erkannt wird, welches doch zu tun vor allen Dingen ein Apostel schuldig ist». Nicht minder deutlich äußerte sich Zwingli in der Berner Disputation: «Von der Apokalypse nehme ich kein Zeugnis an, denn sie ist kein biblisches Buch.» Calvin schließlich hat sie in seiner Bibelerklärung stillschweigend übergangen. Diese theologische Kritik wurde seit dem 19. Jahrhundert durch eine religionsgeschichtliche Argumentation unterstützt. Die jüdischen Züge und Traditionselemente der Offenbarung traten nun immer stärker ins Blickfeld. Man verwies darauf, daß ihre Sprache und Gedankenwelt durchweg alttestamentlich-jüdisch seien und daß sie darüber hinaus eine ganze Reihe von Motiven und Vorstellungen enthalte, deren Wurzeln in der altorientalischen Mythologie und Folklore liegen (s. zu Kap. 12). Von da her stellte sich die Frage: Inwieweit ist die Offenbarung überhaupt ein christliches Buch? Eine Reihe von Forschern vertrat die Meinung, sie bestehe in weiten Teilen aus nur oberflächlich christlich überarbeiteten jüdisch-apokalyptischen Vorlagen. In engem Zusammenhang mit solchen literarisch-traditionsgeschichtlichen Problemen steht die inhaltliche Frage nach dem christlichen Charakter der Offenbarung. Widerstreiten nicht ihre Endzeiterwartung, in der Gericht und Vernichtung der gottfeindlichen Menschheit einen so breiten Raum einnehmen, dem Geist des Evangeliums Jesu Christi? Ist die Zukunftsschilderung dieses Buches nicht «getragen von Haß und Sehnsucht nach Bestrafung des feindlichen Heidentums» (H. J. Holtzmann)?

Diese zutiefst zwiespältige Wirkungsgeschichte mündet in die Frage aus, vor die sich jeder Ausleger gestellt sieht: Ist in der Offenbarung das Evangelium von Jesus Christus so stark von jüdisch-apokalyptischen Vorstellungen überlagert, daß sie theologisch als Randphänomen, wenn nicht gar als Fremdkörper innerhalb des Neuen Testaments beurteilt werden muß? Oder ist sie, bei aller Fremdartigkeit und Eigenart, nicht doch eine legitime Ausprägung des Evangeliums, die in die Reihe der großen apostolischen und nachapostolischen

Zeugnisse des Neuen Testaments mit hineingehört? In unserem Kommentar soll versucht werden, von Beobachtungen am Text her einsichtig zu machen, daß wir diese Frage heute mit gutem Gewissen im zweiten Sinn beantworten dürfen.

Apokalyptik und Apokalypsen

Herkömmlicherweise wird die Offenbarung der Gattung der apokalyptischen Literatur zugerechnet, die sich in spätisraelitischer Zeit entwickelte. Seit man im 19. Jahrhundert erkannte, daß sich zahlreiche inhaltliche und stilistische Elemente der Offenbarung in jüdischen wie auch in frühchristlichen Schriften wiederfanden, bezeichnete man diese Schriftengruppe im Anschluß an die Inhaltsangabe von Apk. 1,1 («Offenbarung [griech. *apokalypsis*] Jesu Christi») als Apokalypsen. Man versteht darunter Offenbarungsschriften, die in geheimnisvollen Bildern und Visionen den Lauf der Geschichte auf ihr Ende hin sowie die Zukunft von Welt und Menschheit schildern. Mit dem davon abgeleiteten Begriff Apokalyptik schließlich bezeichnet man den Gesamtkomplex von Vorstellungen, der hinter diesen Schriften steht.

Die Apokalyptik hat sich in nachexilischer Zeit aus der alttestamentlichen Prophetie und Weisheitsliteratur heraus entwickelt. Apokalyptische Abschnitte, die Gesichte über Endereignisse enthalten, finden sich schon in Kap. 24–27 des Jesajabuches, im Sacharjabuch (Sach. 12–14) sowie im Joelbuch. Die große Masse der apokalyptischen Literatur ist jedoch zwischen 150 v. und 100 n. Chr. entstanden. Man kann sie in einem gewissen Grade als Reflex der Erfahrung des jüdischen Volkes sehen, das in jener Periode nach dem Verlust der Eigenstaatlichkeit ein ohnmächtiger Spielball der großen Weltreiche war. Die übergreifende Frage, auf die in ihr eine Antwort gesucht wird, ist nämlich die nach dem Ziel, das Gott der Weltgeschichte gesetzt hat und nach dem Ort, den die notvolle Gegenwart Israels im Rahmen des Geschichtsplanes Gottes einnimmt. So entwirft die erste große Apokalypse, das zur Zeit der Bedrängnis durch den Seleukidenkönig Antiochus IV. Epiphanes (175–164 v. Chr.) abgefaßte Danielbuch, eine großangelegte Geschichtsschau: Das Ende des Seleukidenreiches, des letzten der vier großen Weltreiche, stehe unmittelbar bevor, und in naher Zukunft werde Gott die Endzeit anbrechen lassen und Israel, das Volk der «Heiligen des Höchsten», aus aller Bedrängnis erretten (Dan. 7,2–27). Und ähnlich haben spätere Apokalypsen, wie die Baruch-Apokalypse und das 4. Esra-Buch, versucht, die Zerstörung Jerusalems durch die Römer im Jahre 70 n. Chr. zu bewältigen, indem sie Gottes geheimen Geschichtsplan darlegten, nach dem das Ende der feindlichen Weltmacht in unmittelbarer Zukunft zu erwarten sei. In ihrer wesentlichen Funktion sind die jüdischen Apokalypsen also Trostbücher; sie wollen Hoffnung auf die nahe bevorstehende heilvolle Wende eröffnen und dadurch das Ausharren in der notvollen Gegenwart ermöglichen. Ihre zweite Funktion ist die der Mahnung und Warnung. Sie wollen den Frommen ihre gegenwärtige kritische Lage ins Bewußtsein rücken und ihnen zeigen, daß von ihrer Bewährung in der Gegenwart alles abhängt. So nehmen Mahnungen (Paränesen) in den Apokalypsen einen breiten Raum ein.

Nun gibt es eine Reihe von *stilistisch-formalen Eigentümlichkeiten*, die in den meisten jüdischen Apokalypsen wiederkehren und die darum als gattungsspezifische Merkmale gelten können. Die wichtigsten von ihnen seien hier kurz aufgezählt.

1. *Gebrauch von Bildersprache.* Die Mächte und Ereignisse der Geschichte werden in symbolreichen Bildern dargestellt, die zum Teil aus der alttestamentlichen Tradition, zum Teil aber auch aus der altorientalischen Mythologie entlehnt sind. So werden die Weltreiche als gefährliche Tiere dargestellt (Dan. 7; äth. Hen. 85f.; 4. Esr. 11), als gewaltige Bäume (syr. Bar. 36f.) oder überschäumende Wasser (Apk. Abr. 13). Israel und seine Führer erscheinen unter den Bildern des Weinstocks (syr. Bar. 36) oder des Löwen (4. Esr. 11f.).

2. *Zahlenspekulationen.* Zahlen, denen jeweils ein bestimmter Symbolgehalt zugeordnet scheint, wie 4, 7, 10 und 12, spielen eine geheimnisvolle Rolle. Sie dienen hauptsächlich dazu, die Schauungen in jeweils gleichgegliederte Reihen zusammenzufassen. Solche Visionsreihen wiederum geben dem zentralen Gedanken der Apokalyptiker Ausdruck, wonach der Ablauf der Weltgeschichte und des Endgeschehens einem bestimmten Periodenschema folgt, das in Gottes Plan von vornherein festgelegt ist.

3. *Nebeneinander von Vision und Deutung.* Wichtigstes Darstellungsmittel der Apokalypsen ist der Visionsbericht. Die Verfasser berichten in der Ich-Form von der ihnen in visionärer Schau – in einzelnen Fällen auch in Traumgesichten – zuteilgewordenen Enthüllung der im Himmel verborgenen Geheimnisse, in denen das zukünftige Geschick der Menschheit beschlossen liegt. Vorausgesetzt ist dabei – und das ist ein Grundmotiv apokalyptischen Denkens –, daß die Geschehensabläufe und Erscheinungen der Zukunft bereits in der Gegenwart im Himmel vorhanden sind, um von dort aus Zug um Zug auf Erden sichtbar gemacht zu werden. Dabei ist es der Regelfall, daß der Seher die in geheimnisvollen Symbolen verschlüsselten Inhalte seiner Schauung von sich aus nicht zu erklären vermag; daß er durch die Vision in Schrecken und Ratlosigkeit versetzt wird, ist geradezu ein stereotyper Zug. Die nötige Auflösung bringt jeweils ein Engel (der sogenannte *angelus interpres*) oder eine andere hochgestellte Persönlichkeit der himmlischen Hierarchie. Er wendet sich dem ratlosen Seher zu und deutet ihm Zug für Zug das Geschaute (z. B. Dan. 7,15–27; äth. Hen. 18,13–16; 27,1–5; 4. Esr. 10,29–58; 12,3–40; 13,25–56).

4. *Fiktive Vorzeitigkeit.* Die Apokalypsen täuschen dem Leser eine frühere als die tatsächliche Entstehungszeit vor. So gibt sich z. B. das zur Zeit der Seleukidenherrschaft verfaßte Danielbuch als das Werk eines Propheten, der zur Zeit des Exils, also im 6. Jahrhundert v. Chr. am Hof des Königs Nebukadnezar in Babylon gelebt haben soll. Diese Täuschung gehört zur Dramaturgie der Apokalyptik: Der Leser soll ja den Eindruck haben, daß das Buch den Ablauf der geschichtlichen Ereignisse von seiner vorgeblichen Entstehungszeit bis zur Gegenwart genau und zuverlässig vorausgesagt habe, und er soll von da her Zutrauen in die Zuverlässigkeit der Darstellung der noch ausstehenden Zukunft gewinnen! Um zu erklären, warum das Buch trotz seines Alters und seiner Bedeutung nicht schon längst bekannt gewesen ist, wird häufig berichtet, sein Verfasser habe bewußt Vorsorge für seine Geheimhaltung bis zum Ende der Tage getroffen, etwa indem er es versiegelte (Dan. 12,9; vgl. 4. Esr. 12,35–38).

5. *Pseudonymität*. Nicht nur mit dem Stilmittel der fiktiven Vorzeitigkeit, sondern auch mit dem Schwinden eigenständiger prophetischer Autorität in der Spätzeit Israels hängt es wohl zusammen, daß die Apokalyptiker nicht unter ihrem eigenen Namen schreiben, sondern sich die Autorität großer Gestalten der Vergangenheit borgen. Henoch, Mose, Baruch und Esra, ja sogar Adam werden so als fiktive Verfasser eingeführt. Dabei ist die Wahl der jeweiligen Autorität keineswegs zufällig, sondern programmatisch: Die Apokalyptiker wollen damit auch an theologische Programme und Traditionen anknüpfen, die sich mit dem jeweiligen Namen verbanden.

Die Offenbarung – eine urchristliche Apokalypse?

Es ist heute weniger als je zweifelhaft, daß die Apokalyptik auch ein das Denken und die Vorstellungswelt des Urchristentums weithin prägender Faktor gewesen ist. In der Verkündigung Jesu finden sich apokalyptische Motive zwar nur relativ spärlich und in charakteristischer Brechung, aber bereits das palästinische Judenchristentum hat sich stark in apokalyptischen Bahnen bewegt. Ihm entstammt z. B. die sogenannte synoptische Apokalypse (Mk. 13 par. Mt. 24; Lk. 21). Aber auch bei Paulus finden sich ausgesprochen apokalyptische Passagen (1. Thess. 4 und 5; 1. Kor. 15,23–57). Darüber hinaus kann man ganz allgemein sagen, daß überall da, wo die Naherwartung der Wiederkunft Jesu lebendig war, auch dem apokalyptischen Denken Raum gewährt wurde, denn es bot sich als Ausdrucksform für diese Erwartung geradezu selbstverständlich an. Im ausgehenden ersten sowie im zweiten Jahrhundert entstanden dann auch zahlreiche größere christliche Apokalypsen, von denen allerdings nur wenige in z. T. sehr fragmentarischer Form auf uns gekommen sind (Hirt des Hermas, Petrus-Apokalypse, Himmelfahrt Jesajas), weil die Kirche vom dritten Jahrhundert an dieser Literatur mit zunehmender Kritik begegnete. Die einzige Schrift apokalyptischen Inhalts, die in den neutestamentlichen Kanon Eingang fand, ist die Offenbarung.

Aber ist die Offenbarung wirklich der Gattung der Apokalypsen zuzurechnen? Diese Frage, so überraschend sie zunächst klingen mag, ist berechtigt. Es zeigt sich nämlich, daß sie im Rahmen der gesamten apokalyptischen Literatur des Judentums und frühen Christentums eine Sonderstellung einnimmt. Die erwähnten formal-stilistischen Merkmale der Apokalypsen finden sich nämlich in ihr nur teilweise wieder:

1. Fraglos apokalyptisch ist ihre *Bildersprache*. Wie in Dan. 7 werden in Apk. 13 die Weltreiche als furchterregende Tiere dargestellt. Der Satan erscheint unter dem mythologischen Symbol des Drachens (12,7ff.), das Wesen des römischen Imperiums wird drastisch im Bild der Hure gezeichnet (17,3), die Drangsale und Katastrophen der Endzeit schließlich sind in die sinnfälligen Bilder von Reitern (6,8), Heuschreckenheeren (9,7) oder furchterregenden Fabelwesen (9,17) gefaßt. Die gewählten Bilder sind weithin von der Tradition vorgeprägt und hinsichtlich ihrer Bedeutung festgelegt. Man hat den Eindruck, als sei dem Verfasser der Offenbarung hier an Originalität nichts gelegen. Schwerlich hat er es darauf angelegt, seinen Lesern Rätsel aufzugeben.

Jeder mit apokalyptischer Tradition auch nur annähernd vertraute Christ des ausgehenden 1. Jahrhunderts dürfte diese Bilder auf Anhieb verstanden haben.

2. Auch die häufigen *Zahlenspiele* verweisen auf apokalyptisches Erbe: 4 Reiter (6,8), 7 Siegel (6,1), Posaunen (8,2.6) und Schalen (17,1), 12 Sterne am Diadem der Himmelsfrau (12,1), 12 Tore (21,12) und Fundamentsteine (21,14) der Himmelsstadt, 144 000 (12 × 12 000) Glieder des Gottesvolkes (7,4). Dazu spielt die Zahl 3½ – die Hälfte der Sieben – eine geheimnisvolle Rolle (11,9.11), ganz zu schweigen von der Rätselzahl 666, die die Ausleger seit alters besonders beschäftigt hat (13,18). Nun wird man allerdings diese Zahlenspiele in ihrer Bedeutung nicht überschätzen dürfen. Nirgends – auch nicht in den Siebenervisionsreihen – versucht nämlich der Verfasser, das Weltgeschehen und die Endzeitereignisse durch Zahlenschemata in Perioden einzuteilen und so deren innere Gesetzmäßigkeit zu erfassen. Auch der Versuch vieler Ausleger, nachzuweisen, daß die Darstellung der Offenbarung durchweg in Siebenerreihen aufgebaut und somit die Sieben die geheime Leitzahl des Buches sei, hat sich als Irrweg erwiesen.

3. Auch in der Offenbarung sind *Visionsberichte* ein tragendes Element der Darstellung. Die Wendung «… und ich schaute» durchzieht geradezu leitmotivisch das ganze Buch (1,12; 4,1; 5,1.6.11; 6,1.12; 7,1f. 9). Auffällig ist jedoch, daß der aus anderen Apokalypsen vertraute Zweitakt von (zunächst unverständlich bleibender) Vision und ihr folgender Deutung fast völlig fehlt. Die geschauten Bilder und Symbole sind nicht nur für den Seher selbst nicht rätselhaft; er rechnet darüber hinaus offenbar damit, daß deren Bedeutung auch für die Leser seines Buches unmittelbar klar und einsichtig sei. Die einzigen Ausnahmen finden sich in 7,13–17 und 17,7–18 (s. ferner zu 5,5). Aber auch an diesen Stellen bringen die Worte des Deuteengels keine eigentliche Deutung der vorhergegangenen Visionen, sondern sind lediglich stilistisches Mittel, um die Aufmerksamkeit der Leser zu steigern (7,13) bzw. um thematisch verwandtes Material zusätzlich einzuführen (17,7). Das bedeutet, daß die Komposition der Offenbarung nicht auf das Spannungsmoment der Enthüllung verborgener Geheimnisse hin angelegt ist; sie verzichtet darauf, ihre Leser durch das, was man den «Schlüssellocheffekt» der herkömmlichen Apokalypsen nennen könnte, zu fesseln.

4. Auch ihre Entstehung wird von der Offenbarung nicht mit der Aura des Geheimnisvollen umgeben. Sie will nicht den Anschein erwecken, ein bislang verborgenes Buch aus ferner Vorzeit zu sein, sondern bekennt sich offen zur Zeitgenossenschaft mit ihren Lesern, den Christen in den Gemeinden der Provinz Asien in den frühen 90er Jahren des ersten Jahrhunderts. Deren Situation, die vor allem gekennzeichnet ist durch die Konfrontation mit dem totalitären religiösen Anspruch des römischen Imperiums, spricht sie nicht indirekt in Form einer Zukunftsprophetie, sondern direkt aus der Solidarität gemeinsamer Betroffenheit an. Und dieses Ansprechen geschieht in der Form des öffentlichen Briefes. Johannes betont ausdrücklich, daß sein Buch nach Gottes Willen «unversiegelt» bleiben sollte (22,10), d. h. er erklärt es als öffentliche, nicht als geheime Botschaft (vgl. 10,5).

5. Diesem betont herausgestellten öffentlichen Charakter des Buches ent-

spricht auch, daß es den Namen seines Verfassers unverschlüsselt nennt. Die Offenbarung ist – neben dem ebenfalls urchristlichen «Hirt des Hermas» – die einzige uns bekannte apokalyptische Schrift, die auf Pseudonymität verzichtet. Nicht die fiktive, weil geborgte Autorität eines großen Gottesmannes der Vergangenheit gibt ihrer Botschaft Gewicht, sondern die reale Autorität des erhöhten Jesus Christus, der durch das prophetische Zeugnis des Johannes zu seiner Kirche spricht.

Nach alledem fällt es schwer, die Offenbarung der Gattung der Apokalypsen zuzurechnen. Auch wenn sich zahlreiche apokalyptische Stil- und Formelemente in ihr finden, wird man urteilen müssen, daß diese nicht eindeutig genug ausgeprägt sind, um die alleinige Grundlage für die Gattungsbestimmung des Buches liefern zu können. Wir müssen also fragen: Gibt es noch weitere Kriterien, die zu einer klareren Gattungsbestimmung verhelfen könnten?

Der briefliche Charakter der Offenbarung

Die Forschung der letzten 100 Jahre war so einseitig auf die Zusammenhänge zwischen der Offenbarung und den jüdischen Apokalypsen fixiert, daß sie einen anderen Aspekt völlig außer acht ließ: den brieflichen Charakter der Offenbarung. Das Buch beginnt mit einer brieflichen Anrede, die den paulinischen Briefeingängen auffallend nahe steht (1,4–8) und es endet mit einer in Briefen üblichen Schlußformel (22,21). Darüber hinaus besteht sein erster Hauptteil (1,9–3,22) aus einer Serie von Einzeladressen an die Gemeinden Asiens, den sieben Sendschreiben. Man darf keineswegs, wie das häufig geschieht, diese brieflichen Elemente als unwesentliche Beigaben zu der «eigentlichen» Apokalypse des zweiten Hauptteils (4,1–22,5) oder gar als sekundäre Zutaten betrachten. Bei genauerem Zusehen zeigt sich vielmehr, daß sie durch vielfältige thematische Bezüge untrennbar mit dem zweiten Hauptteil verknüpft sind. Die Sendschreiben des ersten Teils wollen die Gemeinden darauf vorbereiten, daß sie die Visionenreihen des zweiten Teils als an sie gerichtete Botschaft des erhöhten Herrn verstehen können, und umgekehrt nehmen die Visionenreihen des zweiten Teils unmittelbar auf die im ersten Teil angesprochenen Probleme der Gemeinde Bezug. Die brieflichen Formelemente am Anfang (1,4–6) und Schluß (22,21) klingen stark an das Formular der Paulusbriefe an. Hier mag bewußte Nachahmung mit im Spiel sein. Aber nichts berechtigt zu der Annahme, daß diese brieflichen Elemente lediglich durch äußerliche Anpassung an eine seit Paulus fest verwurzelte (Brief-)Tradition zustandegekommen seien. Denn die Offenbarung ist nicht ein nachträglich um einige briefliche Elemente erweiterter Monolog, sondern Teil eines Dialogs, den der Verfasser mit den Kirchen Kleinasiens führte. Wie jeder echte Brief, so läßt auch sie sich nur verstehen, wenn man die Empfängerseite kennt. Hier liegt denn auch, ähnlich wie bei den Paulusbriefen, die Hauptschwierigkeit der Auslegung. Denn wir sind darauf angewiesen, das Bild der Empfängerseite aus den wenigen Andeutungen des Buches zu rekonstruieren. Das aber kann allenfalls annäherungsweise gelingen.

Hinsichtlich der Absenderseite ist noch nicht alles gesagt, wenn man auf den

menschlichen Verfasser, der sich Johannes nennt, verweist. Es ist nämlich auffällig, daß Johannes als den eigentlichen Autor der Botschaft seines Buches
immer wieder betont den erhöhten Christus herausstellt. So sind die sieben
Sendschreiben des ersten Hauptteils als Briefe stilisiert, die Jesus Christus an
die «Engel» der Gemeinden in Asien richtet (2,1.8.12.18; 3,1.7.14). Johannes
nimmt für sich selbst nur die Funktion des Zeugen (1,2) und Schreibers
(1,11.19) in Anspruch, der die empfangene Botschaft an die Gemeinden weitervermittelt (vgl. 22,6–10.16). An diese Konstellation wird auch in den Visionen des zweiten Hauptteils (4,1–22,5) immer wieder erinnert, so wenn hier
besondere Höhepunkte markiert werden durch die Weisung an den Seher, die
empfangene, der Kirche geltende Botschaft aufzuschreiben (14,13; 19,9;
21,5). Auf diesem Hintergrund ist wohl auch die im Vorwort erscheinende Bezeichnung des Buchinhalts als «Offenbarung Jesu Christi» (1,1) zu verstehen.
Gemeint ist damit die Selbstkundgabe Jesu Christi, die durch seinen «Knecht»
Johannes an die Gemeinden weitervermittelt worden ist. So findet sich in der
Offenbarung ein zentraler Wesenszug urchristlicher Prophetie wieder. Den
Propheten, die im Leben der Kirche während des 1. Jahrhunderts noch eine
große Rolle spielten, oblag es, den ihnen durch den Geist geoffenbarten Wil-
len des Erhöhten den Gemeinden als verbindliche, Leben und Verhalten der
Glaubenden bestimmende Botschaft anzusagen. Diese Ansage geschieht in
der Offenbarung in schriftlicher Form, genauer: in der Gestalt des Briefes, mit
der sich seit Paulus ein besonderer Autoritätsanspruch verband.
Zusammenfassend kann gesagt werden: Die Offenbarung ist ein prophetisches
Schreiben, das zahlreiche apokalyptische Motive und Stilelemente enthält,
dessen Form aber vorwiegend durch den Zweck brieflicher Kommunikation
geprägt ist.

Verfasser und Entstehungssituation

Dreimal nennt der Verfasser seinen Namen – Johannes (1,4.9; 22,8) – für alles
übrige jedoch, was wir über seine Person und Stellung sagen können, sind wir
auf Rückschlüsse aus seinem Werk angewiesen. Er beansprucht für sich weder
Titel noch Würdebezeichnung, sondern tritt den Gemeinden gegenüber als
«euer Bruder, der teilhat an der Bedrängnis, an der Königsherrschaft und am
Ausharren in Jesus» (1,9). Und doch spricht er in der selbstverständlichen Erwartung, bei den Angeredeten Gehör zu finden. Er muß die Gemeinden nicht
erst von seiner Autorität überzeugen, sondern kann diese bereits voraussetzen, wobei er übrigens nirgends einen direkten persönlichen Autoritätsanspruch geltend macht: Was seiner Botschaft Vollmacht gibt, ist allein das Wort
des erhöhten Christus selbst, das durch sie ergeht. Nichts berechtigt jedenfalls
zu der zuweilen geäußerten Vermutung, daß Johannes sich lediglich an kleine,
ihm nahestehende Gruppen in den Gemeinden wende; seine Botschaft richtet
sich vielmehr an die Gemeinden in ihrer Gesamtheit. Auffällig ist, daß er die
damals in den kleinasiatischen Gemeinden des paulinischen Missionsgebietes
zweifellos bereits vorhandenen gemeindeleitenden Ämter – Episkopen, Dia-
konen, Älteste und Hirten – nirgends erwähnt. Nur zwei kirchliche Ämter sind
es, auf die er Bezug nimmt, Apostel und Propheten. Wobei die ersten deutlich

in der Perspektive des Rückblicks erscheinen; sie gehören für ihn der längst vergangenen Anfangszeit an als die, die den Grund gelegt haben, auf dem die Kirche steht (21,14; vgl. 1. Kor. 3,9–11; Eph. 2,20). Gegenwartsbedeutung haben für ihn hingegen die Propheten. Ihren Auftrag und ihre Sendung macht er in 10,1–11 zum Thema einer ausführlichen Reflexion, wobei deutlich ist, daß er in eigener Sache spricht. Aus alledem läßt sich folgern, daß Johannes vermutlich das führende Glied einer Gruppe von Propheten war, die ihren Auftrag darin sah, mit dem ihnen anvertrauten Zeugnis direkt in die Gemeinden hineinzuwirken.

Sprache und Gedankenwelt verraten seine Herkunft aus dem palästinischen Judenchristentum. So verwendet er in 11,1–13 Traditionsmaterial, das die leidvollen Erfahrungen der palästinischen Kirche in der letzten Zeit des jüdischen Krieges (69/70 n. Chr.) widerzuspiegeln scheint. Johannes und der Prophetenkreis um ihn dürften demnach zu jenen palästinischen Judenchristen gehört haben, die nach der Katastrophe des Jahres 70 in die Provinz Asien einwanderten (vgl. hierzu die Nachrichten bei Euseb, KG 3,37 und 39). Die auf die paulinische Mission zurückgehenden Gemeinden Asiens wurden zwischen 70 und 90 von starken judenchristlichen Einflüssen erfaßt, deren Spuren auch noch in den kurz nach der Wende zum 2. Jahrhundert in diesem Kirchengebiet entstandenen Briefen des Ignatius von Antiochia und des Polykarp von Smyrna aufweisbar sind.

Johannes will nun allerdings weder die paulinisch-heidenchristlichen Gemeinden als ganze für judenchristliche Anschauungen gewinnen, noch richtet er sich an kleine judenchristlich gesinnte Zirkel innerhalb der Gemeinden. Er bejaht vielmehr das Heidenchristentum und die in ihm lebendige paulinische Tradition grundsätzlich. Ja, vieles deutet sogar darauf hin, daß er das weithin von hellenistischen Einflüssen geprägte Denken der Gemeinden, an die er schreibt, genau kennt und daß er versucht, sich diesem verständlich zu machen. Und zwar will er den Gemeinden klar machen, was es für sie bedeutet, daß Christus der Herr der Geschichte ist: Es gilt für sie, ihren gegenwärtigen Standort innerhalb der von Christus umgriffenen, auf seine sichtbare Selbstdurchsetzung hinlaufenden Geschichte zu erkennen, ihren geschichtslosen Individualismus, ihr mattes Gewohnheitschristentum und ihre sittliche Lauheit zu überwinden und die auf sie zukommende kritische Situation in Gehorsam und Verantwortung gegenüber dem wiederkommenden Herrn zu bestehen.

Diese kritische Situation, auf die die Offenbarung mehrfach deutlich anspielt (13,11–18; 17,6.8–14), läßt sich ziemlich genau fixieren. Der Apk.-Autor sieht sie in deutlichem Zusammenhang mit dem sich steigernden religiös-ideologischen Totalitätsanspruch des römischen Staates, wie er seinen Ausdruck fand im Kaiserkult. Bereits Augustus hatte die göttliche Verehrung des verstorbenen Cäsar gefördert, weil er in ihr ein die lokalen Kulte übergreifendes kultisch-religiöses Einheitsband für das Imperium sah, und unter seinen Nachfolgern waren es vor allem Caligula und Claudius, die darüber hinausgehend für sich selbst göttliche Ehren verlangten. Aber zu einer planmäßigen, das ganze Imperium umfassenden Propagierung des Kaiserkultes kam es erst in den letzten Regierungsjahren Domitians (81–96). Er ließ sich den offiziellen

Titel «unser Herr und Gott» beilegen (Sueton, Domitian 13). Und gerade Kleinasien, ein Gebiet, in dem der Herrscherkult bereits eine weit in vorrömische Zeit zurückreichende Tradition hatte, wurde in den Jahren zwischen 92 und 96 zum Zentrum religiöser Kaiserverehrung. Ausgrabungen in Ephesus, der damaligen Provinzmetropole, förderten Reste eines Domitiantempels und einer Kolossalstatue des Kaisers zutage, die nach seinem Tode gewaltsam zerstört worden war. Christen, die dem Kaiser die geforderte göttliche Verehrung versagten, stellten sich damit außerhalb der Gesellschaft, ja sie mußten mit Leiden und Verfolgung rechnen. Daß Christen in ihrer Umwelt als Fremdlinge und Außenseiter galten, die man in mancher Hinsicht verdächtigte, war zwar nichts Neues (1. Petr. 2,12; 3,16); erstmals war es in der sogenannten neronischen Verfolgung (64 n. Chr.) in Rom zu pogromartigen Ausschreitungen und zu Maßnahmen der Behörden gegen die Christen gekommen. Aber diese und andere Maßnahmen gegen die Christen blieben auf einzelne Orte beschränkt. Nun aber droht eine das ganze Imperium umfassende totale Konfrontation der Christen mit den staatlichen Behörden. Diese Konfrontation ist zum Zeitpunkt der Abfassung der Offenbarung erst in den Anfängen; nur vereinzelt, wie etwa in Pergamon, ist es schon zu offener Verfolgung gekommen (2,13). Aber Johannes kündigt in seinen dramatischen Bildern nicht nur eine bevorstehende äußere Verschärfung des Konflikts an, sondern er läßt vor allem dessen wahres Wesen sichtbar werden: Die Christen Kleinasiens sollen wissen, daß ihnen im totalitären religiösen Machtanspruch des römischen Staates die Manifestation der widergöttlichen Mächte begegnet, die in der Endzeit zum letzten vergeblichen Kampf gegen die Herrschaft Jesu Christi antreten. In diesem Konflikt zwischen der Kirche und dem Weltreich gibt es keinen Kompromiß; der Weg der Kirche kann nur der des passiven Widerstands und des Gehorsams gegen ihren Herrn sein. Zugleich spricht Johannes dieser Kirche Trost und Hoffnung zu: Sie soll wissen, daß die widergöttlichen Mächte bald ausgespielt haben und daß der endgültige Sieg Gottes, der im Himmel schon Wirklichkeit ist, bald auch auf Erden manifest werden wird.

Nun nennt die Offenbarung allerdings weder den Namen Domitians, noch enthält sie einen direkten und unmißverständlichen Hinweis auf ihn. Man meinte verschiedentlich sogar, einzelnen Stellen entnehmen zu können, daß die Offenbarung bereits zur Regierungszeit eines früheren Kaisers geschrieben sei. So verbirgt sich nach der wahrscheinlichsten Deutung hinter der Geheimzahl 666 in 13,18 der Name des Kaisers Nero. Aber diese Stelle spricht ja nicht vom gegenwärtigen Kaiser, sondern zeichnet das Bild eines erst für die nächste Zukunft erwarteten Schreckenskaisers, der, gemäß einer verbreiteten volkstümlichen Vorstellung, der wiederkehrende Nero sein werde. Eindeutiger scheint zunächst die Aussage von 17,10 zu sein, wonach der gegenwärtig regierende Kaiser der sechste Kaiser ist. Aber auch sie hilft nicht weiter, da wir weder wissen, bei welchem Kaiser diese Zählung beginnt, noch, ob in ihr die drei «Soldatenkaiser» des Jahres 68/69 enthalten sind. Rechnet man von Augustus an, so wäre (bei Beiseitelassung der Soldatenkaiser) Vespasian der sechste. In Vespasians Regierungszeit (69–79) fiel die Eroberung Jerusalems, und als Hinweis auf dieses Ereignis hat man auch 11,1–2 häufig verstehen wollen. Aber diese Stelle ist lediglich ein isoliertes Traditionsstück aus der Zeit des jüdischen Krieges, das der Verfasser im Zusammenhang allegorisch umdeutet. Nichts berechtigt dazu, sie als Anspielung auf ein zeitgenössisches Ereignis zu verstehen. Und was Vespasian betrifft, so war er weder Förderer des Kaiserkultes, noch ist von einer durch ihn veranlaßten Christenverfolgung etwas bekannt. Auch 17,10 scheint ein älterer Traditionssplitter zu sein, der für die Datierung des Buches nichts hergibt.

Für eine Entstehung der Offenbarung zwischen 90 und 95 spricht übrigens auch, wie hier nur kurz angedeutet werden kann, das Bild, das sie von den Gemeinden in der Provinz Asien zeichnet. Die Zeit der paulinischen Mission scheint schon weit zurück zu liegen; die Gemeinden zeigen alle Krisensymptome der zweiten Generation, der Glaube droht zu erschlaffen (2,4; 3,15f.); die gnostische Irrlehre, die sich zu Lebzeiten des Paulus erst in Umrissen abzuzeichnen begann, ist zu einer starken, die Gemeinden bedrohenden Kraft geworden (2,6.15). Von der Gemeinde von Smyrna, die zur Zeit des Paulus noch gar nicht existierte (Polyk. 11,3) erfahren wir, daß sie sich bereits längere Zeit hindurch bewährt hat, und in 3,17 wird die Gemeinde von Laodicea als «reich» beschrieben, obwohl diese Stadt 60/61 n. Chr. durch ein Erdbeben fast ganz zerstört worden war.

Unsere Datierung wird auch von den altkirchlichen Zeugnissen bestätigt. So schreibt der ebenfalls aus Kleinasien stammende Irenäus um 180 über die Offenbarung: «Denn nicht schon vor langer Zeit wurde sie geschaut, sondern beinahe noch in unseren Tagen, nämlich am Ende der Regierung Domitians» (adv. haer. 5,30,3), und Euseb zitiert diese Nachricht zustimmend (KG 3,18f.; 5,8.6).

Es gibt nun freilich daneben auch einen Punkt, an dem die heutige Auslegung den altkirchlichen Zeugnissen nicht zu folgen vermag. Er besteht in der Behauptung, die Offenbarung habe den gleichen Verfasser wie das Johannesevangelium, und zwar sei dieser der Zebedaide Johannes, ein Glied des Zwölferkreises um den irdischen Jesus, gewesen. So heißt es bei Justin (Dial. 81,4): «ein Mann mit Namen Johannes, einer der Apostel Christi, redete prophetisch in einer ihm zuteil gewordenen Offenbarung» (vgl. auch Euseb, KG 4,26,2; Klemens von Alexandrien, Quis dives salvetur?, 42). Nun verbietet sich die Annahme der Verfasserschaft durch den Zwölferapostel Johannes schon aufgrund der Tatsache, daß der Autor der Offenbarung sich weder als Apostel bezeichnet, noch irgendeinen Hinweis auf seine Augenzeugenschaft Jesu gibt, sondern sich in die Reihe der kirchlichen Propheten stellt. Überdies ist zu bedenken, daß der Zebedaide Johannes zur Zeit der Abfassung der Offenbarung bereits ein 90jähriger Greis gewesen sein müßte. Dieses kraftvolle Buch mit seinen grellen Farben und harten Kontrasten trägt jedoch nicht die Züge eines Alterswerkes. Aber auch die Identifikation des Verfassers der Offenbarung mit dem des vierten Evangeliums stößt auf unüberwindliche sachliche Widerstände, wie bereits im 3. Jahrhundert Dionys von Alexandria erkannte (bei Euseb, KG 7,25,7f.). Sprache und Denkstruktur beider Werke sind zutiefst verschieden. Dabei liegt der Hauptunterschied nicht einmal, wie zumeist behauptet wird, in der Eschatologie: Gewiß betont das vierte Evangelium die präsentische Eschatologie, indem es zeigt, daß die Entscheidung über Tod und Leben bereits in der Begegnung mit Jesus Christus, dem Offenbarer, fällt, während die Offenbarung den Blick auf das zukünftige Erscheinen Jesu Christi als des Weltrichters und die dann anbrechende Vollendung richtet. Aber immerhin weiß auch die Offenbarung, daß die Entscheidung über das Kommende grundsätzlich schon gefallen ist in Kreuz und Erhöhung Jesu Christi (5,1–11). Sie beschreibt die Zukunft als ein Geschehen, das von der bereits verborgen angebrochenen Gottesherrschaft bestimmt ist. Tiefer jedoch sind die Differenzen in der Christologie und im Kirchenverständnis. Das vierte Evangelium denkt von dem Kommen Jesu auf die Erde, d. h. von der Menschwerdung her, während im Mittelpunkt der Offenbarung der Gedanke der Einsetzung Christi zum Herrscher über Welt und Geschichte steht. Das vierte Evangelium kennt nur die Bindung des je einzelnen Glaubenden an Christus (Joh. 15,1ff.), es spricht jedoch nirgends von der Gemeinschaft der Kirche und ihrer Funktion in der Welt. Dem entspricht, daß es kaum Hinweise auf Gottesdienst und Sakramente enthält. Für die Offenbarung dagegen ist der Gedanke an die Kirche als das Volk Gottes, das zum Zeugnis gegenüber der Welt gerufen ist, zentral, und sie betont, daß der Ort, an dem sich die Christusgemeinschaft der Kirche jetzt schon realisiert, der Gottesdienst ist. In ihm hat die Gemeinde durch die Sakramente schon jetzt teil an der zukünftigen Welt. Auch die von den großen Gegensatzpaaren wie Licht-Finsternis, Leben-Tod, Wahrheit-Lüge, Heil-Unheil beherrschte Begrifflichkeit des Johannesevangeliums hat in der Offenbarung keine Entsprechung.

Sicher gibt es in einigen Punkten auch überraschende Berührungen zwischen beiden Schriften. So findet sich die Bezeichnung Christi als «das Wort (Gottes)» im Neuen Testament nur in Joh. 1 und Apk. 19,13, und nur in Joh. 1,29.36 und Apk. 5,6 wird Christus das «Lamm» genannt (wobei das griech. Wort allerdings nicht identisch ist). Aber diese Berührungen sind nicht enger als die zwischen der Offenbarung und anderen neutestamentlichen Schriften.

Sprache und Stil

Die Sprache der Offenbarung hat innerhalb des Neuen Testaments nicht ihresgleichen. Nirgends ist die griechische Decke über dem semitischen Untergrund so dünn wie hier. So sehr folgt das Griechische der Offenbarung dem Duktus und den Formgesetzen des Hebräischen bzw. Aramäischen, daß dadurch ständig sprachliche Härten entstehen, die sich in der deutschen Übersetzung kaum wiedergeben lassen.

Es ist jedoch unwahrscheinlich, daß der Grund dafür in den mangelnden Griechischkenntnissen des aus Palästina stammenden Verfassers zu suchen wäre. Denn an nicht wenigen Stellen stellt er unter Beweis, daß er die griechische Sprache relativ gut beherrschte und sich typisch griechischer Ausdrucksweisen bedienen konnte. Mehr hat die Annahme für sich, daß er sich bewußt dieses altertümlich-feierlich klingenden hebraisierenden Griechisch bediente, um seine Leser an die biblische Sprache des Alten Testaments zu erinnern. Bei genauerem Zusehen ergibt sich nämlich, daß er weithin sein sprachliches und begriffliches Material aus dem Alten Testament bezog. Zwar wird das Alte Testament kein einziges Mal direkt zitiert – die sonst im Urchristentum übliche

Form des Schriftbeweises fehlt – jedoch sind weite Teile des Buches nichts anderes als paraphrasierende Deutungen alttestamentlicher Texte, vorwiegend aus den Propheten Ezechiel, Sacharja, Joel und Daniel. So steht hinter der Thronsaalvision in Kap. 4 Ez. 1, hinter der Tiervision in Kap. 13 Dan. 7 und hinter der abschließenden Vision der Vollendung Ez. 40–48. Die Symbole und Bilder der alttestamentlichen Vorlagen werden dabei sehr freizügig aufgenommen und abgewandelt, wobei das Vorgehen des Verfassers gleichermaßen von poetischer Ausdruckskraft wie von schriftgelehrter Spekulation bestimmt ist. Neue Deutungselemente überlagern die traditionellen Bilder, und der neue Sinn, den jene so gewinnen, geht vielfach auf Kosten ihrer Anschaulichkeit. So ist z. B. in der Thronwagenvision Ez. 1,18 die Vorstellung von Rädern, die innen und außen voller Augen sind, noch anschaulich; in ihrer Übertragung auf die einzelnen Tiere der Thronsaalvision Apk. 4,8 wird sie jedoch unanschaulich und abstrakt.

Aufgrund solcher Beobachtungen, deren Reihe sich verlängern ließe, wird man die Frage nach der sogenannten «Erlebnisechtheit» der Visionen der Offenbarung sehr zurückhaltend beantworten müssen. Ohne Zweifel hat Johannes als Prophet nicht nur im Geist Weisungen des erhöhten Christus empfangen, sondern auch visionäre Schauungen gehabt. Aber was er in seinem Buch niederschreibt, ist nicht deren gleichsam photographisch genaues Abbild. Es ist vielmehr durch den Prozeß einer am Alten Testament orientierten theologischen Interpretation und Reflexion so stark überlagert, daß Rückschlüsse auf die Inhalte der ursprünglichen Visionen sich verbieten. Erst recht geht jeder Versuch einer psychologisierenden Interpretation, der aus den Visionsinhalten Schlüsse auf seelische Disposition und innere Erlebniswelt des Sehers ziehen will, in die Irre.

Tradition und Interpretation

Die Offenbarung ist, was ihre Gesamtkomposition betrifft, als ein einheitliches, konsequent aufgebautes Werk zu beurteilen, das vom theologischen Willen seines Verfassers vom Anfang bis zum Ende geprägt ist. Die früher in der Forschung vertretene Annahme einer ursprünglichen jüdisch-apokalyptischen Grundschrift, die von einem christlichen Bearbeiter ergänzt und kommentiert worden sei, hat sich nicht halten lassen. Auch die These, wonach das Buch in zwei Phasen entstanden sei, in der Weise, daß der Verfasser das zuerst niedergeschriebene Visionsbuch, das etwa von 4,1–19,10 reichte, später um den Sendschreibenteil (1,4–3,22) sowie um die Schlußabschnitte (19,11–22,21) erweitert habe, kann angesichts der festen Verklammerung des zweiten Hauptteils mit dem ersten nicht überzeugen.

So einheitlich das Buch auch in seinem Gesamtduktus ist, es weist an zahlreichen Stellen doch Unebenheiten, Brüche und Wiederholungen auf, die einer Erklärung bedürfen. So überschneiden sich in den 7-Posaunen-Visionen (8,2–11,19) zwei verschiedene Gliederungsprinzipien: die letzten drei Posaunen werden als die «drei Wehe» eingeführt, ohne daß der Leser einen Grund dafür erführe. Zugleich ergibt sich, daß die Posaunenvisionen inhaltlich mit den 7-

Schalen-Visionen (15,1–16,21) weitgehend parallel sind – ein Umstand, der ebenfalls von der Deutung nicht aufgenommen wird. Das läßt vermuten, daß der Verfasser hier zwei Varianten einer bereits vorgeprägten Tradition verwendet hat. Aber auch außerhalb der großen Visionsreihen greift er immer wieder auf vorgegebenes Material zurück. So sind in 11,1–14 zwei judenchristliche Traditionsstücke aus der Zeit des jüdischen Krieges verarbeitet, deren zeitgeschichtliche Bezüge den Kontext fast sprengen, und hinter den Abschnitten 10,1–11; 14,6–20; 17,8–18 und 18,1–24 dürften ebenfalls ältere Überlieferungen stehen. Johannes hat das aus dem reichen Reservoir frühchristlich-apokalyptischer Tradition übernommene Material durch Überarbeitung seiner eigenen theologischen Aussageabsicht einzugliedern versucht. Das ist ihm jedoch nur teilweise gelungen; weithin führen die Überlieferungen unter der dünnen Decke der Interpretation gleichsam noch ihr Eigenleben.

Ein Problem für sich bilden die zahlreichen hymnischen Stücke. Sie erscheinen in einer Reihe von Szenen, die, die Darstellung des Endzeitgeschehens unterbrechend, von der Anbetung der himmlischen Wesen und der vollendeten Gerechten im Himmel handeln (4,11; 5,9–13; 7,9–17; 11,15–18; 12,10–12; 15,3f.; 16,5–7; 19,1–8). Angesichts ihrer gottesdienstlichen Sprache hat man gefragt, ob Johannes sie direkt aus der Liturgie seiner Gemeinde übernommen habe. Doch für diese Möglichkeit spricht wenig. Sicher hat Johannes hier jeweils an Elemente und Ausdrucksformen des Gottesdienstes seiner Zeit angeknüpft, aber er hat die hymnischen Stücke, wie die kunstvolle Sprache verrät, im wesentlichen selbst gedichtet.

Zur Auslegungsproblematik

Wer einen Text aus ferner Vergangenheit verstehen will, der muß versuchen, zu ermitteln, was der Verfasser damals seinen Lesern sagen wollte und in welchem Sinne seine Botschaft von diesen Lesern verstanden werden konnte. Die Beachtung dieser Grundregel ist bei der Auslegung der Offenbarung besonders wichtig. Was für den heutigen Leser dieses Buches zunächst ins Auge fällt, das sind die geheimnisvollen fremdartigen Bilder. Seine Vorstellungskraft wird von den Inhalten der phantastisch-bizarren Visionen und von der schillernden apokalyptischen Sprache so gefesselt, daß er die eigentliche Botschaft des Buches leicht überhört. Für den Verfasser war jedoch diese Bilderwelt ein Stück der geistigen Tradition, in der er lebte; sie war gleichsam eine Sprache, deren Grammatik er so beherrschte, daß er sich ihrer zur Übermittlung seiner Botschaft an die kleinasiatischen Gemeinden bedienen konnte. Denn auch diesen Gemeinden war die Grammatik dieser Sprache aus der christlichen Tradition bis zu einem gewissen Grade vertraut. Wir können davon ausgehen, daß weder für Johannes, noch für die kleinasiatischen Christen die einzelnen Bilder und Visionsinhalte das eigentlich Zentrale waren. Das, was Johannes eigentlich sagen will, steckt nicht in den Lauten und Silben dieser Sprache, sondern in den Sätzen, die er daraus formt. Ohne Bild gesprochen heißt das: Seine Botschaft kommt weniger im Bildgehalt der mitgeteilten Visionen zum Ausdruck, sondern vorwiegend darin, wie er das weithin traditionelle Bildmaterial anordnet, durch kommentierende Einschübe ergänzt, wie er ihm durch unerwartete, von der Tradition abweichende Wendungen neue Lichter aufsetzt und wie er es zu einer übergreifenden Gesamtkomposition zusammenfügt. Diesen vom Verfasser hergestellten Zusammenhängen nachzugehen und so seine Botschaft zu entschlüsseln, soll auch das Hauptziel der vorliegenden Auslegung sein. Sie muß jedoch schon aus Gründen des Umfangs auf eine religions- und traditionsgeschichtliche Analyse des verwendeten Einzelmaterials (wie sie Wilhelm Bousset in seinem großen Kommentar eindrucksvoll geleistet hat) weitgehend verzichten.

Es versteht sich im übrigen nach allem bisher Gesagten von selbst, daß die bis in die Neuzeit hinein geübte kirchen- bzw. weltgeschichtliche Deutung der Absicht des Buches nicht gerecht wird. Die Reihe der Bilder und Visionen kann nicht als geheimnisvoll verschlüsselte Vorausdarstellung des Ablaufs der Kirchen- und Weltgeschichte gelesen werden, und es ist verfehlt, einzelne Bilder auf bestimmte Ereignisse und Personen zu deuten. Erst recht geht es nicht an, durch solche Identifikationen den Ort der Gegenwart innerhalb des vermeintlich vorhergesagten Geschichtsablaufs zu bestimmen und von da aus Schlüsse über die noch ausstehende Frist bis zum Weltende zu ziehen. Johannes will keine Vorausdarstellung des Weltfahrplans für die spätere Kirche geben, er wendet sich vielmehr in einer ganz konkreten zeitgeschichtlichen Situation an bedrängte Christen, um diese im Lichte des Glaubens an die Herrschaft des erhöhten Christus über die Geschichte zu deuten und so die Angeredeten dessen gewiß zu machen, was für sie an der Zeit ist. Erst wenn wir diesen zeitgeschichtlichen Hintergrund der Offenbarung ernst nehmen, wird ihre Botschaft auch für uns aktuell und aufregend. Denn wir erkennen dann, daß dieses Buch nicht, wie seine Kritiker meinten, eine Sammlung dunkler, zu Spekulationen herausfordernder Zukunftsankündigungen ist, sondern daß es im Lichte der durch Christus geschenkten Hoffnung ein Wesensbild der ihrem Ende zueilenden Geschichte zeichnet und so der Kirche hilft, ihre Verantwortung in der Geschichte zu erkennen.

Aufbau und Gliederung

Für die Auslegung der Offenbarung hängt sehr viel davon ab, ob es gelingt, das Kompositionsprinzip zu entdecken, dem der Verfasser bei der Gestaltung und Interpretation seines vielfältigen Materials gefolgt ist. Unproblematisch ist in dieser Hinsicht der erste Hauptteil (1,9–3,22), der beherrscht wird von der Beauftragungsvision (1,9–20), aus der die sieben Sendschreiben (2,1–3,22) gleichsam hervorwachsen. Hinsichtlich des zweiten Hauptteils (4,1–22,5) ergeben sich jedoch beträchtliche Schwierigkeiten. Hier hat die Ausleger vor allem die Frage nach dem Verhältnis der drei großen Visionenreihen (sieben Siegel, sieben Posaunen, sieben Schalen) zueinander beschäftigt. Auf den ersten Blick könnte fast der Eindruck entstehen, als sollten mit ihnen zeitlich nacheinander liegende Abschnitte des Endzeitgeschehens beschrieben werden. Denn zumindest die Reihe der Sieben-Posaunen-Visionen scheint aus dem letzten Glied der Sieben-Siegel-Visionen herauszuwachsen (8,1–5).

Aber abgesehen davon, daß ein entsprechender Übergang von den Sieben-Posaunen-Visionen zu den Sieben-Schalen-Visionen fehlt, spricht dagegen der
Umstand, daß die Inhalte der drei Siebenerzyklen sich weitgehend entsprechen; vor allem die Posaunen- und Schalen-Visionen sind großenteils parallel.
So hat die erstmals von einem altkirchlichen Ausleger (Victorin von Pettau,
†304) vertretene Rekapitulationstheorie mehr für sich, die diese Wiederholungen damit erklärte, daß die selben endzeitlichen Ereignisse mehrfach unter
verschiedenen Gesichtswinkeln beschrieben würden.

Noch wichtiger ist die Frage nach dem Verhältnis der drei großen Siebenerzyklen zu den sie umgebenden Abschnitten. Man hat häufig versucht, diese ebenfalls nach Siebenerreihen zu gliedern, weil man glaubte, in der Anordnung
nach Siebenereinheiten das Kompositionsprinzip des Buches entdeckt zu haben. Aber die Ergebnisse waren zu konstruiert, um überzeugen zu können. In
die Sackgasse führte auch der umgekehrte Weg, die zwischen den Siebenerreihen stehenden Abschnitte kurzerhand zu ergänzenden Nachträgen und Zwischenstücken zu erklären. Denn damit wurde man dem sachlichen Gewicht
von Passagen wie 12,1–14,19 und 17,1–19,10 nicht gerecht.

Weiter kommt man nur, wenn man aus den Einsichten hinsichtlich des Verhältnisses des Verfassers zu den ihm von der Tradition vorgegebenen Materialien die Konsequenz zieht und sich von der einseitigen Fixierung auf die ihrem
Inhalt nach weitgehend traditionsbestimmten Siebenerzyklen löst, um stattdessen dem Netz von *thematischen Hauptlinien, kompositorischen Bezügen*
und *motivlichen Verbindungen* nachzugehen, das Johannes seinen verschiedenen Materialien übergeworfen hat. Dabei ergeben sich folgende Beobachtungen, die wir unserem Gliederungsversuch (s. Inhaltsverzeichnis) zugrundele-
gen:

1. Die Thronsaalvision 4,1–5,14 erweist sich als das den gesamten zweiten
Hauptteil beherrschende Zentrum. Denn von ihr gehen *drei thematische Be-
zugsreihen* aus, die die folgende Darstellung bestimmen:

1.1 Die *erste Bezugsreihe* nimmt das Thema der Herrschaft Jesu Christi über
die Geschichte auf, das in der Übergabe des versiegelten Buches an das
«Lamm» (5,1–14) gestellt ist. In der Öffnung der sieben Siegel (6,1–8,1) erweist sich der erhöhte Christus als der, der die Vollmacht hat, die Abfolge der
Endzeitereignisse in Gang zu setzen. Aber auch in dem Sieben-Posaunen-Zy-
klus (8,2–11,19) wird der Gedanke der Geschichtsmächtigkeit Christi indirekt
aufgenommen, insofern als die Endzeitkatastrophen als Rufe zur Umkehr in-
terpretiert werden (9,20). Wenn schließlich beim Erklingen der siebten Posaune (11,15–19) himmlische Stimmen die Herrschaft des Christus über die Welt
verkünden, so wird damit direkt zu 5,1–14 zurückgeführt. Indem sich hier der
erste Kreis schließt, wird ein deutlicher Einschnitt markiert.

1.2 Mit 12,1 setzt deutlich ein weiterer, bis 19,10 reichender Kreis ein. Denn
nunmehr erscheint eine *zweite Bezugsreihe*, die das negative Gegenbild zu
4,1–11,19 ist: Gottes Widersacher und die von ihm eingesetzten dämonischen
Mächte, die Christus die Herrschaft über die Welt streitig machen wollen. Es
ist deutlich, daß die Szene 13,1–10, in der der «Drache» dem «Tier aus dem
Abgrund» die Macht über die Welt übergibt, die Herrschaftsübertragung auf
das «Lamm» in 5,1–14 parodiert. Die folgenden Abschnitte beziehen ihre

Spannung aus dem nun einsetzenden Kampf Gottes gegen seinen Widersacher, dessen Macht sich in Gestalt des dämonischen Weltreiches in der Geschichte manifestiert. Hier hat nun auch der dritte Siebenerzyklus der Schalenvisionen seinen Ort. Er schildert zwar inhaltlich die gleichen Katastrophen und Drangsale wie die beiden vorhergegangenen Siebenerzyklen, neu ist jedoch die Beleuchtung, in die er diese rückt: nunmehr geht es um das Endzeitgeschehen als Gericht Gottes über seinen Widersacher.

1.3 Die *dritte* von 4,1–5,14 ausgehende *Bezugsreihe* liegt gleichsam quer zu den beiden anderen. Zu ihr gehören eine Reihe von Abschnitten, die in regelmäßigen Abständen die Schilderung des Endgeschehens mit seinen Katastrophen und Drangsalen unterbrechen. Das Thema ist hier jeweils die Gemeinde. Johannes will zeigen: Obwohl sie von diesem Geschehen umbrandet und bedroht ist, hat sie bereits jetzt teil an der neuen Wirklichkeit, die im Himmel durch die Herrschaft Christi gesetzt ist, und lebt aus der Hoffnung auf die noch ausstehende sichtbare Durchsetzung der Macht ihres Herrn (7,1–17; 15,2–4). Darum kann sie auch die zum äußersten gehende Gefährdung ihrer Existenz ertragen und Standhaftigkeit und Gehorsam zeigen (14,1–5).

2. Zwischen 19,10 und 11 liegt ein deutlich markierter Einschnitt. Die nun noch folgenden Abschnitte blicken aus auf die das Endzeitgeschehen abschließenden Ereignisse: die Wiederkunft Jesu als Weltrichter (19,11–21), die Errichtung des messianischen Reiches (20,1–10), Totenauferstehung und Weltgericht (20,11–15), sowie die neue Welt und die Vollendung der Heilsgemeinde (21,1–22,5).

2.1 Die Wiederkunft Christi wird dargestellt als Triumph über die widergöttlichen Gewalten (19,11–21). Stark treten in diesem Abschnitt die kompositorischen Bezüge auf Kap. 12 und 13 hervor; damit soll betont werden, daß der wiederkommende Christus eben die feindliche Macht niederringen wird, mit deren sichtbarer Manifestation, dem gottlosen Weltreich, die Gemeinde gegenwärtig im Konflikt steht.

2.2 Wenn abschließend (21,1–22,5) die neue Welt Gottes in den beiden Bildern der Braut des Lammes (21,2; vgl. 19,7) und der himmlischen Stadt (21,9–22,5) dargestellt wird, so liegen die dadurch hergestellten gegensätzlichen Bezüge auf die «Hure Babylon» (17,1–6) und die dem Gericht verfallene gottfeindliche «Stadt» (18,1–24) deutlich zutage. Aber auch 13,1–10 ist wiederum als Gegenbild mit im Blick, denn die Gottesstadt, die vom Himmel kommt und in der auf ewig das Gotteslob erklingt, tritt nun an die Stelle jenes Reiches «von unten» (13,1), das Ort der Verherrlichung des Widersachers Gottes war (13,4).

3. Deutlich ist nach alledem, daß sich an zwei Stellen die kompositorischen Bezüge besonders stark bündeln: Die eine ist die Thronsaalvision 4,1–5,14. Sie bildet den theologischen Angelpunkt des ganzen Buches. Die andere ist die doppelte Tiervision 13,1–18. Die letztere markiert, zusammen mit 17,1–18, die aktuelle Krisensituation, zu deren Verstehen und Bestehen Johannes den Christen Kleinasiens mit seinem Buch helfen wollte.

Auslegung

1,1–3 Vorwort

1 Offenbarung Jesu Christi, die Gott ihm gegeben hat, um seinen Knechten zu zeigen, was in Kürze geschehen muß; und er hat sie durch seinen Engel seinem Knecht Johannes gezeigt. 2 Dieser hat das Wort Gottes und das Zeugnis Jesu Christi bezeugt: alles, was er geschaut hat. 3 Selig, wer diese prophetischen Worte vorliest, und die, welche das darin Geschriebene hören und bewahren; denn die Zeit ist nahe.

In der antiken Welt war es weithin üblich, Kurzangaben über Verfasser und Inhalt einem literarischen Werk voranzustellen. Handelte es sich dabei im allgemeinen nur um eine erweiterte Überschrift, so ist diese Form im Eingang der Apk. zu einem regelrechten kleinen Vorwort weiterentwickelt, das in knappen, präzisen Formulierungen über Inhalt, Wesen und Ziel des Buches unterrichtet. Eine gewisse Ähnlichkeit damit haben die Eröffnungen alttestamentlicher Prophetenbücher (Hos. 1,1; Am. 1,1; Jes. 1,1), die allerdings kaum als literarisches Vorbild gedient haben dürften. Innerhalb des Neuen Testaments finden sich keine Entsprechungen dazu; lediglich das Lukasevangelium hat ein Vorwort (Lk. 1,1–4), das jedoch der literarischen Form der Widmung folgt. Hingegen weisen einige außerkanonische Schriften des 2. Jahrhunderts – z. B. die Didache, das koptische Thomasevangelium und das Johannesapokryphon von Nag Hammadi – formal und inhaltlich ähnliche Vorbemerkungen auf. Ob diese Entsprechung rein zufällig oder Indiz für eine feste literarische Form ist, die sich dann kurz vor der Jahrhundertwende entwickelt hätte, läßt sich freilich kaum mehr eindeutig entscheiden.
Der Umstand, daß das Vorwort dem brieflichen Anfang von 1,4–8 vorgeschaltet ist, ist zwar auf den ersten Blick überraschend, berechtigt jedoch nicht zu der Annahme einer sekundären Zutat. Sprachlich und inhaltlich fügt sich 1,1–3 nämlich bruchlos in das Buch ein; vor allem zu dessen Schluß (22,6–21) besteht eine so enge Verbindung, daß man von einem Rahmen sprechen könnte, der das Ganze umschließt. Aber auch ein sachlicher Grund für die Vorschaltung des Vorworts läßt sich erkennen: Anscheinend war es Johannes darum zu tun, vor Aufnahme der eigentlichen brieflichen Kommunikation mit den Gemeinden in Asien die alles Folgende bestimmende Konstellation klarzustellen. Urheber der Offenbarung ist kein anderer als Jesus Christus selbst. Wenn Johannes an die Gemeinden schreibt, dann nicht deshalb, weil er ihnen Eigenes mitzuteilen hätte, sondern weil ihn Christus als Werkzeug benutzt, um durch ihn seinen Willen seinen Gemeinden kundzutun. Johannes nimmt sich selbst ganz zurück; er will nichts weiter sein als ausführendes Werkzeug. Indem es zum Ausdruck bringt, daß die briefliche Kommunikation des Johannes mit den Gemeinden Teil eines übergreifenden Geschehens ist, in dem Gott durch Christus zu den Seinen spricht, wird das Vorwort zu einem wichtigen Mittel der Leserführung.

V. 1 setzt ein mit der Bezeichnung des Buchinhalts: «Offenbarung Jesu Christi». Was ist darunter zu verstehen? Offenbarung *(apokalypsis)* ist zunächst dem Wortsinn nach die Aufdeckung von Verborgenem. Daß Gott in seinem Handeln in Jesus Christus aus seiner Verborgenheit hervorgetreten war, daß er den Seinen die Geheimnisse seines heilvollen Handelns erschloß und ihnen seinen Willen verbindlich kundgab, diese Grunderfahrung hat das Urchristentum mit diesem Begriff umschrieben. Allerdings ist seine Bedeutungsbreite im Neuen Testament beträchtlich; sie reicht von der durch Propheten der Gemeinde vermittelten Kundgabe des göttlichen Heilsplans und Willens (1. Kor. 14,6.30) über die ekstatische Schau himmlischer Dinge (2. Kor. 12,1.7) bis zum endzeitlichen Erscheinen Jesu Christi selbst (1. Kor. 1,7; 2. Thess. 1,7). An unserer Stelle kommt nur die erstgenannte Bedeutung in Frage: Geht es doch um eine von Jesus Christus (genetivus subiectivus) ausgehende Offenbarung, deren Veranlasser Gott ist und die den «Knechten Gottes», d. h. den Gliedern der Gemeinden, durch Johannes kraft seines prophetischen Auftrags vermittelt wird. Der Umstand, daß diese Offenbarung Johannes vorwiegend in ekstatischen Visionen apokalyptischer Art zuteil wird, kann für die inhaltliche Füllung des Begriffs hier außer Betracht bleiben, denn diese Visionen werden auffälligerweise niemals als «Offenbarungen» bezeichnet. Entscheidend ist nicht die Art und Weise des Empfangs der Offenbarung, sondern daß diese verbindliches Wort Jesu Christi für die Gemeinden ist. Deutlich apokalyptische Färbung hat hingegen der Hinweis auf den Inhalt der Offenbarung – «was in Kürze geschehen muß» –, der sich fast wörtlich an eine Formulierung aus Dan. 2,28 anschließt. Das Weltgeschehen wird weder vom blinden Zufall, noch von menschlicher Initiative gestaltet, es läuft vielmehr nach einem Plan ab, den Gott selbst vor aller Ewigkeit beschlossen hat; und zwar ist die Verwirklichung dieses Planes in die letzte, entscheidende Phase eingetreten, so daß das der Geschichte von Gott gesetzte Ziel nahe ist. Diese Grundüberzeugung aller Apokalyptiker teilt auch Johannes, um sie jedoch, wie zu zeigen sein wird, vom Glauben an Jesus Christus als den Herrn der Geschichte her in neuer Weise inhaltlich zu füllen. Zwischen Christus als dem Urheber der Offenbarung und Johannes, ihrem Empfänger, erscheint als Zwischenglied der Engel Gottes (vgl. 19,11; 22,6.16). Auch das entspricht apokalyptischem Stil, daß Engel als Mittler der Visionen und als deren Deuter in Erscheinung treten. Gemeint ist hier einer der sieben Engel, die nach jüdischer Überlieferung vor dem Angesicht Gottes stehen (s. zu 8,2).

Johannes nennt seinen Namen, ohne ihm eine Amts- oder Würdebezeichnung beizufügen (vgl. zu 1,9). Auch wenn man in Rechnung stellt, daß er für die angeschriebenen Gemeinden eine bekannte Autorität war, so daß die bloße Nennung seines Namens genügte, um seinen Worten Gehör zu schaffen, bleibt das auffällig. Nimmt man dazu, daß das einzige Prädikat, das er hier für sich in Anspruch nimmt, das des Knechtes Jesu Christi, kein anderes ist als jenes, das er allen Gliedern der Gemeinde beilegt, so nötigt sich der Schluß auf, daß Johannes bewußt und betont auf einen Autoritätsanspruch aufgrund seines Amtes oder seiner Stellung verzichtet. Was seiner Botschaft Gehör verschaffen soll, ist allein der Umstand, daß Christus selbst durch sie zu Wort kommt.

So ist die Buchüberschrift «Offenbarung des Johannes», die man im 2. Jahrh.

aus V. 1 ableitete, letztlich nicht ganz zutreffend, weil sie den Eindruck erweckt, als sei Johannes Urheber und Autor der in diesem Buch erfolgenden Offenbarung. Sinngemäß müßte sie lauten: «Offenbarung Jesu Christi durch Johannes».

V. 2 schlägt die Brücke von der Absender- zur Empfängerseite, indem er die unmittelbare Folge des Empfangs der Offenbarung Jesu Christi durch Johannes beschreibt: Er hat alles, was er schaute, und was seinem Wesen nach Wort Gottes und Zeugnis Jesu Christi war, vollständig und ohne davon etwas zu verschweigen, bezeugt, so daß sein Zeugnis nun in verschrifteter Gestalt den Gemeinden vorliegt. So wenig Johannes sich in der Weise der Verfasser jüdischer Apokalypsen hinter einem Pseudonym versteckt, so wenig will er sein Buch als eine geheime, nur wenigen Auserwählten zugängliche Schrift verstanden wissen. Weil Jesus Christus sich in seiner Offenbarung an die ganze Kirche wendet, darum ist es Aufgabe des Johannes, sie öffentlich zu machen. Und zwar geschieht dies durch sein Zeugnis.

Exkurs: Zeugnis und Zeuge

Mit dem Begriff Zeugnis *(martyria)* ist einer der theologischen Leitbegriffe der Apk. eingeführt. Er hat seinen Ursprung im Rechtsleben: Zeugnis ist die verbindliche Aussage, die jemand vor Gericht über das abgibt, was er gesehen und gehört hat. Wenn das Neue Testament von Zeugnis und Bezeugen dessen spricht, was in Jesus Christus geschehen ist, so meint es allerdings nicht nur ein formal zuverlässiges Reproduzieren von Worten und Tatsachen, sondern ein Eintreten des Zeugen für die Wahrheit des Gehörten und Gesehenen mit seiner ganzen Person. In diesem Sinne der Einheit von Tatsachen- und Wahrheitszeugnis haben die Jünger nach Ostern vor der Welt die Auferweckung Jesu von den Toten verkündigt (1. Kor. 15,15; Apg. 2,32; 3,15; 5,31f.). Die Apk. geht hier noch einen Schritt weiter, indem sie eine unmittelbare Entsprechung zwischen dem Zeugnis, das Menschen von Jesus Christus geben, und dem Zeugnis, das Jesus Christus selbst gegeben hat, aufweist. Jesus ist der «treue Zeuge» (1,5), dessen Eintreten für die Sache Gottes sich in seinem Kreuzestod vollendet hat. Zeuge für Jesus sein kann nur, wer bereit ist, sich von Jesu eigenem Zeugnis prägen zu lassen, und das heißt, den Weg des leidenden Gehorsams um der Sache Jesu willen kompromißlos und notfalls bis zur Lebenshingabe zu gehen (s. zu 2,13). Die Apk. steht noch diesseits jener Märtyrertheologie des 2. Jahrhunderts, nach der echtes Zeugnis notwendig die Lebenshingabe fordert, aber sie bewegt sich deutlich auf diese zu, wenn sie dem Zeugnis der Blutzeugen einen hervorgehobenen Rang zuweist (6,9; 11,3; 20,4). Vor allem aber scheint dieses christologische Verständnis von Zeugenschaft eine der Wurzeln für die rigoristische Ethik der Apk. zu sein. Nach ihr ist nämlich grundsätzlich jeder Christ zum Zeugnis berufen, und das heißt: er muß bereit sein, um des Gehorsams gegenüber dem Zeugnis Jesu willen zu leiden und notfalls sein Leben hinzugeben (vgl. 13,9f.; 14,4f.).

Johannes will also in seinem Zeugnis das Zeugnis Jesu Christi weitergeben, jene Botschaft des Auferstandenen und Erhöhten, die in der Lebenshingabe des Gekreuzigten ihren Grund hat und zugleich deren Folgen entfaltet. Sie ist nichts anderes als das Wort Gottes selbst.

V. 3 wendet sich der Empfängerseite zu. Das sachgemäße Verhalten der Gemeinden gegenüber dem Buch wird in einer Seligpreisung umschrieben. Es ist dies die erste von sieben Seligpreisungen des Buches, die jeweils dessen Botschaft in feierlichen zusammenfassenden Formulierungen auf die Situation der Leser hin entfalten (14,13; 16,15; 19,9; 20,6; 22,7.14), und die einzige, in der nicht Christus oder ein Engel, sondern Johannes selbst das Wort nimmt. Durch sie wird dem Buch ein Ort im gemeindlichen Gottesdienst zugewiesen: Es ist nicht als Lektüre für einige wenige bestimmt, die nach besonderem Geheimwissen suchen, sondern es soll als prophetisches Wort in der Öffentlichkeit der versammelten Gemeinde vorgelesen werden, so wie bereits die Paulusbriefe im Gottesdienst verlesen sein wollten (1. Thess. 5,27). Gegen Ende des 1. Jahrhunderts scheint die Praxis, neben Texten aus dem Alten Testament auch christliche Schriften im Gottesdienst zu verlesen, schon vielfach verbreitet gewesen zu sein (Kol. 4,16; Justin, Apol. 1,67,3). Es könnte sogar sein, daß sich die Formulierung von V. 3 an eine solche Lesungen einleitende Seligpreisung anschließt; dafür könnte auch die auffällige Nähe zu Lk. 11,28, einer zweifellos gottesdienstlich geprägten Wendung, sprechen.

Allein, nicht schon mit dem Vorlesen und aufmerksamen Hören ist das letzte Glied des im Vorwort nachgezeichneten Bogens erreicht, der sich vom Ursprung zum Ziel der Offenbarung spannt. Vielmehr kommt alles darauf an, daß die Botschaft dieses Buches von den Hörern gläubig bewahrt wird. Ein Doppeltes scheint damit angedeutet zu sein: Einmal ihr Schutz vor drohenden Verfälschungen (22,18f.), zum andern aber auch die gehorsame Befolgung dessen, was sie von den Hörern fordert (3,3.8.10; 12,17; 14,12). Der Hinweis auf die unmittelbare Nähe der Endereignisse gibt dieser Mahnung ihren nachdrücklichen Ernst. Es ist Überzeugung des Johannes, daß die Hörer in den auf sie zukommenden Bedrängnissen der Endzeit nur bestehen können, wenn sie in Denken und Handeln auf der festen Basis der an sie ergehenden Botschaft bleiben.

1,4–8   Brieflicher Eingang

4 Johannes den sieben Gemeinden in (der Provinz) **Asien: Gnade sei mit euch und Friede von dem, der ist und dem, der war und dem der kommt, und von den sieben Geistern vor seinem Thron, 5 und von Jesus Christus, dem treuen Zeugen, dem Erstgeborenen der Toten und Herrscher über die Könige der Erde. Dem, der uns liebt und uns von unseren Sünden erlöst hat durch sein Blut 6 und uns zur Königsherrschaft gemacht hat und zu Priestern für Gott, seinen Vater, – ihm sei Ehre und Macht von Ewigkeit zu Ewigkeit. Amen. 7 Siehe, er kommt mit den Wolken, und sehen wird ihn jedes Auge und (auch) die, welche ihn durchbohrt haben, und wehklagen werden über ihn alle Geschlechter der Erde. Ja, Amen. 8 Ich bin das Alpha und das Omega, spricht Gott der Herr, der ist und der war und der kommt, der Allherrscher.**

Bei der Gestaltung der unmittelbaren Anrede der Empfänger hat ohne Zweifel das Modell der paulinischen Briefeingänge Pate gestanden. Johannes mag bewußt auf diese, den aus der Paulusmission hervorgegangenen Gemeinden vertraute Form zurückgegriffen haben, allerdings nicht ohne bei ihrem Gebrauch einige neue, die Thematik seines Buches signalisierende Akzente einzubringen.

Der übliche Eingang des hellenistisch-römischen Briefes bestand aus einem einzigen Satz: A (Absender) dem B (Empfänger) zum Gruß.

Die Eröffnung der paulinischen Briefe läßt sich schematisch folgendermaßen darstellen:

1. A an B (Absender- und Empfängerangabe in einem Satz);
2. Grußformel (in einem eigenen Satz);
3. Danksagung.

Daß Paulus die übliche Grußformel zu einem selbständigen Satz erweiterte, mag weniger darauf zurückzuführen sein, daß er damit ein Element des vorderorientalischen Briefstils übernommen hätte, als darauf, daß er das Bedürfnis hatte, seine Gemeinden mit einer ihnen aus dem Gottesdienst vertrauten theologisch gefüllten Grußformel anzusprechen.

Die Apk. folgt Paulus in der Anlage der Absender- und Empfängerangabe (V. 4a), sowie der in einen eigenen Satz gefaßten Grußformel (V. 4b.5a). An die Stelle der Danksagung ist jedoch, wie bei Paulus in Gal. 1,5, eine christologische Lobpreisformel (Doxologie) getreten (V. 6b), die erweitert und ausgestaltet ist durch die Übernahme einer bekenntnisartigen Formel, deren Sitz im Leben vermutlich im Taufgottesdienst zu suchen ist (V. 5b.6a). Es folgen ein die Wiederkunft Jesu Christi ankündigender Prophetenspruch (V. 7), sowie ein diese Ankündigung feierlich bestätigender, in direkter Rede gehaltener Gottesspruch (V. 8).

V. 4: *Absender- und Empfängerangabe* sind, anders als bei Paulus, von äußerster Knappheit. Noch über 1,1 hinausgehend, verzichtet Johannes hier auf jedes seinen Namen begleitende Prädikat. Angeschrieben sind sieben Gemeinden in der römischen Provinz *Asia proconsularis*, deren Namen wir später erfahren (1,11). Daß es sieben sind, ist sicher kein bloßer Zufall; «sieben» ist in der Apk. durchgängig die Zahl der von Gott gesetzten Vollständigkeit. Im Deutschen ist es üblich, das griech. Wort *ekklēsia*, das hier gebraucht ist, da, wo es die Versammlung der Christen jeweils an einem Ort meint, mit «Gemeinde» zu übersetzen, da hingegen, wo es die ortsübergreifende Gemeinschaft der an Christus Glaubenden bezeichnet, mit «Kirche» wiederzugeben. Es entspricht dem stark auf den Gottesdienst bezogenen Denken des Johannes, daß er das Wort *ekklēsia* nur auf die durch die Feier des Herrenmahls verbundene Versammlung der Christen am jeweiligen Ort, d. h. auf die Gemeinde, anwendet. Trotzdem ist ihm die gesamtkirchliche Dimension nicht fremd; er bringt sie über die Siebenzahl ein. Das endzeitliche Gottesvolk in seiner Gesamtheit ist für ihn nur denkbar als die von Gott gewirkte heilige Fülle der konkret um den Tisch des Herrn sich scharenden Gläubigen.

Die *Grußformel* ist in ihrem Zentrum, dem Wunsch von Gnade und Frieden für die Empfänger, mit der von Paulus gebrauchten identisch. Formal wird hier neben das der üblichen griechischen Grußformel zugrundeliegende Substantiv «Gnade» das Grundwort des jüdischen Grußes «Friede» *(schalom)* gestellt, doch sachlich entsteht durch diese Zuordnung sowie durch die weitere Fortsetzung eine Aussage, die die Ebene menschlicher Grüße und Wünsche weit hinter sich läßt: Der Absender spricht den Empfängern die Gewißheit des endzeitlichen Heilwerdens *(schalom)* zu, das bereits in der Zuwendung der Gnade Gottes in Jesus Christus seinen Anfang genommen hat. Die Kommunikation zwischen Schreiber und Leser wird hier programmatisch dem Handeln Gottes unterstellt, dessen Funktion sie ist.

Die zweigliedrige Fortsetzung der paulinischen Formel («... von Gott, unserem Vater und dem Herrn Jesus Christus») wird – ebenso planmäßig – durch eine dreigliedrige ersetzt. Im ersten, von Gott handelnden Glied tritt an die Stelle des offensichtlich in der Apk. zurücktretenden Vater-Prädikats (Gott wird in ihr durchweg nur als Vater Jesu Christi, nicht jedoch als Vater der Gläubigen bezeichnet, vgl. V. 6; 2,28; 3,5.21; 14,1) eine sonst neutestamentlich nicht belegte dreigliedrige Formel, die sich eng an zeitgenössische jüdische Interpretationen von 2. Mose 3,14 anschließt. Weil sie die Ewigkeit und Identität Gottes mit sich selbst in Vergangenheit, Gegenwart und Zukunft aussagt, wurde sie als «Unveränderlichkeitsformel» bezeichnet. Diese Unveränderlichkeit ist freilich nicht im Sinne eines bewegungslos in sich selbst beharrenden Seins, sondern im Sinne eines die Zeiten ordnenden, die Geschichte umgreifenden Handelns zu verstehen. Das wird dadurch verdeutlicht, daß das eigentlich zu erwartende «... der sein wird» ersetzt ist durch «der kommt». Die Apk. spricht außerhalb der Unveränderlichkeitsformel (1,8; 4,8) nur vom Kommen Jesu Christi (1,7; 2,5.16; 3,11; 16,15; 22,7.12.17.20). Die hier vorliegende Formulierung steht dazu nicht im Widerspruch; sie deutet vielmehr dieses Kommen Jesu als das Geschehen, in dem Gottes Geschichtsmächtigkeit sichtbar zum Ziel kommt. – Die im zweiten Glied genannten sieben Geister vor dem Throne Gottes hat man seit alters mit der Vorstellung vom siebenfältigen Gottesgeist (die ihrerseits auf Jes. 11,2 zurückgeht) zusammenbringen wollen, wobei die Siebenzahl als Ausdruck der geordneten Fülle des Wirkens des Geistes gedeutet wurde. Gegenüber dieser von der späteren Dogmatik beeinflußten Deutung, für die sich keinerlei stichhaltige Belege erbringen lassen, dürfte jedoch jene vorzuziehen sein, die die sieben Geister mit den sieben Thronengeln identifiziert, die nach jüdischer Vorstellung Gott als Diener und unmittelbare Ausführungsorgane seiner Befehle zugeordnet sind (Tob. 12,15; äth. Hen. 20,1ff.; vgl. Bill. III, 805f.). Denn einerseits können in jüdischer Theologensprache die Ausdrücke «Geister» und «Engel» wechselseitig gebraucht werden, andererseits aber setzt Johannes die sieben Geister in unmittelbare Parallele zu den Engeln (3,1; 4,5; 5,6), während er da, wo er vom Geist im Singular spricht (z. B. 8,2), keinen derartigen Bezug herstellt. – Erst im dritten Glied wird Christus genannt **(V. 5a)**; das ist nicht im Sinne einer Abwertung Christi gegenüber den Engeln gedacht, sondern ergibt sich aus dem streng theozentrischen Ansatz der Apk.: Die Gott zugehörigen, ihm ganz zugewandten Thronengel werden zwar von ihm in den Dienst des Heilswerkes Christi gestellt, bleiben aber dabei doch Gottes Engel; durch ihre Nennung zwischen Gott und Christus kommt dieses Verhältnis zum Ausdruck.

Wie Gott, so wird auch Christus durch drei Prädikate genauer bestimmt, die an Ps. 88,28.38 (LXX) anklingen. Deren erstes, «der treue Zeuge», verweist zurück auf sein Erdenwirken: Er hat die ihm aufgetragene Botschaft mit dem Einsatz seiner ganzen Person ausgerichtet und dieses Werk mit dem Tod besiegelt (s. zu 1,2). Die Anwendung des Adjektivs «treu» auf Christus scheint auf eine in den Spätschriften des Neuen Testaments mehrfach anklingende Tradition zu verweisen, die von der sich im Tod besiegelnden Treue Jesu spricht (Hebr. 2,17; 3,2; 2. Tim. 2,13). Das zweite Prädikat, «Erstgeborener der Toten», umschreibt nicht nur das Heilsgeschehen der Auferstehung, sondern spricht die gegenwärtige Bedeutung Jesu Christi für die Gemeinden an. Weil er in der Auferstehung als der Erstgeborene aus dem Bereich des Todes hervorgegangen ist, ist in ihm die neue Schöpfung Gottes bereits Wirklichkeit geworden (Röm. 8,29; Kol. 1,15) und die ihm Zugehörenden haben die Verheißung, mit ihm und durch ihn vom Tod ins Leben zu gehen. Es mag sein, daß Johannes hier bewußt auf eine den kleinasiatischen Gemeinden vertraute Vorstellung anspielt, die wir aus Kol. 1,18 kennen. Nach ihr ist Christus als der Erstgeborene von den Toten zugleich das Haupt des Leibes der Gemeinde, die so, kraft dieser engen Verbindung mit ihrem Herrn, jetzt schon der Auferstehungswirklichkeit untersteht. Das dritte Prädikat schließlich spricht, indem es Christus den «Herrscher über die Könige der Erde» nennt, seine über die Gemeinde hinausreichende Bedeutung an und führt damit zugleich ein Leitmotiv des gesamten Buches ein. Christus ist durch seine Erhöhung zum Herrn über den Kosmos und über die Geschichte eingesetzt worden (vgl. Phil. 2,11; Eph. 1,20ff.; Mt. 28,18). Die «Herren der Erde» sind nicht nur die politischen Herrscher, deren selbstherrliches Machtstreben keine Grenzen kennt, sondern die dämonischen Mächte, als deren Exponenten und Handlanger sie in der Apk. erscheinen (vgl. 13,1–3). Sie alle sind durch den Herrschaftsantritt Christi dessen Macht untergeordnet. Davon, wie der erhöhte Christus seine Macht gegen den Versuch der «Herren der Erde», ihre Macht zu behaupten, endzeitlich durchsetzt, wird die prophetische Botschaft des Johannes handeln.

Die nun folgende *Doxologie* (**V. 5b.6**) wendet sich noch entschiedener der gegenwärtigen Heilsbedeutung Jesu Christi für die Gemeinden zu, indem sie den Aufruf zum Lobpreis mit dem Hinweis auf das begründet, was Christus für die Seinen getan hat. Die volltönende, liturgisch geprägte Sprache sollte nicht darüber hinwegtäuschen, daß hier eine für die theologische Konzeption der Apk. fundamentale Weichenstellung vorgenommen wird. Als Ausgangspunkt für alles Folgende wird hier nämlich das in den Blick genommen, was durch Christus bereits geschehen ist und sich jetzt schon im Leben der Gemeinden verändernd auswirkt, und zwar erfolgt dies in Formulierungen, in denen sich der Verfasser mit den Empfängern betont zu einem Wir der Empfangenden zusammenschließt. Manches spricht dafür, daß Johannes hier bewußt die kleinasiatischen Gemeinden auf Vorstellungen anspricht, die für sie besondere Bedeutung hatten. Denn im paulinischen Missionsgebiet war ein Denken, das die gegenwärtige Heilsverwirklichung in den Mittelpunkt des Glaubens stellte und darum ständig vom Abgleiten in einen individualistischen, welt- und geschichtsfremden Enthusiasmus bedroht war, weit verbreitet. Ein Zeugnis dafür ist der Kolosserbrief. Doch die Art und Weise, in der Johannes die Adressaten bei diesen Vorstellungen abholt, macht ersichtlich, daß er sich in der Grundposition der präsentischen Aussagen über das bereits verwirklichte Heilsgeschehen mit den Adressatengemeinden ausdrücklich einig weiß. Er will diese Grundposition ergänzen durch das, was er über Gottes noch ausstehendes Handeln an Welt und Geschichte zu sagen hat, aber er will sie keineswegs zerschlagen. Johannes vertritt nicht einseitig eine futurisch-apokalyptische Eschatologie unter Ausklammerung präsentischer Eschatologie. Zwar bringt er die futurische Eschatologie nachdrücklich zur Geltung, aber er tut dies – und das ist wichtig – auf der Grundlage der Erfahrung des bereits im Christusgeschehen gegenwärtig verwirklichten Heils.

Das erste Aussageglied charakterisiert übergreifend das heilvolle Tun Jesu Christi als sein Uns-Lieben. Dieses Lieben wurde offenbar in einem Ereignis der Vergangenheit, nämlich in Jesu Sterben, aber es wirkt hinein in die Gegenwart, um hier christliche Existenz zu tragen und zu bestimmen. Das zweite Glied benennt Folge und Ertrag dieses Kreuzesgeschehens, nämlich die Erlösung von den Sünden durch das Blut Jesu. Wie durchweg im Neuen Testament (z. B. Mk. 14,24 par.; Röm. 3,25; 5,9; 1. Kor. 10,16; 11,25; Hebr. 9,12) meint das Blut nicht die dingliche Substanz, sondern die Lebenshingabe Jesu. Sein Leben war der Kaufpreis, durch den er die Glieder der Gemeinde aus dem Bereich der feindlichen, sie versklavenden Macht der Sünde freigekauft und seiner Herrschaft unterstellt hat. Die Folge des Kreuzesgeschehens ist also ein Macht- und Herrschaftswechsel. Diese Deutung des Sterbens Jesu knüpft wiederum an ein speziell im paulinischen Einflußbereich aufweisbares theologisches Motiv an (Gal. 3,13; 4,5; 1. Kor. 6,20; 7,23; 1. Petr. 1,18). Während aber Paulus damit rechnet, daß die Glaubenden, obwohl vom Herrschaftsanspruch der Sünde befreit, von ihr nach wie vor bedroht werden und ständig gegen sie kämpfen müssen, vertritt die Apk. eine grundsätzliche Freiheit der Christen von der Sünde (vgl. 2,6.22). Diese Position hat erhebliche Auswirkungen für die in diesem Buch vertretene Ethik.

Das dritte Aussageglied liefert eine positive Ergänzung zum zweiten, insofern es den Status beschreibt, den die Christen durch ihre Befreiung von der Vergangenheit ihrer Sünden erlangt haben. Dies geschieht in einer Wendung, die von ferne an 2. Mose 19,6 anklingt, wo Gott dem aus der Unterdrückung Ägyptens befreiten Israel zusagt: «ihr sollt mir ein königliches Volk von Priestern sein». Die dort futurisch gehaltene Verheißung ist hier in die Vergangenheitsform transponiert – es soll ja ein bereits erfolgtes Geschehen ausgesagt werden. Aber auch die beiden zentralen Worte selbst sind verändert. An die Stelle des Adjektivs «königlich» ist jenes zum gleichen Wortstamm gehörende Substantiv getreten *(basileia)*, das in der Verkündigung Jesu eine zentrale Rolle spielte, und das man mit «Königsherrschaft» oder «Reich» übersetzen kann, und aus dem «Volk von Priestern» *(hierateuma)* ist der einfache Plural «Priester» geworden. Die Christen sind – das soll hier gesagt werden – Gottes Herrschaftsbereich; da, wo sie sind, ist jetzt schon, inmitten der ihrem Ende zueilenden Welt, etwas von der endzeitlichen Neuschöpfung Gottes verwirklicht. Und zwar äußert sich das darin, daß die Christen unmittelbar zu Gott stehen; sie bedürfen nicht mehr der Vermittlung von Priestern, die die Verbindung zwischen der Welt der Profanität und dem fernen Bereich Gottes herstellen, sondern sie haben, wie die Priester im Alten Testament, unmittelbaren Zugang zum Bereich Gottes, ja sie gehören diesem Bereich an (vgl. 20,6; 22,3–5). Der Abschluß der Doxologie nimmt formelhafte Wendungen auf, die im christlichen Gottesdienst fest verankert waren. Während sie ursprünglich jedoch ausschließlich auf Gott bezogen waren (z. B. 5,13; 7,10; Röm. 11,36), werden sie hier, wie auch in anderen Schriften der zweiten christlichen Generation, auf Christus übertragen (vgl. 2. Tim. 4,18; Hebr. 13,21; 1. Petr. 4,11; 2. Petr. 3,18). Ebenfalls liturgischem Brauch entspricht das abschließende Amen. Dieses hebräische Wort mit der Bedeutung «es gilt», «es steht fest» war im Gottesdienst der Synagoge die Antwort der Gemeinde auf das vom Vorbeter gesprochene Lobpreisgebet. Diese Praxis wurde im christlichen Gottesdienst übernommen. Erstmals in der Apk. begegnen uns daneben Belege für ein «Amen», das nicht mehr gemeindliche Responsion, sondern unmittelbarer Abschluß einer Lobpreisformel ist (vgl. 7,12; 22,20).

Von der gegenwärtigen, im Glauben der Gemeinde erfahrenen Herrschaft Jesu Christi schlägt der Prophetenspruch **V. 7** den Bogen zu seiner noch ausstehenden sichtbaren Selbstdurchsetzung gegenüber allen Menschen. Damit werden die beiden für die christologischen Aussagen des Buches konstitutiven Spannungspole zueinander in Beziehung gesetzt. Formal ist V. 7 eine Kombination zweier alttestamentlicher Zitate. Das erste ist der Beschreibung des geheimnisvollen Erscheinens des himmlischen «Menschensohnes» in Dan. 7,13 entnommen («und siehe, auf den Wolken des Himmels kam einer wie ein Menschensohn»), während das zweite der prophetischen Endzeitschilderung Sach. 12,10–14 entstammt, derzufolge die von Gott wunderbar erretteten Einwohner Jerusalems voller Reue «auf den blicken, den sie durchbohrt haben» – offensichtlich eine von Gott zu besonderem Dienst an seinem Volk auserwählte Gestalt –, um über ihn die Totenklage abzuhalten. Beide Stellen dürften schon frühzeitig in das Reservoir von Belegen für den christologischen Schriftbeweis aufgenommen worden sein. So erscheint Dan. 7,13 in der synoptischen Apokalypse (Mk. 13,26 par. Lk. 21,27) als Hinweis auf die Parusie, während Sach. 12,10 in Joh. 19,37 auf den Kreuzestod Jesu gedeutet ist. Aber auch die Kombination beider Zitate war bereits durch die Tradition vorgegeben, wie die Parallele Mt. 24,30 ergibt (vgl. auch Justin, Dial. 14,8). Denn obwohl eine literarische Abhängigkeit zwischen der Apk. und dem Matthäusevangelium auszuschließen ist, stimmen V. 7 und Mt. 24,30 in charakteristischen Veränderungen gegenüber den griechischen Fassungen des alttestamentlichen Textes überein. So wird hier wie dort für «sehen» ein anderes griechisches Wort gewählt als in Dan. 7,13, und zwar eines, das sich mit dem Wort «klagen» reimt (Mt. 24,30 *kopsontai … kai opsontai*). Auch wird an beiden Stellen eine universalistische Ausweitung der ursprünglich nur auf Israel bezogenen Aussage von Sach. 12,14 vorgenommen, wenn «alle überlebenden Geschlechter» abgeändert wird in «alle Geschlechter der Erde». Auffällig ist, daß Johannes das in Dan. 7,13 zentrale Menschensohn-Prädikat nicht übernimmt, während er es im folgenden Visionsbericht (V. 13) im Rahmen einer eigenständigen Bezugnahme auf Dan. 7,13 betont einbringt. Der Grund dafür mag darin zu suchen sein, daß die ihm vorliegende christologische Zitatentradition das Menschensohn-Prädikat im Sinne eines eindeutigen christologischen Hoheitstitels gebrauchte (Mt. 24,30: «und sie werden den Menschensohn sehen»; dagegen Dan. 7,13: «und siehe, mit den Wolken des Himmels kommt ein einem Menschensohn Gleichender»), während Johannes solche titulare Festlegung konsequent vermeidet und es vorzieht, wie Dan. 7,13 im Sinne eines geheimnisvollen apokalyptischen Bildes vom «Menschensohn-Ähnlichen» zu sprechen. Verhält es sich aber so, dann ist dies ein weiterer Beweis dafür, daß Johannes in V. 7 einer Tradition folgt und nicht direkt aus dem Alten Testament zitiert. Was er in dieser Tradition fand, war eine Aussage über die Begegnung der großen Menge der Nicht-Glaubenden mit dem wiederkommenden Christus: Sie alle werden ihn dann als den Herrscher und Richter erkennen, und diese Erkenntnis wird bei ihnen den Trauergestus auslösen, zugleich als Eingeständnis der Mitschuld am Tode Jesu wie als sichtbares Zeichen der Buße und Umkehr zu Gott. Ob solche späte Reue und Umkehr den Weg zur Gemeinschaft mit Gott und Jesus Christus erschließt, oder ob hier ein unverrückbares Zuspät gilt, bleibt offen. Alleiniges Anliegen des Textes ist es, die kommende universale Anerkennung der Herrschaft Jesu Christi durch alle Menschen, seine Anhänger wie auch seine gegenwärtigen Gegner, anzukündigen. Das «Amen», dessen bestätigender Sinn noch zusätzlich durch die Hinzufügung des als Übersetzung des hebräischen Wortes gemeinten «Ja» unterstrichen wird, ist hier, anders als in V. 6, nicht responsionsartiger Abschluß des gemeindlichen Lobpreises, sondern Überleitung zu **V. 8**. Gott selbst ist es, der die Geltung der vorhergehenden christologischen Aussagen nunmehr ausdrücklich bekräftigt. Solche direkte Gottesrede findet sich in der Apk. sonst nur noch 21,5–8. An unserer Stelle dient sie der Identifikation des Christusgeschehens mit dem Handeln und Sein Gottes selbst: Christus wird kommen und vor aller Welt als der Herrscher anerkannt werden, weil und insofern Gott sich in ihm als der Kommende zu erkennen gibt. Was in Christus geschieht, ist nichts anderes als die endzeitliche Realisierung des Herrschaftsanspruchs, den Gott als der Allherrscher seiner Welt gegenüber erhebt.

Die Aussage über Gott setzt ein mit einer aussagekräftigen Metapher: Gott ist Alpha und Omega, erster und letzter Buchstabe des griechischen Alphabets, Anfang und Ende, durch die alles umfaßt wird. Diese Metapher schließt sich in ihrem Sinngehalt an biblische Aussagen wie Jes. 44,6 («Ich bin der Erste und der Letzte, und außer mir ist kein Gott») an, ohne freilich von ihnen her entwickelt zu sein. Man hat ihren Hintergrund in jüdischen Buchstabenspekulationen gesucht, die davon ausgingen, daß das auch als Gottesbezeichnung dienende hebräische Wort für «Wahrheit» (*ämät*) den ersten, mittleren und letzten Buchstaben des hebräischen Alphabets umfasse. Doch sind die Belege dafür spät und unsicher. Hingegen wissen wir, daß bereits im 2. Jahrh. im hellenistischen Christentum gnostische Zahlen- und Buchstabenspekulationen eine große Rolle spielten (Irenäus, adv. haer. 1,14). Es könnte sehr wohl sein, daß Johannes hier auf solche Spekulationen in den angeschriebenen Gemeinden Bezug nimmt, um sie seinerseits im Sinne der von ihm vertretenen Geschichtstheologie umzuinterpretieren. Denn indem er die Metapher durch die Wiederholung der bereits in der Grußformel (V. 4) gebrauchten Unveränderlichkeitsformel entschlüsselt, macht er deutlich, daß der von ihm bezeugte Gott der Lebendige und geschichtlich Handelnde ist. Stark hellenistisch gefärbt ist auch das abschließende Gottesprädikat «der Allherrscher» (*pantokratōr*). In der LXX dient es zwar regelmäßig zur Übersetzung der dem Gottesnamen beigefügten Bezeichnung *zebaot* = (Herr der) Heerscharen, aber unabhängig davon spielte die in ihm zur Geltung kommende Vorstellung in der stoischen Gotteslehre als Schlüsselbegriff eine wichtige Rolle, und das mag auch der Grund dafür sein, daß das frühe Urchristentum es weitgehend mied. Im Neuen Testament findet es sich, abgesehen von 2. Kor. 6,18, nur in der Apk., hier allerdings relativ häufig (4,8; 11,17; 15,3; 16,7.14; 19,6.15; 21,22), um dann in den Schriften der apostolischen Väter zu einem gebräuchlichen Terminus zu werden. Daß Johannes die Reserve des Urchristentums gegenüber diesem Titel durchbricht, mag mindestens teilweise wiederum mit der entschlossenen Zuwendung zu den angeschriebenen hellenistischen Christen, unter denen er sicher gebräuchlich war, zusammenhängen. Vor allem aber erweist er sich in der hier durchweg gegebenen biblischen Füllung als geeignet, um hinsichtlich des Gottesbildes der Apk. einen zentralen Akzent zu setzen: Mögen auch menschliche Machthaber die totale Herrschaft über die Welt beanspruchen und sich als Lenker der Geschichte feiern lassen, mögen auch dämonische Gewalten die Gemeinde Gottes bedrängen – in Wahrheit ist es doch Gott allein, dem die Herrschaft über Welt und Geschichte gehört und der sie auch durchsetzen wird.

1,9–3,22   A. Sendschreibenteil: Die Weisung für die sieben Gemeinden

1,9–20   1. Die Beauftragungsvision

9 Ich, Johannes, euer Bruder, der mit euch teilhat an der Bedrängnis, an der Königsherrschaft und am Ausharren in Jesus, ich war auf der Insel mit Namen Patmos um des Wortes Gottes und des Zeugnisses Jesu willen. 10 Ich geriet in Verzückung am Herrntage, und ich hörte hinter mir eine Stimme, gewaltig wie eine Posaune, 11 die sprach: Was du siehst, das schreibe in ein Buch und sende es den sieben Gemeinden: nach Ephesus, nach Smyrna, nach Pergamon, nach Thyatira, nach Sardes, nach Philadelphia und nach Laodicea.
12 Und ich wandte mich um, die Stimme zu sehen, die mit mir sprach; und als ich mich umwandte, sah ich sieben goldene Leuchter 13 und inmitten der Leuchter einen, der einem Menschensohn glich, angetan mit einem langem Gewand und gegürtet um seine Brust mit einem goldenem Gürtel. 14 Sein Haupt und seine Haare waren weiß wie weiße Wolle, wie Schnee, und seine Augen wie Feuerflammen; 15 seine Füße glichen Golderz, das im Ofen geglüht ist, und seine Stimme war wie das Rauschen vieler Wasser. 16 In seiner rechten Hand hielt er sieben Sterne, und aus seinem Mund ging ein zweischneidiges scharfes Schwert hervor, und sein Angesicht war, wie die Sonne scheint in ihrer Kraft. 17 Als ich ihn sah, fiel ich zu seinen Füßen nieder wie ein Toter. Da legte er seine Rechte auf mich und sprach: Fürchte dich nicht! Ich bin der Erste und der Letzte 18 und der Lebendige, und ich war tot, und siehe,

ich bin lebendig in alle Ewigkeiten, und ich habe die Schlüssel zum Tod und zum Hades. 19 Schreibe auf, was du gesehen hast, was ist, und was hernach geschehen wird. 20 Mit dem Geheimnis der sieben Sterne, die du in meiner Rechten gesehen hast, und der sieben goldenen Leuchter verhält es sich so: Die sieben Sterne sind die Engel der sieben Gemeinden, und die sieben Leuchter sind die sieben Gemeinden.

Mit einer großen Visionsszene wird das Briefcorpus eröffnet. Während sich Paulus nach dem Briefeingangsformular unmittelbar den angeschriebenen Gemeinden zuwendet, berichtet Johannes an dieser Stelle von dem Widerfahrnis, durch das ihm die Botschaft Jesu, die er sich nun anschickt, den Gemeinden weiterzugeben, zuteilgeworden ist. Und zwar ist es wichtig zu sehen, daß die Szene zugleich *begründende* und *eröffnende* Funktion hat. Durch den doppelten Schreibbefehl (V. 11 und V. 19) wird die briefliche Zuwendung des Johannes zu den Gemeinden begründet. Nicht aus eigener Vollmacht tritt er an die kleinasiatischen Christen heran, sondern im Vollzug einer Weisung seines erhöhten Herrn, der zugleich der Herr der Kirche ist. Nun bleibt es jedoch nicht beim Schreibbefehl, sondern an ihn schließt sich die inhaltliche Wiedergabe der Botschaft des Erhöhten an, die unmittelbar in die folgenden Sendschreiben (2,1–3,22) übergeht, die ja als direkte Worte Jesu stilisiert sind. Nur in formaler Hinsicht bilden V. 19f. einen gewissen Abschluß; inhaltlich eröffnen sie den Sendschreibenabschnitt, der aus ihnen gleichsam herauswächst. Die in V. 1f. angedeutete Konstellation zwischen Jesus, dem Geber der Offenbarung, Johannes, ihrem Zeugen sowie den Gemeinden, an die sie sich richtet, erfährt hier also ihre erzählerische Begründung.

Formgeschichtlich hat man die Szene vielfach in die Nähe alttestamentlicher Prophetenberufungsberichte (z. B. Jes. 6; Jer. 1; Ez. 1–3) gerückt, schwerlich jedoch zu Recht. Zwar finden sich in ihr eine Reihe von motivlichen Anklängen an jene, z. B. entspricht die Exposition mit Orts- und Zeitangabe (V. 9f.) Jes. 6,1; Jer. 1,2f.; Ez. 1,1–3, und die Reaktion des Johannes auf die Erscheinung (V. 17) erinnert an Ez. 1,28. Es fehlt jedoch das für die Prophetenberufungen konstitutive Moment der Einweisung in einen neuen, durch Gottes Auftrag bestimmten Beruf und, im Zusammenhang damit, die Andeutung einer Lebenswende des Berufenen: Johannes ist ja bereits um des Wortes Gottes und des Zeugnisses Jesu willen auf Patmos (V. 9). Der Auftrag, den er erhält, bedeutet nicht die Einweisung in einen neuen Dienst, sondern spricht ihn auf den Dienst als Zeuge des Wortes an, in dem er bereits steht. Zudem ist er inhaltlich beschränkt auf das Niederschreiben und Versenden der jetzt ergehenden Worte des Herrn; er bezieht sich also lediglich auf das vorliegende Buch, strenggenommen sogar nur auf 1,9–3,22. Am sachgemäßesten läßt sich die Szene darum als Beauftragungsvision bezeichnen. Die nächsten formalen wie inhaltlichen Parallelen zu ihr finden sich in apokalyptischen Offenbarungsszenen wie Dan. 10 und Apk. Abr. 10. Vor allem sind die Beziehungen zu Dan. 10 so eng, daß ein direkter literarischer Einfluß angenommen werden muß: Daniel schaut in dieser Szene einen Engel, dessen Beschreibung in V. 14b.15 fast wörtlich in die Schilderung des Menschensohn-Ähnlichen einfließt; er bricht daraufhin zusammen, wird von dem Engel bei der Hand gefaßt und aufgerichtet (vgl. V. 17) und empfängt abschließend von ihm eine Botschaft (vgl. V. 18). Für den entscheidenden Zug der Beauftragung durch einen Schreibbefehl bietet Dan. 10 jedoch keine Entsprechung; hierin erweist sich unsere Szene als ebenso eigenständig wie darin, daß in ihr der eigentlichen Vision (V. 12–20) eine Audition (V. 9–11) vorgeschaltet ist.

Eine kurze Beschreibung der äußeren Umstände der Vision steht am Anfang **(V. 9)**. Wieder (vgl. V. 1) verzichtet Johannes auf jede besondere Amts- und Funktionsbezeichnung, um sich durch die beiden seinem Namen beigefügten Prädikate betont mit den Briefempfängern zusammenzuschließen. Er ist ihr Bruder – so die geläufige Selbstbezeichnung der Glieder der christlichen Gemeinde (Apg. 1,15f.; 11,29 u. ö.) – weil er Teilhaber an ihrem durch die Gemeinschaft mit Jesus bestimmten Weg und Geschick ist. Die Abfolge der drei diesen Weg und dieses Geschick näher bestimmenden Begriffe – Bedrängnis, Königsherrschaft, Ausharren – scheint wohl überlegt: Bedrängnisse verschiedenster Art sind nach apokalyptischem Denken Erscheinungen, die dem Ende der gegenwärtigen Weltzeit vorangehen und es zugleich ankündigen. In ihnen lebt die christliche Gemeinde, aber zugleich ist sie jetzt schon der Königsherrschaft Gottes als einer gegenwärtigen Realität teilhaftig (vgl. V. 6). Das Nebeneinander beider bringt nun die Glaubenden in eine spannungsvolle Situation, die nur im Ausharren bestanden werden kann, d. h. im leidenden Standhalten gegenüber den Bedrängnissen der Gegenwart aus der Kraft des schon empfangenen Heils und in der Hoffnung auf dessen baldige sichtbare Durchsetzung gegenüber der ganzen Welt.

Patmos, eine zur Gruppe der Sporaden gehörige Insel der Ägäis, liegt relativ nahe der kleinasiatischen Westküste; sie war damals per Schiff von Ephesus aus in einer Tagesreise zu erreichen. Warum hielt Johannes sich auf dieser vermutlich nur wenig besiedelten gebirgigen Insel auf? Man hat an die Möglichkeit gedacht, daß er bewußt die Einsamkeit gesucht habe, um dort auf göttliche Offenbarungen zu warten (vgl. Mk. 1,12f.; Gal. 1,17). Allein, daß er «um des Wortes Gottes und des Zeugnisses Jesu willen» auf der Insel war, kann doch wohl nur so verstanden werden, daß Johannes um seiner Verkündigungstätigkeit willen nach Patmos verbannt worden ist, auch wenn eindeutige Zeugnisse darüber fehlen, daß diese Insel damals Sitz einer Strafkolonie war. Denn der Kontext legt eine unmittelbare Verbindung zwischen dem Patmos-Aufenthalt und dem Hinweis auf das leidende Ausharren des Johannes nahe. Johannes hat demnach in seiner Verbannung selbst erfahren, daß das Zeugnis Jesu in die Leidensgemeinschaft mit Jesus führt (vgl. V. 9; 6,9; 20,4). Von zentral gesteuerten staatlichen Maßnahmen gegen die Christen konnte damals zwar noch keine Rede sein, aber das schließt nicht aus, daß Johannes aufgrund seiner scharfen Stellungnahme gegen den sich in den Städten Kleinasiens immer stärker in den Vordergrund drängenden Kaiserkult als Stifter öffentlicher Unruhe durch die Behörden von Ephesus nach Patmos abgeschoben worden ist.

In Worten von betont protokollarischer Nüchternheit deutet er die Art des ihm geschenkten Widerfahrnisses an **(V. 10)**. Es handelte sich um ein vom Geist Gottes gewirktes ekstatisches Außersichsein, in dessen Verlauf Einblicke in die himmlische Welt gewährt sowie Weisungen und Offenbarungen von

Gott bzw. dem erhöhten Christus her empfangen werden konnten. Ähnliche ekstatische Erfahrungen sind im Neuen Testament mehrfach bezeugt, so von Petrus (Apg. 11,5) und Paulus (2. Kor. 12,1ff.). Man wird davon ausgehen können, daß sie unter den gemeindlichen Propheten relativ verbreitet waren. Nach allem, was der Bericht erkennen läßt, handelte es sich hier bei Johannes um keine Himmelsreise der Seele, wie sie Paulus widerfuhr (2. Kor. 12,1ff.), d. h. um kein Heraustreten aus den irdischen Gegebenheiten von Ort und Zeit (s. zu 4,1f.), sondern um den im Zustand vollen Bewußtseins erlebten Empfang einer vom Himmel her in Worten und Bildern an ihn ergehenden Botschaft. Von besonderer Bedeutung ist die Zeitangabe: der Herrntag ist der dem Sabbat folgende erste Tag der jüdischen Woche, der Tag der Auferstehung Jesu Christi (Mk. 16,2), an dem die Gemeinde ihren Gottesdienst zu feiern pflegte, unser Sonntag also. Der Terminus »Herrntag« bürgerte sich um die Wende zum 2. Jahrh. fest ein (Barn. 15,9; Ign. Magn. 9). Johannes weiß sich durch das, was ihm widerfährt, hineingenommen in den Gottesdienst, den die Gemeinden am Sonntag feiern. Der erhöhte Christus, der sich ihm als Herr der Kirche kundgibt und ihn beauftragt, ist derselbe, dessen Herrschaft sich die Gemeinde unterstellt, wenn sie im Gottesdienst das eucharistische Mahl feiert und sein baldiges Kommen erfleht (22,20). Der gottesdienstliche Bezug der Apk. deutet sich hier erstmals an (vgl. 22,12–20).

Zunächst hört Johannes eine Stimme, deren Gewalt mit der des am mächtigsten tönenden aller Instrumente, der Posaune, verglichen wird. Vergleichende Wendungen wie diese durchziehen die ganze Apk. Sie sind typisch apokalyptische Stilelemente, die den Visions- und Auditionsschilderungen etwas Schwebend-Ungenaues geben und damit andeuten, daß menschliche Sprache die geoffenbarten himmlischen Realitäten nur annäherungsweise zu erfassen vermag (vgl. V. 13ff.). Die Posaune kündigt im Alten Testament die Epiphanie, das In-Erscheinung-Treten Gottes, an (2. Mose 19,16); urchristliche Tradition verbindet sie mit der endzeitlichen Parusie Christi (1. Kor. 15,52; 1. Thess. 4,16; Mt. 24,31). Trotzdem ist die Stimme nicht die Christi, sondern die des Engels Gottes, der in V. 1 als Übermittler der Offenbarung genannt war. Das geht eindeutig aus 4,1 hervor, wo die Posaunenstimme als «erste Stimme» von der des Menschensohnähnlichen unterschieden wird. Überhaupt zeigt sich, daß die Vorstellung der Offenbarungsvermittlung durch den Engel das ganze Buch hindurch konsequent festgehalten wird (vgl. 10,1ff.; 17,1.7.15ff.; 19,10; 21,9.15; 22,6.16), ja es steht zu vermuten, daß sie auch da vorausgesetzt ist, wo der Engel nicht direkt erwähnt wird. Die in der Apokalyptik so wichtige Gestalt des Deuteengels lebt hier in abgeblaßter Form weiter; zwar spielt er als Deuter des Geschehens nur noch am Rande eine Rolle (s. zu 17,7), da die Bilder und Visionen des Johannes nicht verschlüsselt sind (s. Einleitung S. 14), doch bleibt seine Funktion als deren Vermittler erhalten. Im vorliegenden Zusammenhang **(V. 11)** bereitet er mit seiner Botschaft die folgende Erscheinung Christi vor, indem er Johannes vorweg schon auf deren Ziel, den Schreibauftrag, verweist. Der Prophet soll das, was er sieht, in eine Buchrolle schreiben und diese, offenbar als Rundbrief, an die namentlich erwähnten sieben Gemeinden versenden. Daß es sich um sieben Gemeinden handelt, überrascht nicht angesichts des großen symbolischen Gewichts der Siebenzahl in der

Apk., das durch V. 12 und V. 16 ausdrücklich unterstrichen wird (vgl. 1,4).
Schwieriger ist die Frage zu beantworten, warum ausgerechnet diese sieben
Gemeinden erwähnt werden, während andere bedeutende Gemeinden der
Provinz Asien, wie Milet, Troas, Kolossä, Tralles und Magnesia, ungenannt
bleiben. Die Sendschreiben (2,1–3,22) geben hierauf eine Antwort, denn aus
ihnen geht hervor, daß es sich durchweg um Gemeinden handelt, die mehr
oder weniger stark durch häretische Strömungen und Gruppen gefährdet waren. Offenbar waren die übrigen Gemeinden der Region damals noch weitgehend intakt und bedurften solcher unmittelbaren Zuwendung nicht. Im übrigen fällt auf, daß die Gemeinden in der Reihenfolge der Erwähnung einen von
der Provinzmetropole Ephesus ausgehenden und wieder zu ihr zurückführen-
den Kreis bilden. Zieht man die Lage der damaligen Verkehrswege in Betracht, so ergibt sich, daß sie auf einer relativ bequemen Rundreiseroute angeordnet waren: Von Ephesus aus ging eine Hauptstraße parallel zur Küste
nordwärts über Smyrna und Pergamon, und die von dort südöstlich ins Landes-
innere führende Magistrale berührte Thyatira, Sardes, Philadelphia und Laodicea, von wo aus man auf der nach Westen dem Tal des Flusses Mäander folgenden Route wieder nach Ephesus gelangen konnte. Der Schluß liegt nahe,
daß die Apk. als Rundbrief konzipiert wurde, dazu bestimmt, den sieben Gemeinden durch einen dieser Rundreiseroute folgenden Boten zur Kenntnis gebracht zu werden.

Mit **V. 12** beginnt die eigentliche Vision. Da die Stimme von hinten ertönt,
wendet sich Johannes um, um den Redenden zu sehen. Was er stattdessen
schaut, ist ein Bild, dessen große symbolische Kraft sich dem Leser schon im
Zuge der gleichsam vom Rande zur Mitte fortschreitenden Beschreibung andeutet, ehe es durch die Rede des in seiner Mitte Erscheinenden (V. 17b–20)
vollends enthüllt wird. Sieben Leuchter sind – offenbar in kreisförmiger Anordnung – aufgestellt. Daß sie aus Gold, dem reinsten und edelsten aller Me-
talle, sind, ist Hinweis auf ihre kultische Bedeutung. Schwerlich ist hier der sie-
benarmige Leuchter der Stiftshütte (2. Mose 37,17) das Vorbild; eher ließe
sich an die zehn goldenen Leuchter denken, die nach 1. Kön. 7,49 vor dem Allerheiligsten des salomonischen Tempels standen. Wichtiger als Hintergrund
scheinen jedoch jüdische Traditionen zu sein, die den Gehorsam Israels gegenüber Gott im Bild der Lampe bzw. des Leuchters darstellen (Bill. III, 717).
Diese Traditionen wurden schon früh vom palästinischen Urchristentum übernommen; so ist nach Mt. 5,15 der Glaubensgehorsam der Jünger gleich einem
Leuchter, der der Welt Licht spendet. **V. 13** wendet sich der Gestalt zu, die inmitten der Leuchter steht, wobei auch deren Schilderung wiederum von außen
nach innen geht, bei der Kleidung einsetzend und sich gleichsam Zug um Zug
zu Hand und Mund vorantastend. Wenn der Erscheinende mit einer im Griechischen sprachlich ungelenken Wendung beschrieben wird, die mit «ein Men-
schensohn-Ähnlicher» oder «einer, der einem Menschensohn glich» übersetz-
bar ist, so bleibt dies wiederum auf der Ebene des annähernden distanzierten
Vergleiches (vgl. V. 10). Johannes sagt nicht «ich sah den Menschensohn»; er
vermeidet offensichtlich den titularen Gebrauch der Bezeichnung «Menschensohn» (vgl. auch 14,14). Das ist um so auffälliger, als die Jesus-Überlieferung
der synoptischen Evangelien Jesus mit der geheimnisvollen Gestalt des «Men-

Die sieben Gemeinden in Asien
(zu 1,9 – 3,22)

A S I E N

Pergamon
Thyatira
Hermos
Sardes
Smyrna
Philadephia
Maeander
Laodicea
Ephesos
Kolossae
Milet
Patmos

EUBOEA

···· Strasse
--- Provinzgrenze

schensohnes», jenes himmlischen Menschen, dem nach Dan. 7,13 in der Endzeit das Gericht übergeben wird, identifizierte (Lk. 12,8 par.) und das palästinische Urchristentum einen titularen Gebrauch der Menschensohn-Bezeichnung kannte (Mk. 14,62 par.; Apg. 7,56). Anscheinend verzichtet Johannes
auf den titularen Gebrauch, weil dieses Prädikat weder den angeschriebenen,
von der paulinischen Christologie geprägten Gemeinden vertraut, noch für
seine eigene christologische Konzeption relevant war. Zwar kann es nicht
zweifelhaft sein, daß er sich auf Dan. 7,13 bezieht, doch beläßt er es bei einer
vagen Anspielung, die die möglichen christologischen Bezüge dieser Stelle
keineswegs ausschöpft. So läßt er zwar zu, daß des Menschensohntitels kundi-
ge Leser hier bereits die Identität des Erscheinenden erkennen, doch vermeidet er den Anschein, als liege hier bereits eine dessen Wesen und Funktion
zentral umschreibende Aussage vor – eine solche folgt nämlich erst in V. 17b.
Die einem Menschen gleiche Gestalt ist in einen langen Mantel gehüllt, wie ihn
Priester, aber auch Herrscher und Vornehme zu tragen pflegten. Er ist zusam-
mengehalten durch einen goldenen, durch die Achselhöhlen und über die
Brust laufenden Gürtel, ebenfalls ein hochgestellten Persönlichkeiten vorbe-
haltenes Kleidungsstück (vgl. Dan. 10,5f.). Es hieße diese Aussagen pressen,
wollte man in dem langen Gewand einen Hinweis auf die priesterliche, im
Gürtel einen auf die königliche Würde Jesu sehen, zumal die für eine solche
Festlegung der Bedeutung beider Kleidungsstücke herangezogenen Belege
keineswegs eindeutig sind. **V. 14:** Blendendes Licht umstrahlt das Haupt des
Erscheinenden. Das Material zu dieser Aussage ist aus der Beschreibung Gottes in Dan. 7,9 entnommen (vgl. äth. Hen. 46,1), was der generellen Tendenz
der Apk. entspricht, Gottesprädikate auf Jesus zu übertragen. Wie Feuerflammen sind die Augen (vgl. Dan. 10,6), sie durchdringen alles und nichts kann
vor ihnen verborgen bleiben. **V. 15:** Reihenfolge wie Inhalt der folgenden
Aussagen sind von Dan. 10,6 her vorgegeben. Zunächst die Füße, die – Gewicht und machtvolle Würde der Gestalt veranschaulichend – mit Pfeilern aus
Golderz verglichen werden, einer Legierung, die als kostbarer als Gold galt.
Sodann die Stimme, deren majestätischer Klang durch das im Alten Testament auf die Stimme Gottes angewandte Bild des Rauschens gewaltiger Wasser (Ez. 1,24; 43,2) veranschaulicht wird. **V. 16:** In der rechten Hand – sie gilt
als Sitz der Kraft und Macht – trägt der Menschensohnähnliche sieben Sterne.
Die Gestirne galten in der alten Welt als den Weltlauf bestimmende, menschliches Schicksal auf vielfältige Weise lenkende Mächte. Herrschaft über sie bedeutet also höchste, alles umschließende Macht und Gewalt. Eine nahe Parallele zum vorliegenden Bild bietet die sog. Mithrasliturgie, ein Zaubertext, der
eine Epiphanie des Gottes Mithras beschreibt, «haltend in der rechten Hand
die goldene Schulter eines Ochsen, das ist das Bärengestirn, das bewegt und
zurückwendet den Himmel, stundenweise hinauf- und hinabwandelnd», –
d. h. der Gott schwingt die sieben Sterne des Kleinen Bären nach Art einer
Keule, um so das Geschehen zu regieren (vgl. auch Hi. 38,31). Zum Weltherr-
schaftssymbol tritt das biblische Gerichtssymbol, das scharfe Schwert, das aus
seinem Munde kommt, um anzudeuten, daß er mit seinem Worte richtet. Wieder wird hier ein Gottesattribut auf Christus übertragen (vgl. Jes. 11,4;
Eph. 6,17). Scheinbar inkonsequent steht am Schluß eine Beschreibung des

Gesichtes, die zunächst wie eine Wiederholung von V. 14b klingt. Doch geht
es hier, anders als dort, um die Wirkung der Erscheinung auf den ihrer ansich-
tig werdenden Menschen. Es ist das Leuchten der Gottheit, vor dem der
Mensch zunichte werden muß (Ez. 1,28). Damit wird die Reaktion des Sehers
(V. 17) vorbereitet. Das Erschrecken des Menschen angesichts der unmittelbaren Begegnung mit der Wirklichkeit Gottes gehört schon im Alten Testament zum Stil des Epiphanieberichtes (z. B. 1. Mose 32,19; Jes. 6,5; Ez. 1,28;
Dan. 8,18). Dahinter steht das Wissen, daß der sündhafte Mensch vor der Heiligkeit und Reinheit Gottes vergehen muß. So bedarf es der Aufforderung
«fürchte dich nicht!», die der Begegnung ihre Bedrohlichkeit nimmt
(Lk. 1,13.30; 2,10; Mk. 16,6). Wie in Dan. 10,8, einer Stelle, die die vorliegende bis in die Formulierung beeinflußt hat, ist die Reaktion des Sehers auf die
Erscheinung gesteigert zum ohnmächtigen Niederfallen «wie tot». Erst die Be-
rührung seines Hauptes durch die Hand des Erscheinenden gibt ihm das Bewußtsein zurück. Der Kontrast mag besonders betont sein: Der Herr der Welt,
dem Macht über alles gegeben ist, ist derselbe, der sich in fürsorglicher Liebe
seinem Diener zuwendet; die Hand, die die Sterne hält, übt den Segensgestus.
Erst durch sein anredendes Wort gibt sich der Menschensohn-Ähnliche zu erkennen. Und zwar tut er dies, ohne einen einzigen der üblichen christologischen Titel zu gebrauchen, in der Weise, daß er in einer dreistufigen Reihe von
Aussagen über seine *Zugehörigkeit zu Gott,* seinen *Weg* und seine *Funktion*
spricht.

V. 18: In der *ersten Aussagegruppe* tritt neben die beiden an V. 8a erinnernden
Gottesprädikate «der Erste» und «der Letzte» (vgl. Jes. 44,6; 48,12), diese zu
einer Trias erweiternd, das Prädikat «der Lebendige», das im Alten Testament
ebenfalls Gott galt (Jos. 3,10; Ps. 42,3). Die Übertragung dieser Bezeichnungen auf Jesus war nur möglich auf dem Hintergrund der Präexistenzchristolo-
gie, d. h. sie setzt die Überzeugung voraus, daß Jesus bereits vor seiner
Menschwerdung, ja vor der Schöpfung bei Gott und mit Gott lebte (Phil. 2,6;
Joh. 1,1; Hebr. 1,3). Aber der Akzent liegt hier nicht auf der Präexistenz und
Schöpfungsmittlerschaft Christi, sondern auf seinem geschichtsumspannen-
den Sein. Die *zweite Aussagegruppe* knüpft unmittelbar an das letzte Glied der
ersten an: «der Lebendige» kann Jesus auf Grund seines Weges genannt werden. Gott hat ihn nicht im Tode gelassen, sondern ihn durch die Auferwek-
kung zu dem gemacht, der für alle Zeit lebendig ist (vgl. Apg. 2,31). Was das
für die Seinen bedeutet, führt die *dritte Gruppe* aus: Als der Lebendige ist Jesus der, der den Tod entmachtet hat. Das griech. Wort *hades* kann an sich auch
den Bereich der Unterwelt, das Totenreich (hebr. *sche ol*) bezeichnen. In der
Apk. ist jedoch damit durchweg nicht ein Ort, sondern eine dämonische
Macht gemeint (vgl. 6,8; 20,14). Sie beherrscht die Totenwelt und trägt, wie
aus griechischen Darstellungen des Gottes Hades ersichtlich ist, als Attribut
ihrer Gewalt den Schlüssel. Aber nun hat Christus Tod und Hades, jenes
dämonische Paar, bezwungen; er hat ihnen den Schlüssel zu dem Ort, an dem
sie die Toten bewachten, entwunden (vgl. 1. Kor. 15,26; Apg. 2,27.31). An
diesem Sieg haben seine Anhänger Anteil, sie müssen den Tod nicht mehr
fürchten.

V. 19: Jesus selbst wiederholt den Schreibbefehl des Engels (V. 11), allerdings nicht ohne ihm eine vertiefende Begründung zu geben. Das einfache «was du siehst» von V. 11 ist nun zu einer feierlich klingenden Dreizeitenformel geworden. Diese ist schwerlich als Inhaltsangabe der Apk. zu verstehen («was du gesehen hast» = die Beauftragungsvision 1,9–20; «was ist» = die Sendschreiben 2,1–3,22; «was hernach geschehen wird» = die Endzeitvisionen 4,1–22,5); dagegen spricht unter anderem, daß der Sendschreibenteil keineswegs nur das darstellt, was ist, sondern auch in die Zukunft ausgreift. Vielmehr handelt es sich um eine aus dem hellenistischen Raum übernommene, allgemein das Wesen göttlich vermittelten Wissens kennzeichnende Formel. So ist nach Ovid (metam. 1,517) Apollon der Enthüller dessen, was sein wird, war und ist, und die berühmte Isisstatue von Sais trug die Inschrift: «ich bin alles, das war, ist und sein wird». Im vorliegenden Zusammenhang umschreibt die Formel den Auftrag des Johannes, die Geschichte in ihrer Ganzheit und Tiefe zu erkennen und über sie Enthüllungen zu machen. Ein spezifischer Akzent wird dabei durch das erste Glied gesetzt, das nicht, wie üblich, von dem spricht, «was war», sondern von dem, was Johannes «gesehen hat». Damit ist eine deutliche Begrenzung gesetzt: Johannes soll nicht eine umfassende Schau vergangener Geschichte geben, der Ausgangspunkt seiner Geschichtsschau, an den er gewiesen ist, ist ihm vorgegeben durch die ihm gezeigten Visionen.

V. 20: Eine gewichtige Begründung des Auftrags erfolgt durch den Aufweis des «Geheimnisses», d. h. des realen Hintergrundes des visionären Bildes von den sieben Leuchtern und sieben Sternen. Es geht – so viel ist auf den ersten Blick deutlich – um das Verhältnis Jesu Christi zu den sieben Gemeinden. Was dabei zunächst überrascht, ist die Deutung der sieben Sterne auf die Engel der Gemeinden, nachdem das Bild der Sterne in V. 16 zunächst den Eindruck erwecken konnte, als handle es sich hier um ein Symbol der Weltherrschaft.

Exkurs: Die Engel der Gemeinden

Der Gedanke, daß Christus einen Menschen beauftragt habe, an Engel zu schreiben (2,1), ist für moderne Leser kaum nachvollziehbar. Es hat darum nicht an Versuchen gefehlt, diese Schwierigkeit zu beseitigen. So vermuteten eine Reihe von Auslegern, indem sie auf die Grundbedeutung des griech. Wortes *angelos* = Bote zurückgingen, hier sei in Wahrheit von Boten der sieben kleinasiatischen Gemeinden die Rede, die sich bei Johannes auf Patmos versammelt hätten, um von ihm Botschaft und Weisung zu holen. Aber abgesehen davon, daß die gleichzeitige Sendung von sieben Boten aus verschiedenen Gemeinden zu dem verbannten Propheten extrem unwahrscheinlich ist, scheitert diese Interpretation daran, daß in den Sendschreiben ja ausdrücklich die «Engel» als deren Empfänger angeredet sind. Eine solche Adressierung widerspricht der in der alten Welt strikt geltenden Regel, wonach der Bote lediglich für die Überbringung einer Botschaft zuständig ist. Noch weniger glücklich ist die Hypothese, wonach mit den Engeln die Träger eines gemeindlichen Amtes – seien es Bischöfe oder Propheten – gemeint seien. Denn es gibt nicht den geringsten Hinweis außerhalb der Apk. auf die Verwendung von *angelos* als Amtsbezeichnung. Umgekehrt wiegt der Umstand schwer, daß sonst durchweg in der Apk. wie auch fast stets im

übrigen Neuen Testament mit *angelos* immer nur der Engel gemeint ist. Läge in unserem Zusammenhang eine Abweichung von diesem Sprachgebrauch vor, so müßte er deutlicher als solcher gekennzeichnet sein.

Handelt es sich also doch um Engel, so stellt sich die Frage nach Voraussetzungen und Struktur der hier angesprochenen Vorstellung. Eine gewisse
Berechtigung hat der Hinweis auf die für das Judentum belegte Überzeugung, wonach jeder einzelne, aber auch jedes Volk einen Schutzengel hat,
der zugleich himmlischer Doppelgänger und Repräsentant ist. Doch man
wird, da er nicht geeignet ist, alle Probleme zu lösen, noch ein Stück weiter
gehen müssen. Johannes scheint hier nämlich kritisch Bezug zu nehmen auf
eine in den Adressatengemeinden vorhandene Tendenz zur Engelverehrung. Nicht nur im nachbiblischen Judentum gibt es Zeugnisse für eine Auf-
wertung der Engel zu das Schicksal von Welt und Menschen bestimmenden
Gestalten (1QH 10,8; 1QM 1,10f.). Sondern es ist auch deutlich, daß diese
jüdische Angelologie speziell in den heidenchristlichen Gemeinden Kleinasiens begierig aufgegriffen und weiterentwickelt wurde. So bekämpft der
Kolosserbrief, dessen Adressaten geographisch im gleichen Bereich liegen,
an den sich die Apk. wendet, eine häretische Engelverehrung (Kol. 2,18),
von der wir wissen, daß sie keineswegs nur Episode geblieben ist. Im inneren Kleinasien fanden sich aus der römischen Kaiserzeit stammende In-
schriften, die von «göttlichen Engeln» handeln und als Zeugnisse solcher
vielleicht sogar heidnisch beeinflußter Engelverehrung gelten müssen. Die
Engel galten als Personifikationen der die Welt durchwaltenden Kräfte und
Mächte. Das erklärt die zunächst überraschende Gleichsetzung von Engeln
und Sternen in V. 20, die letztlich an die im griechischen Raum verbreitete
Identifizierung von Sternen mit Göttern anschließt und die übrigens auch an
gewisse jüdische Vorstellungen anknüpfen konnte (äth. Hen. 21,3ff.;
vgl. 18,14). In einem dem Engelglauben sich öffnenden Milieu war es dann
nur noch ein kleiner Schritt bis zu dem Gedanken, wonach die Kirche
bzw. die einzelnen Gemeinden von Engeln regiert werden (vgl. Herm. vis.
5,3; Asc. Jes. 3,15). Gegen eine solche Engelverehrung nimmt Johannes
kritisch Stellung, indem er seine Gesprächspartner durch die Adressierung
der Sendschreiben an die Gemeindeengel bei ihren Vorstellungen abholt,
um diese gleichzeitig jedoch kräftig zurechtzurücken. Er zeigt durch das
Bild von V. 20 zunächst, daß diese Engel in der Hand Jesu Christi sind, seiner Macht unterstehen, und darum keine besondere Verehrung oder gar
Anbetung verdienen, und er führt das in den Sendschreiben weiter aus, indem er einerseits die von ihm als neben, nicht über den Gemeinden stehend
angesehenen Engel einer harten Kritik vom Wort Jesu her unterstellt, und
indem er andererseits deutlich macht, daß das Heil an den Gehorsam jedes
einzelnen Gemeindeglieds gebunden bleibt (2,7 u. ö.), nicht jedoch durch
Engel garantiert werden kann. – Auf diesem Hintergrund gesehen erweist
sich der Schreibbefehl an die mit den Sternen identifizierten Engel der Gemeinden also als Ausdruck dessen, daß die Herrschaft des Erhöhten über
die Weltmächte in der Gegenwart bereits sichtbar Gestalt gewinnt in seiner
Herrschaft über die Kirche.

2,1–3,22   2. Die sieben Sendschreiben

Der Sendschreibenteil wächst unmittelbar aus der Beauftragungsvision (1,9–20) heraus, ist er doch formal stilisiert als Botschaft, die der Erhöhte dem Propheten Johannes mit der Weisung übergeben hat, sie in verschrifteter Form den Engeln der Gemeinden zu senden. Es handelt sich hier nicht um eine nachträgliche Sammlung von ursprünglich selbständigen Briefen an einzelne Gemeinden, sondern um eine in sich geschlossene kompositorische Einheit, die nur von ihrer Stellung im Buchganzen her zu verstehen ist. Die einzelnen Schreiben sind inhaltlich sehr sorgfältig aufeinander abgestimmt und ergänzen sich in der Weise, daß der Eindruck einer einheitlichen, an die gesamte Kirche der Provinz Asien gerichteten Botschaft entsteht, die lediglich im Blick auf die spezifische Situation der einzelnen Gemeinden an einzelnen Punkten aktuelle Zuspitzungen erfährt.

Auf kompositorische Einheitlichkeit deutet auch der parallele *Aufbau* aller sieben Schreiben, dem das folgende Schema zugrunde liegt:

  I. *Konkretisierung des Schreibbefehls* («An den Engel der Gemeinde von ... schreibe»).

 II. *Botenformel* («so spricht, der ...»).

III. *Situationsbesprechung*, bestehend aus einer Situationsbestimmung («ich weiß, daß ...») sowie variablen Einzelelementen (Heilswort, Gerichtswort, Umkehraufforderung, Hinweis auf von der Gemeinde zu Bewahrendes, Kommensankündigung).

 IV. *Weckruf* («Wer Ohren hat, der höre, was der Geist den Gemeinden sagt»).

  V. *Überwinderspruch*.

I. und II. enthalten in situationsgemäßer Abwandlung die Elemente des Briefeingangs (vgl. 1,4–5). So steckt in der Botenformel die Absender-, im Schreibbefehl die Empfängerangabe. Diese Eingangsformulierungen erinnern stark an die Anfänge alttestamentlicher Prophetenbriefe (Jer. 29,4.31; 2. Chr. 21,12). Die Teile III. – V. und die in ihnen enthaltenen Einzelelemente nehmen ohne Zweifel Stilformen urchristlicher prophetischer Rede auf. In ähnliche festgeprägte Wendungen, wie Heils- und Gerichtsworte, Weckrufe, Ansagen des baldigen Kommens des Herrn usw. werden die gemeindlichen Propheten weithin ihre Botschaft gekleidet haben. Ob allerdings das hier vorliegende Gesamtschema einer bereits vorgegebenen Gattung prophetischer Rede entspricht, ist sehr fraglich. Da Analogien dafür fehlen, spricht mehr dafür, daß es sich dabei um eine originale Schöpfung des Johannes handelt.

Seine schriftstellerische Kunst erweist sich vor allem an der Gestaltung der Botenformeln (II.). Diese nehmen nämlich jeweils Motive aus der Berufungsvision auf («so spricht, der ...»), um sie gezielt mit der spezifischen Botschaft des jeweiligen Sendschreibens in Verbindung zu setzen. Weitere inhaltliche Querbezüge werden durch die Überwindersprüche (V.) hergestellt. In ihnen erscheinen nämlich zahlreiche Motive, die auf den Visionenteil der Apk. verweisen (2,7 = 22,2.14.19; 2,11 = 20,6; 2,17 = 19,12; 2,26f. = 12,5; 19,15; 3,5 = 20,12.15; 21,27; 3,12 = 14,1; 3,21 = 5,6). Im übrigen dürfte auch die Umkehr

der Reihenfolge von Weckruf (IV.) und Überwinderspruch (V.) in den letzten
vier Sendschreiben bewußter kompositorischer Absicht entspringen.

2,1–7   a. Für die Gemeinde in Ephesus

(I)   **1 An den Engel der Gemeinde in Ephesus schreibe:**
(II)   **So spricht, der die sieben Sterne in seiner Rechten hält, der mitten unter
       den sieben goldenen Leuchtern wandelt:**
(III) **2 Ich weiß deine Werke und deine Mühe und dein Ausharren, und daß du
       die Bösen nicht ertragen kannst und diejenigen auf die Probe gestellt
       hast, die behaupten, sie seien Apostel, und es doch nicht sind, und sie als
       Lügner erkannt hast. 3 Und du hast ausgeharrt und geduldig ertragen um
       meines Namens willen und bist nicht müde geworden. 4 Aber ich habe ge-
       gen dich, daß du die erste Liebe verlassen hast. 5 Gedenke, aus welcher
       Höhe du gefallen bist und kehre um und tue die ersten Werke! Wenn aber
       nicht, so will ich zu dir kommen und deinen Leuchter von seiner Stelle
       stoßen, wenn du nicht umkehrst. 6 Aber das hast du, daß du die Werke
       der Nikolaiten haßt, die auch ich hasse.**
(IV)   **7 Wer Ohren hat, der höre, was der Geist den Gemeinden sagt:**
(V)   **Wer überwindet, dem will ich von dem Baum des Lebens zu essen geben,
       der im Paradies Gottes steht.**

Die Gemeinde in Ephesus, der glänzenden Metropole der Provinz Asien, wird
an erster Stelle angesprochen (V. 1). Zwar war Ephesus zu jener Zeit wohl
nicht (mehr) Provinzhauptstadt – der römische Prokonsul hatte vermutlich seinen Sitz in das mit Ephesus rivalisierende Pergamon verlegt –, aber es war
nach wie vor wirtschaftliches, verkehrsmäßiges und kulturelles Zentrum der
Provinz. Besonderes religiöses Ansehen genoß die Stadt seit alters als Bewah-
rerin des angeblich vom Himmel gefallenen Standbilds der ephesinischen Ar-
temis, um das sich ein florierender Kult rankte (vgl. Apg. 19,23–40). Daneben
aber wurde sie schon früh zu einer der wichtigsten Hochburgen des Kaiserkults
im Osten des Reiches: Bereits 29 v. Chr. hatte Augustus den Ephesern gestat-
tet, Julius Cäsar einen Tempel zu weihen. Die von Paulus gegründete christliche Gemeinde wurde durch die von ihr ins Hinterland ausstrahlende Mission
zur Muttergemeinde der ganzen Provinz, und das Erbe des Paulus scheint von
ihr noch lange lebendig gehalten worden zu sein. Wenn die Überlieferung
auch andere Gestalten der kirchlichen Frühzeit (z. B. Johannes, den Zebedaiden und Maria, die Mutter Jesu) mit Ephesus in Verbindung bringt, so ist dies
zumindest ein Zeugnis für Ansehen und Geltungsanspruch dieser Gemeinde.
Wenn die Botenformel (II.) das Bild des Menschensohnähnlichen inmitten
der sieben Leuchter, der in seiner Rechten die sieben Sterne hält, aufnimmt,
so wird damit auf diese Bedeutung von Ephesus angespielt: Mit dieser Gemeinde ist letztlich der ganze Kranz der Kirchen Asiens angeredet.
Die Situationsbesprechung (III.) setzt ein mit einer positiven Würdigung, und
zwar in einer aufsteigenden Reihenfolge (V. 2): «Werke» hat nicht, wie bei
Paulus, die Bedeutung verdienstlicher Gesetzeswerke, sondern meint, wie

durchweg in der Apk., das vom Glauben geprägte Verhalten (vgl. 2,22f.; 14,13; 15,3; 16,11; 20,12f.; 22,12): «Mühe» ist ein geprägter Terminus für den aktiven missionarischen Einsatz (1. Thess. 2,9; 1. Kor. 15,58), während mit «Ausharren» die standhafte Bewährung in den über die Glaubenden verhängten Leiden und Konflikten der gegenwärtigen Weltzeit bezeichnet wird (vgl. 1,9). Anscheinend handelt es sich hier um eine durch die Tradition vorgeprägte Dreiergruppe (1. Thess. 1,3). Näher ausgeführt wird nur das dritte Glied: Die Gemeinde hat tatsächlich ausgeharrt und festen Stand gezeigt angesichts verschiedenartiger Bedrohungen, von denen eine, das Auftreten falscher Apostel, ausführlicher erwähnt wird. Anscheinend handelte es sich hier um wandernde Missionare und Verkündiger, die sich als Apostel, d. h. als Gesandte Christi, ausgaben und auf die Gemeinde Einfluß zu gewinnen suchten. Neben dem engen von Paulus und der Jerusalemer Urgemeinde vertretenen Apostelbegriff (1. Kor. 15,3–11), der nur auf besonders berufene Zeugen des Auferstandenen begrenzt war, gab es nämlich in einigen kirchlichen Gruppen einen weiteren, nach dem auch wandernde Missionare und Charismatiker als Apostel galten. Bereits Paulus hatte sich in Korinth mit solchen Wanderaposteln auseinanderzusetzen, die ihm die Gemeinde abspenstig machen wollten (2. Kor. 11,5). Das einzige Kriterium für die Berechtigung des Anspruchs dieser Apostel war ihre Lehre. Über sie mußten die Christen von Ephesus urteilen, um sie als Lügner entlarven zu können (vgl. Ign. Eph. 9,1). Welcher Art war diese Lehre? Vermutlich lag sie auf der gleichen Linie wie die der «Nikolaiten» (V. 6.15) und der übrigen von der Apk. erwähnten Irrlehrer (V. 14.20), d. h. die falschen Apostel vertraten eine Frühform christlicher Gnosis. Neben diese innere Bedrohung traten, wie **V. 3** anzudeuten scheint, auch äußere Bedrohungen durch Juden und Heiden, denen gegenüber die Gemeinde sich ebenfalls als standfest erwiesen hat. Unvermittelt leitet **V. 4** vom Lob zur Kritik über: Die Gemeinde hat trotz ihrer standhaften Rechtgläubigkeit und ihrer Selbstbehauptung nach außen die erste Liebe verlassen. Es geht hier nicht nur um das Nachlassen der Begeisterung der Anfangszeit, also um die typische Erscheinung, unter der die Kirche der 2. und 3. Generation litt, sondern konkret um ein Versagen gegenüber dem Liebesgebot als der zentralen, das Miteinander der Christen in der Gemeinde bestimmenden Norm. Hat die Liebe in ihr keinen Raum mehr, dann ist die lebendige Verbindung der Gemeinde zu Christus gefährdet. **V. 5:** Mit dem ungemein plastischen Bild des Sturzes aus großer Höhe, das das Bedrohliche dieser Entwicklung veranschaulicht, wird die Umkehrforderung eingeleitet. Es gewänne noch an Schärfe, wenn hier auf die verbreitete mythologische Vorstellung des Engelssturzes (Jes. 14,12) angespielt sein sollte. Der Adressaten-Engel kann – das wäre dann der Sinn der Aussage – die Gemeinde, der er zugeordnet ist, weder bewahren noch gar ihr das Heil garantieren, er hat vielmehr Anteil am Schicksal der Gemeinde in der Weise, daß er mit ihrem Fall selbst zum gefallenen Engel geworden ist! Es gibt darum nur eine Möglichkeit, dem drohenden Verderben zu entgehen, nämlich die Umkehr, die radikale Veränderung der gesamten Ausrichtung des Lebens, die nur die Form der Rückkehr zu den «ersten Werken», zu dem von bedingungsloser Liebe gegenüber den Brüdern geprägten Verhalten der Anfangszeit, haben kann. Den Ernst der Mahnung unterstreicht das ihr folgende Drohwort, das das Bild von V. 1 wieder aufnimmt: Der Herr selbst wird zu der unbußfertigen Gemeinde kommen und ihren Leuchter von der Stelle rücken. Solches Kommen meint nicht die Parusie und das mit ihr verbundene Endgericht, sondern den innergeschichtlichen Machterweis des Herrn über seine Kirche. Weder ihre große Vergangenheit noch ihr gegenwärtiges Ansehen, sondern allein ihr Gehorsam kann die Gemeinde vor dem Ausgestoßenwerden aus dem Kreis der Gemeinden Jesu Christi bewahren. Dem Tadel folgt in **V. 6** noch ein Lob: Daß die Gemeinde den Nikolaiten eine klare Absage erteilt hat, war immerhin ein Schritt in die rechte Richtung. Die Nikolaiten waren vermutlich eine christlich-gnostische Gruppe, die sich nach der für sie maßgeblichen Lehrergestalt, einem gewissen Nikolaos, benannte, der wiederum mit dem aus dem syrischen Antiochia stammenden und zum Kreise der hellenistischen Sieben gehörenden Proselyten Nikolaos (Apg. 6,5) identisch sein dürfte (s. zu 2,15). Wenn die Gemeinde für ihr «Hassen» der Werke der Nikolaiten gelobt wird, so bedeutet dies keinen Schritt hinter Jesu Gebot der Feindesliebe zurück, denn einmal richtet sich dieser Haß nicht auf Menschen, sondern auf deren Verhalten, und zum andern handelt es sich bei ihm nicht um einen psychischen Affekt, sondern, häufigem biblischem Sprachgebrauch folgend (z. B. Ps. 97,10; Sir. 17,26; Mt. 10,27 par. Lk. 14,26), um eine grundsätzliche, bewußte Abkehr und Absage.

V. 7a: Der prophetische Weckruf (IV.) ist aus der formelhaften Wendung «Wer Ohren hat, der höre» entwickelt, die sich in der synoptischen Jesusüberlieferung im Zusammenhang mit besonderer Deutung bedürftigen Gleichnissen und Rätselworten findet (Mk. 4,9 par. Mt. 13,9; Lk. 8,8; Mk. 4,23; 8,18; Mt. 11,15; Lk. 14,35), und deren Sinn es ist, auf den besonderen, geheimnisvollen Charakter dieser Worte, der sich nur von Gott Erwählten erschließt, hinzuweisen. Wenn die Apk. diese Formel durch den Zusatz «Was der Geist den Gemeinden sagt», erweitert, so verlagert sie dadurch den Akzent vom Geheimnis zur Höraufforderung: Der erhöhte Christus spricht durch den Geist zu seinen Gemeinden, und zwar so, daß nicht nur wenige Auserwählte, sondern alle es hören können. Darauf kommt es allein an, ob sie auch bereit sind, zu hören. Dieser Funktion, Hörbereitschaft zu wecken, entspricht es, wenn die Weckrufe in der Apk. nicht auf Vorhergegangenes zurück-, sondern auf das Folgende vorausverweisen. In den ersten drei Sendschreiben (vgl. 2,11.17) lenken sie die Aufmerksamkeit der Leser auf die Überwindersprüche, in den restlichen vier (2,29; 3,6.13.22) auf den zentralen, mit 4,1 beginnenden Hauptteil des Buches.

Der abschließende Überwinderspruch **(V. 7b)** stellt das vorher Gesagte in einen weiteren Horizont, indem er die auf die aktuelle Gemeindesituation bezogenen Mahnungen und Warnungen zusammenfaßt in der Aufforderung zum «Überwinden» (V.). Dieser zentrale Leitbegriff der Apk. umschreibt gleichermaßen das Ziel des Weges Christi (5,5; 17,14) wie auch der Christen. Hinter ihm steht die Vorstellung, wonach das gesamte Weltgeschehen ein unaufhörlicher Kampf zwischen Gott und den widergöttlichen Mächten ist. Christus selbst hat zwar bereits am Kreuz den Sieg errungen, aber noch haben die Gegner Gottes auf Erden Raum für ihren Kampf gegen die Christus zugehörigen Menschen. Für diese gilt es darum, sich solcher Auseinandersetzung nicht zu entziehen und den feindlichen Mächten Widerstand entgegenzusetzen bis zu deren endgültiger Niederringung durch Christus am Ende der Geschichte. So ist das Überwinden Ziel und Frucht des allen Christen gebotenen Ausharrens (1,9). Der Kreis der Überwinder ist nach Johannes keineswegs auf die Märtyrer beschränkt, wenn auch allerdings in ihrem Weg das Wesen solchen Überwindens am klarsten zum Ausdruck kommt. Der Inhalt der den Überwindern geltenden Verheißung wird mit einem Bild ausgemalt, das vorausweist auf die Schlußvision des Buches (22,2) und nur in ihrem Rahmen voll verständlich wird: Sie dürfen in dem in der Endzeit wiederkehrenden Paradies vom Baum des Lebens essen (1. Mose 2,9; 3,22) und bekommen so Anteil an der Fülle des Heils der Vollendung.

2,8–11   b. Für die Gemeinde in Smyrna

(I)   **8 An den Engel der Gemeinde in Smyrna schreibe:**
(II)   **So spricht der Erste und der Letzte, der tot war und lebendig wurde:**
(III)   **9 Ich weiß deine Bedrängnis und Armut – aber du bist reich – und die Lästerung seitens derer, die sich Juden nennen und sind es nicht, sondern eine Synagoge des Satans. 10 Fürchte nicht, was du noch erleiden mußt. Siehe, der Teufel wird einige von euch ins Gefängnis werfen, damit ihr versucht werdet, und ihr werdet Bedrängnis haben zehn Tage lang. Sei treu bis zum Tod, dann werde ich dir den Kranz des Lebens geben.**
(IV)   **11 Wer Ohren hat, der höre, was der Geist den Gemeinden sagt:**
(V)   **Wer überwindet, dem wird der zweite Tod nichts anhaben können.**

Smyrna, das heutige Izmir, war dank seiner günstigen Lage an einer tief in die anatolische Westküste einschneidenden Bucht eine blühende Handelsstadt **(V.8)**. Das Sendschreiben an den Engel der dortigen Gemeinde ist auf den Ton uneingeschränkten Lobes gestimmt. Deutlich ist, daß ihm als durchgängiges Leitmotiv der Gegensatz von Tod und Leben zugrundeliegt. Es wird eingeführt durch den Rückverweis auf 1,18 in der Botenformel (I.): Christus ist der, der tot war und lebendig wurde. Läßt sich ein Bezug dieses Motivs auf die Gemeindesituation erkennen? Man hat ihn in der Tatsache sehen wollen, daß die Stadt Smyrna im 1. Jahrh. v. Chr. aus Trümmern neu erbaut war und sich somit als «auferstanden» rühmen konnte, doch dagegen spricht, daß dies ein Ereignis war, das die christliche Gemeinde weder direkt noch indirekt betraf. Wahrscheinlich ist, daß hier auf die die Gemeinde stark bewegende Auseinandersetzung mit den Juden angespielt ist, war doch der zentrale Punkt der Kontroverse das Bekenntnis der Christen, daß Gott in der Auferweckung des gekreuzigten Jesus von den Toten zum Heil der Welt und der Menschheit entscheidend gehandelt habe (Apg. 2,32; 4,10; 5,31).
V. 9: Die äußere Lage der Gemeinde ist, wie die Situationsbesprechung (III.) erkennen läßt, gleichermaßen gekennzeichnet durch Armut wie durch Bedrängnisse von verschiedenen Seiten. Allerdings ist diese Armut nur äußerlich; was inneres Leben und geistliche Kraft der Gemeinde anlangt, so ist sie reich (2. Kor. 6,10; 8,9), und darin steht sie im Gegensatz zur Gemeinde von

Laodicea, die sich für reich hält, ohne es zu sein (3,17). Was die Gemeinde von Smyrna am meisten bedrängte, waren die heftigen Anfeindungen seitens der Judenschaft. Das entspricht dem Bild, das auch spätere Zeugnisse geben. So haben jüdische Anfeindungen das Martyrium des Bischofs Polykarp von Smyrna (156 n. Chr.) zumindest mit ausgelöst (Mart. Polyk. 17,2). Sehr pauschal ist das Verhalten der Judenschaft als «Lästerung» umschrieben. Gemeint ist damit der offene Widerspruch gegen die Mitte der christlichen Verkündigung, das Christusbekenntnis: Die Juden bestreiten, daß in Tod und Auferweckung Jesu von Nazaret Gott selbst zum Heile der Menschen gehandelt hat (Apg. 13,45). Wenn nun auf Grund solcher Lästerung den Juden das Jude-Sein abgesprochen wird, so liegt das ganz auf der Linie des Selbstverständnisses der heidenchristlichen Kirche der zweiten Generation, die sich als das in die Rechte und Verheißungen Israels eingetretene Gottesvolk der Endzeit weiß (Gal. 4,28–31; 1. Petr. 2,9f.). Obwohl selbst seiner Herkunft nach Judenchrist, teilt Johannes diesen Standpunkt der Heidenchristen. Mit überraschender Selbstverständlichkeit geht er – darin weit über Paulus hinausgehend (Röm. 11,1–36) – davon aus, daß das Judentum, das sich dem Glauben an Christus verschlossen hat, nicht mehr zum Gottesvolk gehört, und ebenso selbstverständlich überträgt er traditionelle, auf Israel bezogene Aussagen auf die Kirche (z. B. 7,4–8; 12,5). Ja, an keiner Stelle seines Buches ist erkennbar, daß der Unglaube Israels für ihn noch in gleicher Weise wie für die Generation vor ihm ein unmittelbar bedrängendes theologisches Problem wäre. Wenn der erhöhte Christus mit der Bezeichnung «Synagoge des Satans» das Selbstverständnis der jüdischen Gemeinde, Versammlung (= Synagoge) Gottes zu sein (4. Mose 16,3), zurückweist, so ist das die Folge dessen, daß die Juden ihm die Anerkennung als Herrscher über das Gottesvolk verweigert haben. Wer sich aber der Herrschaft Jesu Christi und damit Gottes nicht unterstellt, der gibt sich, gemäß der zum Dualismus tendierenden Geschichtsschau der Apk., der Herrschaft des dämonischen Widersachers Gottes anheim. **V. 10:** Von eben diesem Widersacher ausgelöst sind auch die weiteren Anfeindungen und Verfolgungen, die auf die Gemeinde zukommen. Hier scheint zwar nicht an eine allgemeine Verfolgung, wohl aber an ein behördliches Einschreiten gegen einzelne Glieder der Gemeinde gedacht zu sein. Diese Bedrängnis dient der Erprobung der Standhaftigkeit des Glaubens, und sie steht damit indirekt unter der Zulassung Gottes (Hi. 1,6ff.), was auch in der Ansage ihrer zeitlichen Begrenzung zum Ausdruck kommt. Mit den zehn Tagen ist, unter Anspielung auf die zehntägige Treueprobe der jungen Israeliten am babylonischen Hofe (Dan. 1,12.14), eine relativ kurze, überschaubare Zeitspanne gemeint. Der Gegensatz Tod/Leben bestimmt auch das folgende Weisungswort. Der Kranz war in der Antike ein so vielfältig gebrauchtes Ehren- und Heilssymbol, daß es schwer fällt, hier einen konkreten Bildhintergrund auszumachen. Schwerlich wird man an den Siegeskranz, den der Sieger im Wettkampf erlangte (1. Kor. 9,24; Phil. 3,14), oder an jene Kränze zu denken haben, die die Teilnehmer an jenen Kultmahlen der Mysterien trugen, durch die sie der Nähe der Gottheit gewiß wurden. Näher liegt es, hier einen Zusammenhang mit der Vorstellung des «Überwindens» zu suchen; dann wäre hier das Bild des Siegerkranzes, mit dem der heimkehrende Triumphator geehrt wurde, vorausgesetzt. Wie dem auch sei, der Sinn ist klar: Der Kranz des Lebens bezeichnet das ewige Heil, das Jesus Christus, der Herr des Lebens, jenen zuteil werden läßt, die in den Drangsalen der gegenwärtigen Weltzeit ausgeharrt und ihr Leben dabei aufs Spiel gesetzt haben (vgl. Jak. 1,12). Was hier zugesagt wird, ist letztlich die Teilhabe am Leben, das Jesus Christus gewonnen hat, und die Herrschaft in der Gemeinschaft mit ihm (20,4f.).

V. 11: Auch der abschließende Überwinderspruch (V.) bleibt bei dem Tod/Leben-Motiv, indem er das negative Gegenstück zu der positiven Aussage von V. 10b ergänzt: Wer den Kranz des Lebens empfängt, dem kann der zweite Tod nichts mehr anhaben. Der aus dem Judentum stammende Ausdruck «der zweite Tod» bezeichnet jenen endgültigen Tod, dem keine Auferstehung mehr folgt (vgl. 20,6). Er allein ist zu fürchten, nicht jedoch der leibliche Tod, der für die Zeugen Jesu Durchgang zum Leben der Auferstehung und zur Gemeinschaft mit ihrem Herrn ist.

2,12–17   c. Für die Gemeinde in Pergamon

(I)   **12 Und an den Engel der Gemeinde in Pergamon schreibe:**
(II) **So spricht, der das zweischneidige scharfe Schwert hat!**
(III) **13 Ich weiß, wo du wohnst – wo der Thron des Satans steht. Und du hältst meinen Namen fest und hast meinen Glauben nicht verleugnet, auch nicht in den Tagen des Antipas, meines treuen Zeugen, der bei euch getötet wurde, dort, wo der Satan wohnt. 14 Aber ich habe etwas gegen dich: Bei dir gibt es Leute, die sich an die Lehre Bileams halten, der Balak lehrte, die Söhne Israels dazu zu verführen, Götzenopfer zu essen und zu huren. 15 So hast auch du Leute, die sich an die Lehre der Nikolaiten halten. 16 Kehre nun um! Wenn aber nicht, komme ich schnell zu dir und werde sie mit dem Schwert meines Mundes bekämpfen.**
(IV) **17 Wer Ohren hat, der höre, was der Geist den Gemeinden sagt:**
(V)   **Wer überwindet, dem werde ich von dem verborgenen Manna geben, und dem werde ich einen weißen Stein geben, und auf dem Stein einen neuen Namen geschrieben, den keiner kennt außer dem, der ihn empfängt.**

V. 12f.: Das Sendschreiben für Pergamon ist gekennzeichnet durch ein besonders schroffes Nebeneinander von Lob und Kritik. Eben darin ist es ein getreues Spiegelbild der nach innen und außen schwierigen Lage dieser Gemeinde. Pergamon die alte Hauptstadt des Attalidenreiches, hatte auch unter der römischen Verwaltung seinen Rang und sein Ansehen trotz der Konkurrenz von Ephesus erhalten können. Maßgeblich dafür war seine Funktion als univerales religiöses Zentrum. Auf dem steil die Unterstadt überragenden Hügel stand der gewaltige Altar, dessen zentrales Stück heute im Pergamon-Museum in Berlin zu besichtigen ist. Er war nicht nur Zeus, sondern allen Göttern geweiht. In unmittelbarer Nachbarschaft der Stadt erhob sich das mächtige Heiligtum des Heilgottes Asklepios, das zu jener Zeit einen unerhörten Aufschwung erlebte und Scharen von Heilung suchenden Kranken anzog. Mit

Recht hat man Pergamon das «Lourdes Kleinasiens» genannt (Lohmeyer). Mit der Errichtung eines der Göttin Roma und dem Kaiser Augustus geweihten Tempels (29 v. Chr.) hatte sich die Stadt auch an die Spitze der Entwicklung des Kaiserkults gestellt. Ob mit «Thron des Satans» eine der genannten Kultstätten besonders gemeint ist, ist nicht deutlich; mehr spricht dafür, daß damit Pergamon insgesamt als Hochburg heidnischer Religiosität gekennzeichnet werden soll. In solcher Umgebung zu leben, war für eine christliche Gemeinde schwer. Es bedeutete, außerhalb der Gesellschaft zu stehen, ständig Diskriminierungen und Anfeindungen ausgesetzt zu sein, Kräfte in immer neuen Reibereien mit der feindseligen Umwelt zu verschleißen. Das Lob, das der Erhöhte ausspricht, ist Würdigung und Anerkennung dieser Lage: Er weiß, wo diese Gemeinde wohnt und was es bedeutet, daß sie trotz aller Widrigkeiten den Glauben festgehalten hat, der sich auf das Bekenntnis zu ihm als dem Herrn gründet, und er vergißt auch nicht, daß ein Glied der Gemeinde, Antipas, dieses sein Bekenntnis mit seinem Leben hat bezahlen müssen. Antipas erhält den Ehrentitel «der treue Zeuge». Damit kommt zum Ausdruck, daß er den Weg des Zeugen bis zur Lebenshingabe im Anschluß an und nach dem Urbild Jesu (1,5) gegangen ist. Dieses Martyrium des Antipas liegt allerdings schon geraume Zeit zurück, es gehörte vermutlich in die Anfangsepoche der Gemeinde, und es blieb zunächst ein vereinzelter Zwischenfall. Zu einer offenen Verfolgung war es jedenfalls bislang nicht gekommen. Viel akuter als die äußere Gefährdung durch die feindselige heidnische Umwelt sind die Gefahren, die der Gemeinde aus ihrem Inneren drohen. Ihnen jedoch steht sie, wie aus der harten Kritik des Schreibens hervorgeht, auch ungleich hilfloser gegenüber. Bereits in der Selbstprädikation des Botenspruches (II.) wird auf das Wesen dieser Gefahr angespielt. Denn das aus dem Munde des Erhöhten hervorgehende scharfe zweischneidige Schwert (1,16; 19,15; vgl. Hebr. 4,12) symbolisiert sein richterliches Wort, mit dem er die Verführer und Irrlehrer vernichten wird. Hinter der Kritik von **V. 14f.** zeichnet sich denn auch relativ deutlich das Bild gnostischer Irrlehrer ab, die in die Gemeinde eingedrungen sind. Und zwar handelt es sich um die gleichen Nikolaiten, die bereits in Ephesus begegneten (V. 6). Während sie jedoch dort abgewiesen wurden, konnten sie in Pergamon einen Teil der Gemeinde für ihre Lehre gewinnen. Diese Lehre wird als «Lehre Bileams» bezeichnet. Nach 4. Mose 22–24 wurde der heidnische Wahrsager Bileam durch den Moabiterkönig Balak gerufen, um die Israeliten zu verfluchen, was jedoch mißlang, weil ihn stattdessen der Gott Israels als prophetischen Verkünder seines Willens für sein Volk in Dienst nahm. In der Sicht des nachbiblischen Judentums galt Bileam trotzdem als Prototyp des gottlosen Frevlers und Anstifters zum Götzendienst (4. Mose 25,1ff.; 31,16; vgl. Bill. III, 793), und eben diese Sicht wird von unserer Stelle aufgenommen. Die Wendung «Lehre Bileams» ist jedoch schwerlich erst von Johannes geprägt, sondern dürfte auf die Gegner selbst zurückgehen, die Bileam wohl positiv als Urbild des geheime göttliche Weisheit ergründenden Propheten verstanden haben, wie denn auch sonst die christlichen Gnostiker sich gern auf alttestamentliche Personen und Traditionen beriefen. Was wir über den Inhalt dieser Lehre Bileams erfahren – Anstiftung zum Essen von Götzenopfer und zur Hurerei – bleibt ganz pauschal und ist durch polemische Absicht geprägt. Es betrifft nicht die zentralen Inhalte der Irrlehre, sondern nur deren Auswirkungen hinsichtlich des sittlichen Verhaltens an für die christliche Gemeinde besonders neuralgischen Punkten. Die Nikolaiten waren, wie die meisten Gnostiker, auf Grund ihrer Überzeugung, daß allein die pneumatische Erkenntnis für Heil und Leben relevant sei, gegenüber der Leiblichkeit und dem äußeren Verhalten gleichgültig, und das hatte Kompromisse gegenüber Verhaltensweisen der heidnischen Umwelt zur Folge. So hielten sie sich nicht an die vom damaligen Heidenchristentum weithin praktizierte Ablehnung des Genusses von im heidnischen Kultus geschlachtetem Fleisch sowie der Teilnahme an kultischen Mahlzeiten (1. Kor. 8–10), und auch ihr sexuelles Verhalten entsprach nicht der strengen gemeindlichen Norm (vgl. 2,20.22). Weil sie diesen Irrlehrern Raum gegeben hat, ist die ganze Gemeinde schuldig geworden und muß sich, repräsentiert durch den Engel, zur Umkehr rufen lassen (**V.16**). Wird sie verweigert, so wird Jesus selbst die Schuldigen durch die Macht seines richtenden und scheidenden Wortes bestrafen. Nicht Rache an den Frevlern ist allerdings dabei sein Ziel, sondern die Erhaltung und Reinigung seiner Gemeinde.

V. 17: Der Überwinderspruch (V.) enthält zwei Verheißungen, deren Deutung schwierig ist, weil keine von ihnen in direktem Bezug zu anderen Aussagen der Apk. steht. Die erste knüpft allerdings an eine jüdische Tradition an. Nach dieser soll das Manna, das Himmelsbrot, mit dem einst Gott sein Volk in der Wüste speiste (2. Mose 16,32ff.), im Himmel für die Auserwählten der messianischen Zeit aufbewahrt sein (syr. Bar. 29,8; Sib. 7,148f.; Mekh. Ex. 16,25). Nimmt man dazu, daß im Urchristentum die Deutung des Manna als Typus des Herrenmahles bekannt war (1. Kor. 10,3ff.), so ist der Schluß berechtigt, daß diese Verheißung die Teilhabe am messianischen Mahl der Heilszeit umschreibt, auf das die Gemeinde bei jeder Feier der Eucharistie ausblickt (1. Kor. 11,26). Die zweite Verheißung greift auf eine hellenistisch-heidnische Vorstellung zurück, nämlich die des Amulettsteins, auf den eine dem Inhaber übernatürliche Kräfte verleihende und ihn vor bösen Mächten schützende Zauberformel eingeritzt ist. Der Stein, den die Überwinder erhalten, ist weiß, er hat die Farbe der Reinheit und Vollendung (3,4f.18; 4,4), und der auf ihm eingeritzte Name, den die heidnische Welt nicht kennt, ist der Name Jesu, den die Gemeinde von Pergamon bisher gegen alle Anfeindungen festgehalten hat (V. 13). Durch die Taufe haben sich die Christen der Herrschaft dieses Namens unterstellt. Dieser Name wird – das ist wohl der Sinn des Bildes – denen, die ihm treu geblieben sind, den Zugang zur zukünftigen Vollendung öffnen.

2,18–29   d. Für die Gemeinde in Thyatira

(I)   **18 Und an den Engel der Gemeinde in Thyatira schreibe:**

(II)   **So spricht der Sohn Gottes, der Augen hat wie Feuerflammen und dessen Füße Golderz gleichen.**

(III) **19 Ich weiß deine Werke und deine Liebe und deinen Glauben und deinen Dienst und dein Ausharren, und deine letzten Werke sind mehr als die ersten. 20 Aber ich habe gegen dich, daß du das Weib Isebel gewäh-**

ren läßt, die sich selbst eine Prophetin nennt und meine Knechte lehrt und verführt, zu huren und Götzenopfer zu essen. 21 Und ich habe ihr Zeit gegeben, umzukehren, doch sie will nicht umkehren von ihrer Hurerei. 22 Siehe, ich werfe sie aufs Krankenbett, und die mir ihr Ehebruch treiben, bringe ich in große Drangsal, wenn sie nicht umkehren von ihren Werken. 23 Und ihre Kinder werde ich durch Krankheit töten. Und alle Gemeinden sollen erkennen daß ich es bin, der Herz und Nieren prüft, und ich werde jedem von euch vergelten nach euren Werken. 24 Euch aber sage ich, den übrigen in Thyatira, die diese Lehre nicht haben, die nicht die Tiefen des Satans erkannt haben, wie sie es nennen: Ich lege euch keine andere Last auf. 25 Nur: Was ihr habt, das haltet fest, bis ich komme!

(V)   26 Und wer überwindet und wer bis zum Ende meine Werke bewahrt, dem will ich Gewalt über die Heiden geben – 27 und er wird sie mit eisernem Stabe weiden und sie zerschlagen wie Tongeschirr –, 28 wie auch ich (sie) von meinem Vater empfangen habe, und ich werde ihm den Morgenstern geben.

(IV) 29 Wer Ohren hat, der höre, was der Geist den Gemeinden sagt!

V. 18: Thyatira lag in der Landschaft Lydien, an einer Kreuzung wichtiger Verkehrswege. Die hauptsächlich von Handel, Handwerk und Kleinindustrie lebende relativ kleine Provinzstadt scheint von den vielfältigen religiösen Strömungen der Zeit relativ wenig berührt gewesen zu sein. Einen Tempel für den Kaiserkult gab es dort nicht. Wir wissen nur von der Existenz einer starken und aktiven jüdischen Bevölkerungsgruppe: Lydia, die erste in Griechenland durch Paulus bekehrte Christin war eine aus Thyatira stammende Proselytin (Apg. 16,14). Allerdings läßt das Sendschreiben nichts von Konflikten zwischen der christlichen Gemeinde und der Judenschaft erkennen, wie denn überhaupt die Gefährdung dieser Gemeinde ausschließlich von innen kommt. In der Botenformel stellt sich der erhöhte Herr als der «Sohn Gottes» vor. Das ist auffällig, da nicht nur die übrigen Sendschreiben, sondern auch die Beauftragungsvision den direkten Gebrauch christologischer Titel vermeiden (s. zu 1,13); überdies ist dies die einzige Stelle der Apk., wo dieser Titel erscheint. Eine Erklärung dafür liefert V. 27, denn in dem dort zitierten Ps. 2 wird der Messias-König als der «Sohn Gottes» bezeichnet (Ps. 2,7 vgl. Apg. 13,33). Wenn die Selbstprädikation des Erhöhten ferner aus 1,15f. die Beschreibung der Füße aus Golderz und der wie Feuer flammenden Augen übernimmt, so ist dies ein beziehungsvoller Hinweis auf die vernichtende Gewalt, mit der der Herr den Zerstörern seiner Gemeinde begegnet, sowie auf seinen durchdringenden Blick, dem keine Verfehlung verborgen bleiben kann. Die Situationsbesprechung (III.) setzt in **V. 19** mit einer positiven Würdigung ein, aus der sich das Bild eines ruhigen und stetigen Gemeindewachstums erschließen läßt. Die Christen in Thyatira haben es in ihrem Verhalten an nichts fehlen lassen: ihre Liebe, ihr treues Festhalten an Christus (diesen Sinn hat durchweg das Wort «Glaube» in der Apk., vgl. 2,13; 13,10; 14,12), ihr Einsatz für die Notleidenden und ihr geduldiges Ausharren werden ausdrücklich gewürdigt. Trotzdem gibt es eine innere Gefährdung, die von der gleichen Art ist wie die in Pergamon (V. 14), aber noch tiefer geht als dort. An der Spitze der gnostischen Bewegung, der die Gemeinde anscheinend recht unkritisch Raum gegeben hat, steht eine Frau, die mit dem Anspruch auftritt, Prophetin zu sein. Wenn **V. 20** sie mit dem biblischen Namen Isebel belegt, so ist dies zugleich Kennzeichnung und Kritik ihres Wirkens. Isebel, die heidnische Gattin des Königs Ahab, propagierte in Israel den Baalskult und förderte dessen falsche Propheten (1. Kön. 16,31–34), was ihr den Vorwurf der Hurerei und Magie eintrug (2. Kön. 9,22). Nicht die Tatsache als solche, daß eine Frau als Prophetin tätig ist, wird verurteilt – es gibt Hinweise darauf, daß im Urchristentum vielfach Frauen die Gabe der prophetischen Rede hatten (Apg. 2,17; 21,9; 1. Kor. 11,5) –, sondern daß sie durch ihre Prophetie heidnisches Wesen und Laxheit in sittlichen Dingen in der Gemeinde verbreitet. Das ist der Kern der hier wie schon in V. 14 erhobenen Anklage auf Hurerei und Götzendienst (s. dort). **V. 21:** Anscheinend ist schon einige Zeit vorher ein prophetischer Bußruf des Johannes ergangen, der jedoch ohne Echo blieb. Die darin gesetzte Frist zur Umkehr ist ungenutzt verstrichen; so bleibt jetzt nur noch die Ansage des Gerichtes **(V. 22)**, die, wie häufig bei den alttestamentlichen Propheten (vgl. 1. Kön. 21,17–24; Ez. 5,7–10), in der Weise geschieht, daß der Tun-Ergehens-Zusammenhang proklamiert und in Kraft gesetzt wird: Weil die Prophetin sich durch ihr Lehren und Verhalten außerhalb des durch die Gemeinschaft mit Jesus konstituierten Heilsbereiches gestellt hat, wird sie der bis ins Leibliche reichenden Wirkung des Unheils anheimgegeben (vgl. 1. Kor. 5,5). Von drastischer Bildhaftigkeit ist die Ankündigung, daß das Bett – Sinnbild der Unzucht und Ausschweifung – für sie zum Krankenlager werden solle. Den Gemeindegliedern, die ihrer Lehre gefolgt sind und sich davon in ihrem Verhalten haben bestimmen lassen, wird noch eine Frist zur Umkehr gesetzt, nach deren Ablauf auch ihnen Strafe droht. Für ihren unmittelbaren Anhängerkreis, ihre «Kinder», gibt es eine solche Frist jedoch nicht mehr; auch sie werden alsbald leiblichem Unheil überantwortet **(V. 23)**. Es geht in alledem nicht um Vergeltung, sondern um die Reinhaltung der Gemeinde, deren Herr darüber wacht, daß sie der von seinem heilvollen Willen geprägte und durchwaltete Bereich bleibt. Hier kommt zum Ausdruck, daß Johannes der selben rigorosen Vorstellung von der Reinheit der Gemeinde verhaftet ist wie die frühe Jerusalemer Gemeinde (Apg. 5,1–11) und Paulus (1. Kor. 5). Das Strafgericht über die gnostische Prophetin und ihren Anhang soll allen Gemeinden vor Augen führen, daß Jesus, der, gleich Gott selbst (Jer. 11,20; 17,10; Ps. 7,10), das Innerste der Menschen durchschaut, die Herrschaft über die Seinen festhält und durchsetzt. Gegenläufig zu der Gerichtsansage für die Frevler verhält sich das Trostwort für den der Verführung nicht erlegenen Teil der Gemeinde, der hier direkt, unter Umgehung des Engels, angeredet wird **(V. 24f.):** Ihm sollen keine weiteren Lasten auferlegt werden! Der Zusammenhang ergibt, daß das Wort «Last» (*baros*) hier nicht (wie Apg. 15,28) eine gesetzliche Bestimmung meint, sondern im Sinn von «Belastung, Bedrohung» zu verstehen ist (vgl. Gal. 6,2). Der Herr wird die Gemeinde als Ganze nicht mit weiterem Unheil strafen; alles, was er von ihr erwartet, ist, daß sie das festhält, was sie hat – und damit ist ebenfalls nicht ein Bestand von Regeln und Gesetzen gemeint, sondern, im Sinn von 1,5f., das ihr gegebene Heil der Gemeinschaft mit Christus. – Die Hauptstoßrichtung der Apk. geht nicht gegen die Lehre der Nikolaiten, zu denen auch die Prophetin von Thyatira gehört, sondern gegen ihre Taten, d. h. das sich aus dieser Lehre ergebende, die Gemeinde zerstörende Verhalten. Nur ganz beiläufig und indirekt erfahren wir in V. 24 etwas über den Inhalt der Lehre: Anscheinend haben die Irrlehrer den Anspruch erhoben, Erkenntnis (*gnōsis*) der Tiefen der Gottheit zu eröffnen. Es ging dabei um eine über die verstandesmäßige Erkenntnis hinausgehende intuitive Schau mit dem Ziel der Vereinigung mit dem göttlichen Urgrund (vgl. Irenäus, adv. haer. 2,37,6; 2,38,1). Diesen Anspruch parodiert Johannes, wenn er stattdessen von «Tiefen des Satans» spricht, um so anzudeuten, daß die Irrlehrer sich mit ihrer Tiefenschau letztlich der Herrschaft des Widersachers Gottes ausliefern (vgl. V. 9.13).

V. 26–29: Hier wie in den folgenden drei Sendschreiben ist die Reihenfolge von Weckruf (IV.) und Überwinderspruch (V.) vertauscht. Der Überwinderspruch enthält zwei Verheißungen. Die erste **(V. 27.28a)** sagt denen, die ausharren, Teilhabe an der endzeitlichen Herrschaft Christi zu (vgl. 1,6; 20,4), und zwar mit Worten aus dem vom Urchristentum messianisch gedeuteten Psalm 2 (Ps. 2,8f.). Was in 12,5; 19,15 als Aussage über Christus, den «Sohn Gottes» verstanden ist, das Weiden der Heidenvölker mit eisernem Stabe – gemeint ist das Auslöschen allen Widerstandes durch das Gericht –, das wird hier auf die Christen übertragen. Endzeitliche Gemeinschaft mit Christus heißt Anteil bekommen an seiner abschließenden Selbstdurchsetzung gegenüber allen Bereichen der Schöpfung Gottes. Die zweite, zunächst rätselhaft klingende Verheißung **(V. 28b)** enthüllt ihre Bedeutung, wenn man sie als Anspielung auf die Bezeichnung Jesu als heller Morgenstern (22,16) erkennt: Der Herr wird sich den Seinen selbst geben; mit ihm zu herrschen heißt volle Gemeinschaft mit ihm zu haben (vgl. 1. Joh. 5,12).

### 3,1–6		e. Für die Gemeinde in Sardes

(I)	1 Und an den Engel der Gemeinde in Sardes schreibe:

(II)	So spricht, der die sieben Geister Gottes und die sieben Sterne hat:

(III)	Ich weiß deine Werke, daß du in dem Ruf stehst, daß du lebst, und doch tot bist. 2 Werde wach und stärke den Rest, der zu sterben droht. Denn ich habe deine Werke nicht erfüllt gefunden vor meinem Gott. 3 Gedenke nun, wie du empfangen und gehört hast und bewahre und kehre um! Wenn du nicht wachsam bist, werde ich kommen wie ein Dieb, und du sollst nicht wissen, zu welcher Stunde ich über dich komme. 4 Aber du hast einige Personen in Sardes, die ihre Gewänder nicht befleckt haben, und sie werden mit mir in weißen Gewändern wandeln, weil sie würdig sind.

(V)	5 Wer überwindet, wird so mit weißen Gewändern bekleidet werden, und seinen Namen werde ich nicht auslöschen aus dem Buch des Lebens, und ich werde seinen Namen bekennen vor meinem Vater und vor seinen Engeln.

(IV)	6 Wer Ohren hat, der höre, was der Geist den Gemeinden sagt!

V. 1: Sardes, südöstlich von Thyatira auf einer fruchtbaren Ebene gelegen, war, obwohl es seine Glanzzeit als Residenz des sagenumwobenen lydischen Königs Krösos schon lange hinter sich hatte, keine ganz unbedeutende Stadt. Die christliche Gemeinde, über deren Entstehung wir nichts wissen, scheint bereits geraume Zeit bestanden zu haben, denn in ihr machen sich die gleichen für die zweite Generation typischen Erschlaffungserscheinungen des Glaubenslebens wie in Ephesus (vgl. 2,4) bemerkbar. Das Sendschreiben ist ganz auf Tadel gestimmt. Das negative Bild wird auch nicht durch ein Lob der Standhaftigkeit gegenüber äußeren und inneren Gefahren aufgehellt, da offenbar diese Gemeinde von Anfeindungen wie auch von Irrlehre verschont geblieben war. Die Selbstbezeichnung Jesu verbindet das bereits in 2,1 verwendete Bild der sieben Sterne in seiner Hand, das aus der Beauftragungsvision (1,20) stammt, mit dem Hinweis auf Jesu Herrschaft über die im brieflichen Eingang erwähnten sieben Geister (s. zu 1,4): Diese sieben Geister sind die Erzengel, die vor Gottes Angesicht stehen (4,5). Auch sie – so wird hier betont –, nicht nur die ihnen untergeordneten Gemeindeengel, sind in der Hand Jesu. Die Gemeinde von Sardes bietet nach außen hin das Bild völliger Intaktheit, was ihr den Ruf einer lebendigen Gemeinde einträgt. Aber der Blick des Herrn geht tiefer. Er prüft die Werke, d. h. das Gesamtbild des Verhaltens, wie es sich aus den verschiedenen Lebensbezügen der Gemeinde ergibt, und kommt zu dem harten Urteil, daß die Gemeinde in Wahrheit tot ist. Lebendig ist eine Gemeinde nur dann, wenn sie sich vom Leben Jesu Christi bewegen läßt, indem sie das empfangene Heil im konkreten Lebensvollzug bewährt. Ein bloßes Namenschristentum verfällt dem Gericht des Herrn, auf dessen Namen es sich fälschlich beruft. Noch jedoch wird dieses Gericht nicht vollstreckt; vielmehr erhält die Gemeinde die Möglichkeit zur Umkehr. Der Umkehrruf **(V. 2f.)** spielt mehrfach so deutlich auf das der Logienquelle entstammende Gleichnis vom nächtlichen Einbrecher (Lk. 12,39f. par. Mt. 24,43f.; vgl. 1. Thess. 5,2.4) an, daß man geradezu von einer Paraphrase sprechen könnte. Der die Spitze des Gleichnisses bildende Ruf zur Wachsamkeit angesichts des unvermutet, gleich einem Dieb, kommenden Herrn wird hier verstärkt zu einem Weckruf derer, die im geistlichen Todesschlaf liegen. Die Christen von Sardes sollen wachsam sein und die übrigen, die diesen Ruf noch nicht hören, aufrütteln. Und zwar gilt es, das von Gott geforderte Maß der «Werke» zu erfüllen. Dabei ist nicht an ein quantitatives Mehr von bestimmten Leistungen, sondern an eine qualitative Veränderung des Verhaltens gedacht. Der Rückblick auf die Zeit der Anfänge der Gemeinde (vgl. 2,5) soll sie an die Größe der Wende erinnern, die sich damals vollzogen hat. Was sie damals empfing, das waren nicht nur bestimmte Traditionen und Weisungen, sondern das war die heilvolle, die Menschen verwandelnde Wirklichkeit der Gemeinschaft Jesu Christi (vgl. Gal. 3,3; Röm. 10,14ff.). Wenn die Gemeinde so Großes vergessen und verdrängt hätte, dann wird sie allerdings durch den unverhofft wie der Dieb im Gleichnis kommenden Herrn aus dem Schlaf aufgeschreckt werden. Doch dann wird es zu spät zur Umkehr sein. **V. 4** bringt eine kleine Aufhellung in das düstere Bild dieser Gemeinde: Auch in ihr gibt es einige wenige, die aus dem empfangenen Heil nicht herausgefallen sind, sondern ihm mit einem entsprechenden Verhalten geantwortet haben. Das weiße

Gewand ist in der Apk. Bild der durch Christus empfangenen Reinheit und Heiligkeit (s. Exkurs zu 6,11). Sollte, wofür vieles spricht, dabei bereits der Brauch eines weißen Taufgewandes vorausgesetzt sein, so wäre es ganz konkret ein Hinweis auf das in der Taufe empfangene Heil. Wer es an den diesem neuen Heilsstand entsprechenden Werken fehlen läßt, befleckt das Gewand. Die jedoch, die es rein gehalten haben, sind der Gemeinschaft mit Christus, die es zusagt, würdig und werden ihrer darum teilhaftig. Der Überwinderspruch (V. 5) führt diesen Gedanken, in dem der ethische Rigorismus sich deutlich manifestiert, weiter aus. Die Namen aller Gemeindeglieder sind im Buch des Lebens verzeichnet, das nach jüdischer Vorstellung (Dan. 12,1) die Namen der zum ewigen Leben bestimmten Gerechten enthält. Nur die Überwinder jedoch, jene, die den Gehorsam bewahrt haben, werden in diesem Buche verzeichnet bleiben; die Namen der übrigen werden getilgt, so daß sie dem Gericht verfallen (vgl. 19,12.15). In der zweiten Verheißung wird das Bild vom Buch des Lebens gleichsam übersetzt in ein reales personales Geschehen, und zwar wieder unter Aufnahme eines Jesuswortes (Lk. 12,8; Mt. 10,32f. [Q]): Jesus selbst wird die Namen derer, die ihm treu geblieben sind, beim Endgericht vor dem Richtstuhl Gottes bekennen; er wird die Gemeinschaft, die er ihnen zugesagt hat, vor Gott öffentlich festmachen, so daß sie vom Gericht frei sein werden.

3,7–13   f. Für die Gemeinde in Philadelphia

(I)   **7 Und an den Engel der Gemeinde in Philadelphia schreibe:**

(II) **So spricht der Heilige, der Wahrhaftige, der den Schlüssel Davids hat, der öffnet, so daß niemand schließen kann, und der schließt, so daß niemand öffnen kann:**

(III) **8 Ich weiß deine Werke; siehe, ich habe vor dir eine Tür geöffnet, die niemand schließen kann. Denn du hast nur geringe Kraft und hast mein Wort bewahrt und meinen Namen nicht verleugnet. 9 Siehe, ich bewirke, daß Leute aus der Synagoge des Satans, die sich als Juden bezeichnen, es aber nicht sind, sondern lügen –, siehe, ich werde sie dazu bringen, daß sie kommen und vor deinen Füßen anbeten und daß sie erkennen, daß ich dich geliebt habe. 10 Weil du mein Wort des Ausharrens bewahrt hast, will auch ich dich bewahren vor der Stunde der Prüfung, die über den ganzen Erdkreis kommen soll, um die Bewohner der Erde zu versuchen. 11 Ich komme bald. Halte fest, was du hast, damit niemand deinen Kranz nehme.**

(V)   **12 Wer überwindet, den werde ich zu einer Säule im Tempel meines Gottes machen, und er wird nicht wieder hinauskommen, und ich werde auf ihn den Namen meines Gottes schreiben und den Namen der Stadt meines Gottes, des neuen Jerusalem, das herabkommt vom Himmel von meinem Gott, und meinen neuen Namen.**

(IV) **13 Wer Ohren hat, der höre, was der Geist den Gemeinden sagt!**

V. 7: Philadelphia, benannt nach seinem Gründer, dem pergamenischen König Attalos II. Philadelphos, war eine kleine, durch häufige Erdbeben bedrohte Stadt, etwa 40 km südöstlich von Sardes. Zahlenmäßig klein und wirtschaftlich schwach war auch die dortige christliche Gemeinde. Sie war, wie das Sendschreiben zeigt, überdies schweren Pressionen durch die starke jüdische Bevölkerungsgruppe ausgesetzt. Insofern ist das Bild hier ähnlich wie in Smyrna (2,8–11). Das Schreiben für Philadelphia berührt sich auch darin mit dem für Smyrna, daß es ausschließlich auf Lob gestimmt ist. Die Gemeinde hat weder Tadel noch Aufforderung zur Umkehr nötig; sie erhält das, wessen sie allein bedarf, Zuspruch und Stärkung in dem Konflikt mit den Juden. Bereits die Botenformel (II.) spricht indirekt die Thematik dieses Konfliktes an. Denn wenn Jesus sich hier als heilig und wahrhaftig bezeichnet, so nimmt er damit im Alten Testament allein Gott vorbehaltene Prädikate für sich in Anspruch (Jes. 6,3; 65,16; vgl. Apk. 6,10) und bekräftigt so das von den Juden bestrittene christologische Bekenntnis der Gemeinde. In die gleiche Richtung zielt das Bild von den Schlüsseln Davids. Es ist aus Jes. 22,22 entnommen und meint dort die Macht des königlichen Wesirs, den Zugang zum königlichen Palast freizugeben oder zu verschließen. Im Munde Jesu gewinnt es eine neue Bedeutung: Es umschreibt seine Vollmacht, über die Zugehörigkeit zu Israel, dem «Haus Davids», unwiderruflich zu entscheiden und damit zugleich über die Zugehörigkeit zur Königsherrschaft Gottes (vgl. V. 12). Die Aussage bietet eine komplementäre Ergänzung zu 1,18: Jesus hat nicht nur die Schlüssel zu Tod und Hades, er kann nicht nur den Machtbereich der widergöttlichen Mächte aufbrechen, sondern er hat auch jene Schlüsselgewalt, die zum Bereich Gottes Zugang schafft (vgl. Mt. 16,19). Die ganz auf tröstlichen Zuspruch gestimmte Situationsbesprechung (III.) nimmt dieses Bild der Schlüsselgewalt sogleich wieder auf: Jesus hat dieser Gemeinde, die ihm mit ihren geringen Kräften die Treue gehalten hat, die Tür zur Herrschaft Gottes aufgetan; sie kann darum gewiß sein, zum endzeitlichen Volk Gottes zu gehören **(V. 8)**. Das Bild von der offenen Tür hat hier also einen völlig anderen Sinn als 1. Kor. 16,9; 2. Kor. 2,12; Apg. 14,27, wo es eine sich öffnende missionarische Möglichkeit bezeichnet. Mit den gleichen Worten wie in 2,9 wird der Anspruch der Juden, Versammlung (*synagogē*) Gottes und Volk Gottes zu sein, als lügnerisch zurückgewiesen: Indem sie sich Jesus als dem Bringer des Heils Gottes verschlossen, haben sie sich in Wahrheit der Herrschaft des Widersachers Gottes unterstellt **(V. 9)**. Israels Erbe und Anspruch ist voll auf die christliche Gemeinde übergegangen. Ihr gehört darum auch die ursprünglich Israel geltende Verheißung, daß in der Endzeit die Heiden zur Stadt Gottes strömen und sich dem Gottesvolk unterwerfen werden (Jes. 60,14 u. ö.), – und zwar werden unter den dann Kommenden auch die ungläubigen Juden sein, die erkennen werden, daß Jesus sie geliebt, und das heißt, erwählt (Jes. 42,1) und zu Gottes Volk gemacht hat. Wenn dabei von einem «Anbeten» vor den Füßen der Gemeinde die Rede ist, so setzt dies die volle Teilhabe der Gemeinde an der Herrschaft Christi und das Sitzen mit ihm auf seinem Thron (V. 21) voraus.

V. 10: Weil die Gemeinde sich treu an das Wort Jesu gehalten hat, das sie zum Ausharren aufforderte (vgl. 1,9), darum wird ihr jetzt verheißen, daß sie in den über den gesamten Erdkreis verhängten endzeitlichen Prüfungen bewahrt

bleiben soll – nicht im Sinne einer äußeren Verschonung, sondern eines Stand-
haltenkönnens im Glauben (vgl. Mt. 6,13). Trotz dieser Zusage bleibt die Gemeinde in der kurzen Zeit bis zum Kommen des Herrn zu ständiger Wachsamkeit und Anspannung gerufen **(V. 11)**; gilt es doch, das, was sie bereits empfangen hat, vor Verlust zu bewahren, nämlich das im Bild des Siegerkranzes
(vgl. 2,10) dargestellte gegenwärtige Heil der Christusgemeinschaft (1,6).
Nicht ausgeschlossen ist, daß hinter der Mahnung zum Festhalten eine Anspielung auf Jesu Gleichnis von den anvertrauten Talenten (Mt. 25,28) steht.

V. 12f.: Die Verheißung des Überwinderspruches (V.) kehrt nochmals zu dem
das Sendschreiben durchziehenden Grundmotiv des Öffnens zurück, um es
mit dem Bildgehalt der Abschlußvision (21,1–22,5) zu verbinden. Jesus wird
denen, die ihm treu sind, nicht nur in unwiderruflicher Weise Zugang zur
Heilsgemeinde der Endzeit schaffen – sie ist nämlich mit dem Bild des Tempels
gemeint (vgl. 1. Kor. 3,16; Eph. 2,20f.) –, sondern ihnen darin auch eine hervorgehobene Stelle einräumen. Den Ehrentitel «Säulen» (des endzeitlichen
Tempels) trugen ähnlich die Leiter der Jerusalemer Urgemeinde (Gal. 2,9),
und im Judentum wurde Abraham «Säule der Welt» genannt (Bill. III, 537).
Die Aufschrift eines Namens bedeutet die Übereignung an dessen Träger: So
sollen die Überwinder als Gottes Eigentum und als Bürger des am Ende der
Tage vom Himmel herabkommenden neuen Jerusalem (21,2; vgl. Gal. 4,26;
Phil. 3,20; Hebr. 12,22) gekennzeichnet werden. Neu ist aber auch der Name
ihres Herrn, mit dem sie dann belegt werden sollen. Weil der Name das Wesen
seines Trägers ausdrückt, ist der höchste und eigentliche Name Jesu, der das
Geheimnis seiner Person endgültig enthüllt, jetzt noch nicht erkennbar (2,17).
Erst in der neuen Welt Gottes wird dieser «neue», der durch ihn geschaffenen
endzeitlichen Wirklichkeit entsprechende Name bekanntgemacht werden
(19,12).

3,14–22 g. Für die Gemeinde in Laodicea

(I) **14 Und an den Engel der Gemeinde in Laodicea schreibe:**

(II) **So spricht, der Amen heißt, der treue und wahrhaftige Zeuge, der Anfang der Schöpfung Gottes:**

(III) **15 Ich weiß deine Werke, daß du weder kalt noch heiß bist. Wärest du
doch kalt oder heiß! 16 So aber, weil du lau bist und weder heiß noch kalt,
will ich dich ausspeien aus meinem Munde. 17 Denn du sagst: ich bin
reich und habe Besitz und nichts fehlt mir! Dabei weißt du nicht, daß du
bedürftig, elend und arm, blind und nackt bist. 18 Ich rate dir, im Feuer
geläutertes Gold von mir zu kaufen, damit du reich wirst, und weiße Gewänder, um dich zu bekleiden, damit man die Schande deiner Nacktheit
nicht mehr sehen kann, und Salbe, um deine Augen zu bestreichen, damit du sehend wirst. 19 Ich weise zurecht und züchtige die, die ich liebe.
Sei nun eifrig und kehre um. 20 Siehe, ich stehe vor der Tür und klopfe
an. Wenn einer meine Stimme hört und die Tür öffnet, werde ich zu ihm
hineingehen und werde das Mahl mit ihm halten, und er mit mir.**

(V) **21 Wer überwindet, dem werde ich verleihen, mit mir auf meinem Thron**

**zu sitzen, so wie auch ich überwunden habe und mich mit meinem Vater
auf seinen Thron gesetzt habe.**
(IV) Wer Ohren hat, der höre, was der Geist den Gemeinden sagt!

V. 14: Laodicea in Phrygien, an der dem Lykos, einem Nebenfluß des Mäandros, folgenden Hauptstraße gelegen, war von Antiochus II. zu Ehren seiner
Gattin Laodice so genannt worden. Die Stadt war durch Handel und Industrie
reich geworden; bekannt waren vor allem ihre Wollmanufakturen und ihre
Bankhäuser. Dank ihrer wirtschaftlichen Kraft konnte sie sich auch von den
Folgen eines Erdbebens 62 n. Chr. schnell wieder erholen. Die dortige Gemeinde ist schon früh durch Paulusschüler gegründet worden, besonders Epaphras (Kol. 1,7; 4,12f.) scheint bei ihrer Entstehung eine Rolle gespielt zu haben. Der Kol. 4,16 erwähnte Brief des Paulus (bzw. eines Paulusschülers) an
die Laodicener ist verlorengegangen; das unter dieser Bezeichnung überlieferte Schreiben ist eine ziemlich primitive Fälschung (Hennecke-Schneemelcher
II, 80–84). Die Verbindung zwischen den Gemeinden in Laodicea und dem
nur 14 km entfernten Kolossae war in der Anfangszeit so eng, daß man geradezu von Schwestergemeinden sprechen kann. So ist damit zu rechnen, daß auch
die laodicenischen Christen von der im Kolosserbrief bekämpften gnostisierenden Irrlehre beeinflußt waren. Nun erwähnt das Sendschreiben zwar keine
Irrlehrer; weder die Nikolaiten noch eine ihnen entsprechende christlich-gnostizistische Gruppe scheint demnach damals die Gemeinde gefährdet zu haben. Jedoch läßt sich aus einzelnen Zügen der im Sendschreiben geäußerten
Kritik an der Gemeinde, die in ihrer Schärfe fast noch die des Schreibens nach
Sardes (V. 1–6) übertrifft, erschließen, daß die Fehlhaltung der laodicenischen Christen mit deren früherer Beeinflussung durch gnostizistisches Denken zusammenhängt. – Die Botenformel (II.) besteht aus drei Gliedern. Das
erste, «Amen», ist dieselbe alttestamentliche Gottesbezeichnung aus
Jes. 65,16, die in 3,7 bereits in griechischer Fassung erschienen war: Jesus ist,
wie Gott selbst, absolut wahrhaftig und zuverlässig, er steht zu seinem Wort.
Die beiden folgenden Glieder greifen auf 1,5 zurück und spielen zugleich auf
die Gemeindesituation an. Jesus, «der treue und wahrhaftige Zeuge», der seinen Dienst mit dem Leben besiegelt hat, vermißt solche radikale Zeugnisbereitschaft in Laodicea. Mit der Bezeichnung «Anfang der Schöpfung Gottes»
wird schärfer als in 1,4, wo es mehr um die Betonung der Geschichtshoheit Jesu Christi ging, seine Schöpfungsmittlerschaft herausgestellt. Damit klingt sicherlich nicht zufällig ein Ton auf, der aus dem Kolosserbrief vertraut ist
(Kol. 1,15–20). Anscheinend will auch die Apk. hier einen kräftigen Gegenakzent gegenüber der vom Gnostizismus vertretenen Distanzierung Christi
von der geschaffenen Welt setzen. Die in **V. 15f.** vorgetragene Kritik an der
Gemeinde läßt trotz des plastischen Bildes, in das sie gekleidet ist, allenfalls indirekt einen konkreten Situationsbezug erkennen. Dem radikalen Anspruch
der Christusbotschaft gegenüber kann es eigentlich nur ein klares Nein oder
ein klares Ja geben, nur feindselige Ablehnung oder totalen Gehorsam, nicht
jedoch eine Haltung lauer Unentschiedenheit. Wenn die Gemeinde solche
Unentschiedenheit an den Tag legt, bekundet sie damit, daß sie das Wesen
dieser Botschaft letztlich noch nicht begriffen hat. Der Herr kann sie darum

nur mit einer Geste des Ekels von sich stoßen. Anlaß zu diesem harten prophetischen Urteilsspruch dürfte auch hier wieder (vgl. 2,4f.; 3,1ff.) das sittliche Verhalten gegeben haben. Die Christen in Laodicea lebten in der selbstzufriedenen Gewißheit, das Heil bereits als gesicherten Besitz empfangen zu haben. Darüber vergaßen sie, daß diese Gabe des Heils Verpflichtung zu radikalem Gehorsam ist, der sich nach innen in dienender Liebe, nach außen in mutigem öffentlichem Zeugnis erweist. Nicht ohne Ironie wird die verfehlte Selbsteinschätzung der Gemeinde gegeißelt **(V. 17)**: Sie lebt in der satten Gewißheit ihres Reichtums und erkennt nicht, daß sie vor ihrem Herrn arm, blind und nackt dasteht. Und zwar scheint es hier weniger um materielle Selbstzufriedenheit als um das stolze Pochen auf einen angeblichen geistlichen Besitz zu gehen (vgl. 2,9), wie er der Denkweise eines gnostizistisch beeinflußten Enthusiasmus entspricht (vgl. 1. Kor. 4,8), der im Bewußtsein bereits erreichter letzter Tiefenerkenntnis und Vollendung lebt. Trotz des harten Urteilsspruchs verfällt auch diese Gemeinde noch nicht dem endgültigen Gericht, sondern erhält noch eine Möglichkeit zur Umkehr. Es ist wohl eine Anspielung auf die kommerzielle Mentalität der Laodicener, wenn der Umkehrruf in **V. 18** in das Bild einer Aufforderung zum Einkauf (vgl. Jes. 55,1) gekleidet ist: Es gilt jetzt endlich bei Jesus das wahrhaft Lebensnotwendige zu erwerben. Für ihre Armut bedarf die Gemeinde des «Goldes», d. h. des wahren Reichtums, den nur er geben kann, für ihre Nacktheit des weißen Gewandes des Heils (V. 5) und für ihre Blindheit der geistliche Erkenntnis schenkenden Augensalbe. Freilich – und hier zerbricht das Bild – verkauft Jesus diese Gaben nicht gegen ein von Menschen zu erbringendes Entgelt; man kann sie sich von ihm nur immer wieder neu schenken lassen. Gerade dies aber ist eine Einsicht, die das Ende allen stolzen Pochens auf geistliche Besitzstände bedeutet. Statt der erwarteten Gerichtsdrohung für den Fall der Verweigerung der Buße (vgl. V. 3b) klingt in **V. 19** ein neuer Ton an: Die Gemeinde soll wissen, daß hinter der empfangenen Zurechtweisung nichts anderes steht als die suchende, dem Verlorenen nachgehende Liebe ihres Herrn. Wie Gott selbst (Spr. 3,12; Hebr. 12,6), so wirkt auch Jesus erziehend und strafend gerade an denen, die er liebt. Darum geht es doch in allem, daß die Gemeinde den in Bälde wiederkommenden Herrn nicht in Furcht vor dem Gericht, sondern in Freude auf die sich vollendende Gemeinschaft mit ihm erwarten kann **(V. 20)**. Der Kommensankündigung liegt das Gleichnis von den auf ihren Herrn wartenden Knechten (Lk. 12,35–38 [Q?]) zugrunde. Und zwar sind ihm drei Züge entnommen: das Anklopfen des Herrn, das Öffnen der Tür durch die wachsam gebliebenen Knechte sowie die Belohnung dieser Knechte durch das ihnen vom Herrn bereitete Mahl. Denen, die in Gehorsam dem wiederkommenden Herrn entgegenharren, wird er – das ist der auch von der Apk. aufgenommene Sinn dieses Traditionsstücks – die Teilhabe am messianischen Mahl der Heilszeit gewähren. Das aber bedeutet zugleich, daß die Eucharistiefeier der Gemeinde jetzt und hier Hinweis auf das baldige Kommen des Herrn und Vorwegnahme der zukünftigen Mahlgemeinschaft mit ihm in der Vollendung ist.

Der letzte Überwinderspruch (V.) der Sendschreibenreihe **(V. 21)** hat besonderes Gewicht. Er faßt nämlich die zentrale Heilszusage, die in den bisherigen Verheißungen mehrfach in Variationen und Brechungen angeklungen war,

unter Verwendung eines weiteren synoptischen Jesuswortes (Lk. 22,30b;
Mt. 19,28 [Q?]) abschließend zusammen: Den Überwindern wird hier eine
Teilhabe an Jesu himmlischer Königsherrschaft zugesagt. So, wie Jesus auf
Grund seines Überwindens als gleichberechtigter Herrscher neben Gott auf
dessen Thron sitzt (vgl. 5,6) und damit dessen Herrschaft teilt, werden auch
diejenigen, die um seinetwillen überwunden haben, Anteil bekommen an seinem messianischen Herrschen (vgl. 20,6), und zwar in uneingeschränkter Gemeinschaft, ja Gleichordnung mit ihm.
V. 22: Der Weckruf (IV.), der hier wie in den drei vorigen Sendschreiben ans
Ende gerückt ist, soll nicht Abschluß, sondern Übergang sein. Einem großen
Doppelpunkt gleich verweist er die Leser auf die mit 4,1 beginnende Reihe
von Endzeitvisionen. Sie enthält das, was der Geist jetzt als prophetische Botschaft den Gemeinden zu sagen hat.

**4,1–11,19   B. Erste Visionenreihe: Jesus Christus, der Herr über die
                Geschichte**

4,1–5,14   1. Die Thronsaalvision

4,1–11   ·   a. Die Gotteserscheinung

**1 Danach sah ich, und siehe, eine Tür war geöffnet im Himmel, und die erste
Stimme, die ich wie eine Posaune hatte zu mir reden hören, sprach: Steige
hierher herauf, und ich werde dir zeigen, was danach geschehen muß! 2 Sogleich geriet ich in Verzückung, und siehe, ein Thron stand im Himmel, und
auf dem Thron saß einer, 3 und der Sitzende sah aus wie Jaspisstein und Karneol, und ein Regenbogen war um den Thron, der aussah wie ein Smaragd.
4 Und rings um den Thron standen vierundzwanzig Throne, und auf den Thronen saßen vierundzwanzig Älteste, die waren bekleidet mit weißen Gewändern und hatten auf den Häuptern goldene Kränze. 5 Und von dem Thron gehen Blitze, Stimmen und Donner aus, und sieben Feuerfackeln brennen vor
dem Thron; das sind die sieben Geister Gottes. 6 Und vor dem Thron war etwas wie ein gläsernes Meer gleich Kristall. Und inmitten des Throns und rings
um den Thron waren vier Wesen, vorn und hinten voller Augen. 7 Und das erste Wesen glich einem Löwen, und das zweite Wesen glich einem Stier, und
das dritte Wesen hatte das Gesicht wie das eines Menschen, und das vierte Wesen glich einem fliegenden Adler. 8 Und die vier Wesen, ein jedes von ihnen,
hatte je sechs Flügel, ringsherum und innen voller Augen. Und sie haben keine
Ruhe bei Tag und Nacht und sprechen:
     Heilig, heilig, heilig ist der Herr, Gott, der Allherrscher,
     der war und der ist und der kommt.
9 Und jedesmal wenn die Wesen dem, der auf dem Thron sitzt, dem in alle
Ewigkeit Lebendigen, Lobpreis, Ehre und Danksagung darbringen, 10 fallen
die vierundzwanzig Ältesten vor dem nieder, der auf dem Thron sitzt und beten den an, der lebendig ist in Ewigkeit, und legen ihre Kränze nieder vor dem
Thron und sprechen:**

11 Würdig bist du, unser Herr und Gott,
   Herrlichkeit, Ehre und Macht zu empfangen,
   denn du hast alle Dinge geschaffen,
   und durch deinen Willen waren sie und wurden geschaffen.

Mit einer gewaltigen Doppelvision (4,1–5,14), in der der Seher den himmlischen Thronsaal schaut, beginnt der zweite Hauptteil des Buches. Sie ist jedoch mehr als nur Vorspiel und Eröffnung. Vielmehr bildet sie den Ausgangs- und Bezugspunkt für alles folgende, ja angesichts der überaus zahlreichen Anspielungen und kompositorischen Rückverweise auf sie, die sich im weiteren Fortgang finden (besonders in Kap. 12f.; 21f.) wird man sie als die theologische Mitte des Buches anzusehen haben. Bei der Wiedergabe und Deutung des von ihm Geschauten hat Johannes hier wie auch sonst auf ihm vorgegebene Traditionen zurückgegriffen. Und zwar ist die Hauptquelle, aus der er sein motivliches Material bezieht, die Eröffnungsvision des Ezechielbuchs, in der der Prophet das Kommen Gottes mit Sturmwind und Gewitterwolken beschreibt: Auf einem gewaltigen, von vier geheimnisvollen Lebewesen getragenen und auf vier Rädern heranrollenden Wagen, der zugleich Abbild des Himmelsgewölbes ist, thront Gott in seiner Herrlichkeit (Ez. 1,3–15). Daneben ist die Darstellung aber auch an einigen Stellen, besonders deutlich in V. 8b, von der Vision Jes. 6 beeinflußt, die von der Schau des Gottesthrones im Tempel durch den Propheten berichtet. Wie für Jesaja, so steht auch für Johannes der Thron Gottes fest an dem ihm zukommenden Ort; aber dieser Ort ist nun nicht mehr der Tempel, sondern der Himmel. Die der Ezechiel-Vision eigentümliche dramatische Bewegung ist hier einer nahezu statischen Ruhe gewichen. Johannes fügt die kosmologischen Motive aus Ez. 1 neu zusammen zu einem grandiosen Bild der ewigen, unveränderlichen Herrschaft Gottes über Welt und Geschichte.

V. 1.2a: Die Einleitungswendung «danach sah ich» bleibt ganz allgemein (vgl. 7,1.9; 15,5; 18,1). Eine zeitliche und örtliche Näherbestimmung der neuen Vision (vgl. 1,10) erfolgt nicht. Deutlich ist lediglich, daß sie in keinem unmittelbaren Zusammenhang mit der Beauftragungsvision (1,9–20) steht. Der Seher sieht zunächst, wie sich an dem als festes, undurchdringliches Gewölbe vorgestellten Himmel eine Tür öffnet. Dieses in der Apokalyptik häufige Motiv der Öffnung der Himmelstür macht die an besonders auserwählte Menschen ergehende Erlaubnis zur Schau verborgener himmlischer Geheimnisse sinnfällig (äth. Hen. 14,15; Test. Lev. 5,1). Diese Erlaubnis wird zusätzlich unterstrichen durch die Aufforderung einer Stimme, die sich als identisch mit der des die erste Vision einleitenden Engels (1,10) erweist. Was durch sie ausgelöst wird, ist ein visionär-ekstatisches Erlebnis ähnlich dem, das Paulus in 2. Kor. 12,2ff. von sich berichtet. Und zwar handelt es sich hier, im Gegensatz zu 1,10 (s. dort), um eine sogenannte Himmelsreise der Seele. Die Vorstellung dabei war, daß die Seele des Sehers sich kraft der durch den Geist bewirkten Ekstase vorübergehend vom Leibe löste, um zum Himmel aufzusteigen und Zugang zum dort befindlichen Bereich Gottes zu erhalten. Im Himmel sind nach jüdisch-apokalyptischer Vorstellung die zukünftigen Dinge, die die neue

Weltzeit bestimmen werden, bereits vorbereitet und aufbewahrt (vgl. 21,2). Er ist darüber hinaus der Ort, von dem die Gottes Zukunft bestimmenden Kräfte ihren Ausgang nehmen. Die Ankündigung, der Seher werde dort das gezeigt bekommen, «was danach geschehen soll», meint darum nicht nur den Anblick zukünftiger Dinge und die Mitteilung künftiger Ereignisse, sondern darüber hinaus und vor allem die Einsicht in das, was hinter diesen Dingen und Ereignissen steht, nämlich Gottes Handeln, seinen Heilsplan. Es will ja beachtet sein, daß diese erste Vision gerade nicht der Zukunft gilt, sondern ein Geschehen zum Inhalt hat, das in majestätischer Ruhe jenseits aller Zeit Vergangenheit, Gegenwart und Zukunft umgreift. Gottes Weltregiment, sein gütiger Schöpferwille ist die Konstante allen Weltgeschehens.

Anders als in der Vision Ez. 1, die mit den sichtbaren Randerscheinungen einsetzt, um von da aus allmählich zum Gottesthron als der Mitte vorzudringen, steht hier in **V. 2b.3** ein Blick auf den Gottesthron am Anfang, als sinnfälliger Ausdruck des theozentrischen Denkens des Johannes. Freilich, Gott selbst vermag er weder zu sehen noch zu beschreiben; erkennbar ist für ihn lediglich der überwältigende Lichtglanz, der Gott umgibt, zugleich seine Macht und Herrlichkeit sichtbar bekundend und sein Wesen geheimnisvoll verhüllend (vgl. 1. Tim. 6,16). Während Ezechiel in seiner Vision die Gestalt des Erscheinenden wenigstens ansatzweise in ihrer Menschenähnlichkeit umschreibt und den heiligen Gottesnamen nennt (Ez. 1,27f.), übt Johannes hier noch größere Zurückhaltung. Was er beschreibt, ist lediglich ein Glänzen und Leuchten, das er mit dem Funkeln verschiedenfarbiger Edelsteine vergleicht. Deren genaue Identifikation ist nicht möglich, da die entsprechenden Bezeichnungen in der Antike ungenau und schwankend waren. Mit dem Jaspis scheint ein undurchsichtiger, stark leuchtender Stein gemeint zu sein, während der Karneol wohl intensiv rot und durchsichtig zu denken ist. Fest steht lediglich, daß die Farbe des Smaragdes, die dem den Thron umgebenden Strahlenkranz zugeordnet ist, ein ins Bläuliche übergehendes Grün ist. Mit **V. 4** beginnt die von außen nach innen sich bewegende Beschreibung des Umfeldes des Gottesthrones. Im Kreis um diesen herum angeordnet sieht Johannes 24 Throne, auf denen Älteste sitzen. Sie tragen festliche weiße Gewänder und goldene Kronen. Wer sind sie? Man hat zur Erklärung auf uralte astralmythologische Bezüge hingewiesen, z. B. darauf, daß der babylonische Tierkreis von vierundzwanzig Sterngöttern regiert wurde. Es ist in der Tat möglich, daß der Seher hier ein auf solche uralten Vorstellungen zurückgehendes Bild aufgegriffen hat. Ihm selbst waren jedoch diese Hintergründe wohl kaum voll bewußt, und so können sie auch zur Erklärung des von ihm selbst Gemeinten wenig austragen. Auszuschließen sind auch die seit der Alten Kirche verbreiteten Deutungen der Ältesten auf die vollendeten Gerechten, die ihren Glauben durch das Martyrium besiegelt haben, oder auf die zwölf Patriarchen des Alten und die zwölf Apostel des Neuen Bundes (s. zu 7,13). Alles spricht vielmehr dafür, daß mit den Ältesten nicht verklärte Menschen, sondern Engelsgestalten gemeint sind, und zwar die Mitglieder der himmlischen Ratsversammlung, von der bereits das Alte Testament weiß (1. Kön. 22,19ff.; Jes. 6,1ff.). Die Throne, auf denen sie sitzen, sind Symbole der Herrschaft. Ihre Erwähnung erinnert an den urchristlichen Hymnus Kol. 1,16, wo der Begriff «Throne» dazu dient, Gott untergeordnete Engelwesen zu umschreiben. Die Zahl vierundzwanzig erklärt sich am leichtesten als Anspielung auf die Zahl der Tagesstunden; die Ältesten repräsentieren demnach vor Gott die Fülle der Zeit, ihre Aufgabe ist der unausgesetzte, Tag und Nacht umspannende Lobpreis (vgl. V. 10). **V. 5:** Der Raum zwischen den Ältestenthronen und dem Gottesthron ist lebendig. Blitze, Stimmen und Donner, die Attribute der Gotteserscheinung (2. Mose 19,16; Ez. 1,13; Hi. 37,4f.), erfüllen ihn. Sie sind hier jedoch nicht als Vorboten bzw. Begleiterscheinungen einer besonderen Gottesoffenbarung zu verstehen, sondern sollen eher allgemein den Eindruck des Furchterregenden und Geheimnisvollen unterstreichen. Die vor dem Thron brennenden sieben Fackeln erinnern an den siebenarmigen Leuchter im Allerheiligsten des Jerusalemer Tempels (Sach. 4,2; 1. Makk. 1,21; 4,49). Sie werden hier jedoch gleichgesetzt mit den bereits in der brieflichen Einleitung (1,4) erwähnten sieben Geistern Gottes. Diese sind schwerlich, wie die Alte Kirche unter Berufung auf Jes. 11,1f. verstehen wollte, Ausprägungen und Wirkformen des einen Gottesgeistes, sondern, im Sinne jüdischer Tradition, die sieben höchsten Engel, die unmittelbar vor dem Angesicht Gottes stehen (s. zu 1,4). **V. 6f.:** Das sich vor dem Thron erstreckende «kristallene Meer» ist ein weiteres Vorstellungselement aus einem alten, von Johannes nicht mehr bewußt aufgenommenen Traditionszusammenhang. Nach dem alttestamentlichen Weltbild erstreckt sich oberhalb des als festes Gewölbe gedachten Himmels (1. Mose 1,6–8) der Himmelsozean (vgl. 1. Mose 7,11), über dem wiederum sich auf festen Pfeilern Gottes Wohnung, sein Thron, erhebt (Ps. 104,3). Deutlicher kommt dieser Zusammenhang zum Ausdruck, wenn Ezechiel den Gottesthron über einer gehämmerten, einem strahlenden Kristall gleichen Platte, die dort zweifellos das Himmelsgewölbe repräsentiert, stehen sieht, wobei der Kristall wohl auf den Glanz des Himmels verweisen soll (Ez. 1,22). Johannes war wohl lediglich der Zusammenhang zwischen Thron Gottes und Meer bewußt, nicht jedoch dessen Hintergrund; so ließ er den Himmelsozean zu einer Wasserfläche vor dem Gottesthron schrumpfen. Den Vergleich mit dem Kristall dürfte er, ebenfalls ohne ihn zu reflektieren, aus Ez. 1,22 übernommen haben. Den inneren Kreis um den Thron bilden vier geheimnisvolle Wesen. Johannes nennt sie nicht «Tiere», da diese Bezeichnung in seinem Buch gottfeindlichen Gestalten vorbehalten bleibt (vgl. 11,7; 13,1). Die Darstellung dieser Wesen greift wiederum auf ein Bündel von z. T. uralten, in ihrer ursprünglichen Bedeutung für uns kaum mehr aufschlüsselbaren Traditionen zurück. Der Gottesthron der Bundeslade im Allerheiligsten des Tempels war getragen von Cheruben, Mischwesen mit geflügelten Tierleibern und Menschenköpfen, wie sie auch sonst der Alte Orient als Wächter des Bereichs der Gottheit kannte (2. Sam. 22,11; 2. Kön. 19,15). In einigen Überlieferungen, in denen die alte Vorstellung von Jahwe als einem Wettergott, der mit Sturm und Gewitter einherfährt, noch weiterwirkt, sind diese den Gottesthron tragenden Keruben mit den Sturmwinden identifiziert, so Ps. 18,11: «Er fuhr auf dem Cherub fliegend daher und schwebte auf des Sturmes Flügeln». An diese Überlieferungen knüpfte Ezechiel an, wenn er das (Himmels-)Gewölbe, auf dem der Gottesthron aufruht, von vier Wesen getragen sein läßt, die jeweils vier Gesichter und vier Flügel haben und deren tierförmige Füße in ein System von Rädern auslaufen, mittels derer der Thron bewegt wird. Mit anderen Worten: die vier Wesen formieren hier das Fahrgestell des Thronwagens (Ez. 1,5–21). Ihre Vierzahl dürfte die vier Winde und damit die vier Enden der von Gott beherrschten Welt symbolisieren. Johannes scheint zwar bei seiner Schilderung der Wesen teilweise von Ezechiel abhängig zu sein, daneben dürfte er jedoch auch selbständig auf andere Zweige dieses Überlieferungskomplexes zurückgegriffen haben, denn nur so lassen sich verschiedene Abweichungen gegenüber der Ezechiel-Darstellung erklären.

Was aber ist die Bedeutung der vier Wesen in der Apk.? Erstmals im 2. Jahrh. (Irenäus, adv. haer. 3,11,8) wurden sie mit den vier Evangelisten identifiziert, und diese Deutung hatte eine breite, bis in die kirchliche Kunst unserer Gegenwart hineinreichende Wirkungsgeschichte. Aber abgesehen davon, daß sie die Existenz des Vier-Evangelien-Kanons voraussetzt, der erst in der zweiten Hälfte des 2. Jahrhunderts Gestalt gewann, scheitert diese Auslegung an der Einsicht, daß Johannes nicht eine Versammlung von vollendeten und verklärten Menschen, sondern den himmlischen Hofstaat darstellen will. Sind die vierundzwanzig Ältesten Engelsgestalten, dann legt sich das gleiche auch für die vier Wesen nahe. Sie sind offensichtlich zur Wacht am Thron Gottes bestellte Engelwesen (vgl. äth. Hen. 71,7). Nicht auszuschließen ist, daß sie in ihrer Vierzahl, die ja die Zahl der Himmelsrichtungen und damit der Welt in ihrer Ganzheit ist, zugleich auch die Herrschaft Gottes über das Ganze der Schöpfung symbolisieren sollen. Die Bestimmung ihres Standorts «inmitten des Throns und rings um den Thron» erscheint in sich widersprüchlich. Es sieht so aus, als gehe die erste Angabe «inmitten des Throns» auf eine Tradition zurück, die die Wesen im Sinne von 2. Sam. 22,11; 2. Kön. 19,5 als Cheruben verstand, die den Thron trugen und so dessen Bestandteile waren, während die zweite «rings um den Thron» die eigene Auffassung des Johannes zur Geltung bringt, wonach die Wesen sozusagen als innerster Kreis des himmlischen Hofstaates den Thron umstehen. Die zahllosen Augen, die die Wesen vorn und hinten haben – Johannes hat das Motiv aus Ez. 1,18 entlehnt – machen ihre Wachsamkeit im Dienst Gottes sinnfällig. Die vier Gesichter, die bei Ezechiel jedes der Wesen hat (Ez. 1,10) sind hier auf die einzelnen Wesen aufgeteilt, wobei zusätzlich auffällt, daß die Reihenfolge gegenüber Ezechiel(Mensch-Löwe-Stier-Adler) verändert ist, was Indiz für die Benutzung einer eigenen Tradition sein könnte. Man hat in den vier Gesichtern Reste eines verschütteten alten astralmythologischen Bezugs auf die vier Tierkreiszeichen Stier (= Widder), Löwe, Skorpion (vielfach menschengestaltig dargestellt) und Wassermann (in unmittelbarer Nähe des Sternbilds des Adlers) identifizieren wollen. Wahrscheinlicher ist jedoch, daß es sich hier ursprünglich um Abbilder der königlichsten und stärksten Tiere zusammen mit dem Menschen handelte, die die allumfassende Macht Gottes sinnfällig darstellen sollten.

V. 8: Wenn die Wesen, anders als in Ez. 1,6, je sechs Flügel haben, so werden sie damit an die Seraphen angenähert, jene geflügelten schlangengestaltigen Wesen, die nach Jes. 6,2 den Gottesthron lobpreisend umschweben, wie denn überhaupt von jetzt an die Schilderung stärker in den Bannkreis von Jes. 6 gerät. Noch einmal erscheint das Motiv der Augen, wobei die Wendung «ringsherum und innen», die aus der Beschreibung der Räder des Himmelswagens

Ez. 1,18 («ringsherum und innen voller Augen») entnommen ist, nicht recht paßt. Sehr wohl jedoch hat die nochmalige Erwähnung der Augen hier einen sachlichen Grund: Die Wesen sind die stets Wachenden, nie Schlafenden; sie sind dazu da, Tag und Nacht den Lobpreis der ewigen Macht und Herrlichkeit Gottes zu singen (äth. Hen. 39,12). Damit tun sie das, was eigentlich Aufgabe aller Geschöpfe, vorab der Menschen, sein sollte. Der Lobpreis entspricht fast wörtlich dem Gesang, den die Seraphen in Jes. 6,3 (LXX) anstimmen: «Heilig, Heilig, Heilig ist der Herr Zebaoth». Nur tritt an die Stelle der schwerverständlichen Gottesbezeichnung «Herr Zebaoth (= Herr der himmlischen Heere)» die für hellenistische Menschen geläufigere «der Herr, Gott, der Allherrscher» (s. zu 1,8), an die sich unmittelbar eine geschichtstheologische Interpretation ihrer Bedeutung anschließt, die fast wörtlich der in 1,8 gegebenen entspricht (vgl. 15,3; 16,7; 19,6; 21,22).

Wenn in **V. 9f.** die Blickrichtung des Sehers sich noch einmal von innen nach außen wendet, so läßt sie sich dabei gewissermaßen von den Klängen des Lobgesanges leiten, der, aus dem engen Kreis der vier Wesen herausdringend, von dem weiteren Kreis der Ältesten aufgenommen wird. Die Szene weitet sich so zu einer Gesamtschau des niemals endenden himmlischen Gottesdienstes. Johannes will ihn als einen Wechselgesang schildern: Jeweils dann, wenn die Wesen ihr Dreimalheilig gesungen haben, respondieren die Ältesten, indem sie zugleich ihre Anbetung mit einer ungemein bildhaften Huldigungsgeste unterstreichen. Für diese gibt es Analogien im irdisch-politischen Bereich: So berichtet Tacitus (ann. 15,29), daß der Vasallenkönig Tiridates seine Treue gegenüber dem Kaiser Nero dadurch zum Ausdruck brachte, daß er seine Krone zu dessen Füßen niederlegte. Solche Huldigung, wie sie irdische Herrscher fordern und erhalten, kommt allein Gott mit Recht zu, denn er ist der Lebendige, der als der Schöpfer Leben schafft und dem Lebendigen Raum gibt. Er herrscht nicht, indem er Leben entzieht und mindert, sondern indem er seinen Geschöpfen die Fülle gibt. Der kleine Hymnus **(V. 11)**, der diesen Lobpreis des Schöpfers wiedergibt, scheint nicht ganz ohne versteckte polemische Anspielungen auf jene irdischen Machthaber zu sein, die Gott das ihm allein zustehende Recht auf Anbetung streitig machen: «unser Herr und Gott» ließ sich auch Domitian nennen (Sueton, Domitian 13). Und die Wendung «würdig bist du …» erinnert deutlich an die feierlichen Zurufe des Volkes bei der Kaiserakklamation, durch die dem Herrscher auf Grund seiner Verdienste Würde und Macht zugesprochen wurden. Freilich, Gott kann nicht durch eine solche Akklamation etwas zugesprochen werden, was er nicht von sich aus bereits hätte; seine Würde ist nicht davon abhängig, daß andere sie anerkennen – an diesem entscheidenden Punkt zerbricht die Analogie. Johannes hat den Würdig-Ruf der himmlischen Wesen sicher nicht als Zuspruch und Bestätigung der Würde Gottes verstanden, das widerspräche ganz seinem sonstigen Gottesbild. Was ist aber dann sein Sinn? Wahrscheinlich liegt in ihm eine verkürzte Anspielung auf die Liturgie des christlichen Gottesdienstes vor. Bei der Eucharistiefeier antwortet die Gemeinde auf die Aufforderung: «Laßt uns dem Herrn Dank sagen!» mit den Worten: «das ist würdig und recht» (Hippolyt, KO; 1. Clem. 38,4). Johannes hat diese in der dritten Person gehaltene Aufforderung zum Lobpreis umgeformt zu einer direkten Anrede, die jedoch sinngemäß nichts anderes besagt als: «Es ist würdig und angemessen, daß wir dir Ehre geben». Gott als der Schöpfer und Geber allen Lebens hat Anspruch auf den Lobpreis seiner Geschöpfe. Aber dieser Lobpreis gewährt ihm nicht erst seine Macht und Herrlichkeit, sondern ist nur deren sicht- und hörbarer Widerschein.

5,1–14   b. Das Lamm und das versiegelte Buch

1 Und ich sah auf der rechten Hand dessen, der auf dem Thron saß, eine Buchrolle, die war innen und auf der Rückseite beschrieben und mit sieben Siegeln versiegelt. 2 Und ich sah einen mächtigen Engel, der mit lauter Stimme rief: Wer ist würdig, das Buch zu öffnen und seine Siegel zu lösen? 3 Und niemand im Himmel und auf der Erde und unter der Erde konnte das Buch öffnen und es einsehen. 4 Und ich weinte sehr, weil niemand würdig gefunden wurde, das Buch zu öffnen und es einzusehen. 5 Und einer der Ältesten spricht zu mir: Weine nicht! Siehe, überwunden hat der Löwe aus dem Stamm Juda, die Wurzel Davids, um das Buch und seine sieben Siegel zu öffnen. 6 Und ich sah inmitten des Thrones und der vier Wesen und inmitten der Ältesten ein Lamm stehen, das war wie geschlachtet und hatte sieben Hörner und sieben Augen, welche die sieben Geister Gottes sind, gesandt in alle Welt. 7 Und es trat herzu und empfing (das Buch) aus der rechten Hand dessen, der auf dem Thron sitzt. 8 Und als es das Buch empfangen hatte, fielen die vier Wesen und die vierundzwanzig Ältesten vor dem Lamm nieder; sie hatten alle Harfen und goldene Schalen voll Räucherwerk, das sind die Gebete der Heiligen. 9 Und sie singen ein neues Lied und sagen:

Würdig bist du,
das Buch zu empfangen und seine Siegel zu öffnen!
Denn du wurdest geschlachtet
und hast für Gott erkauft mit deinem Blut
aus jedem Stamm und jeder Sprache und jedem Volk und jeder Nation
10 und hast sie für unseren Gott zur Königsherrschaft und zu Priestern gemacht,
und sie werden herrschen auf der Erde.

11 Und ich sah, und ich hörte die Stimme vieler Engel rings um den Thron und die Wesen und die Ältesten, und ihre Zahl war zehntausend mal zehntausend und tausend mal tausend. 12 Sie sprachen mit lauter Stimme:

Würdig ist das geschlachtete Lamm,
zu empfangen Macht, Reichtum, Weisheit und Kraft,
Ehre, Herrlichkeit und Lob.

13 Und alle Geschöpfe, die im Himmel und auf Erden und unter der Erde und auf dem Meer sind, und alles, was darin ist, hörte ich sagen:

Dem, der auf dem Thron sitzt und dem Lamm
Lob und Ehre,
Herrlichkeit und Macht in alle Ewigkeit.

14 Und die vier Wesen sprachen: Amen. Und die Ältesten fielen nieder und beteten an.

Der zweite Teil der Thronsaalvision wächst aus dem vorhergegangenen ersten unmittelbar heraus. Sachlich verhält er sich zu jenem wie der zweite Artikel des Glaubensbekenntnisses zum ersten. Die Schilderung der Majestät Gottes des Schöpfers, dessen ewiges, unveränderbares Herrsein über die Geschichte seinen Widerschein findet in dem ständigen und unaufhörlichen Lobgesang des himmlischen Gottesdienstes, bildet die Voraussetzung für die Darstellung des Heilsgeschehens in Christus. Weg und Werk Jesu Christi werden hier gewissermaßen aus der himmlischen Perspektive beschrieben, d. h. so, wie sie sich aus der Sicht Gottes und seines himmlischen Hofstaates zeigen, und die Konsequenz und Anschaulichkeit dieser Beschreibung sind innerhalb des Neuen Testaments ohne Beispiel. Allerdings war diese Sicht vorbereitet durch eine Vielzahl christologischer Traditionen, die vorwiegend im gottesdienstlichen Lobgesang der Gemeinde ihren Sitz im Leben hatten und in denen in zumeist hymnischer Sprache der Weg Jesu Christi nachgezeichnet wurde als ein Weg, der von der Erniedrigung zur Erhöhung und zur Einsetzung in die himmlische Herrschaft führte. Und zwar entfalten diese Traditionen das Handeln Gottes an Jesus nach einem festen dreistufigen Schema, das dem Thronbesteigungsritual orientalischer Könige nachgebildet war: *Erhöhung – Herrschaftsübertragung* (bzw. Übergabe des Herrschernamens) – *Präsentation* des neuen Herrschers vor den ihm huldigenden Untertanen. Besonders deutlich ausgeprägt ist dieses Schema in der Schlußstrophe des von Paulus zitierten Christushymnus (Phil. 2,9–11). Es findet sich aber auch in 1. Tim. 3,16; Hebr. 1,5 und Mt. 28,18–20. Es ist deutlich, daß eben dieses Schema das Grundgerüst von Apk. 5,1–14 bildet:

V. 5: Umschreibung des Erhöhungsgeschehens im Wort des Ältesten;

V. 6–7: Herrschaftsübertragung (in der Übergabe des Buches);

V. 8–14: Präsentation des Herrschers (in der Huldigung der himmlischen Welt).

Nicht von diesem Schema her erklären läßt sich allerdings der V. 5 vorgeschaltete erste Erzählungsabschnitt V. 1–4, der von der Ratlosigkeit der himmlischen Versammlung angesichts des versiegelten Buches und der vergeblichen Suche nach einem, der es zu öffnen imstande wäre, handelt. Auch er ist jedoch nicht ohne Traditionsgrundlage, insofern als in ihm ein uraltes Motiv aufgenommen wird, nämlich das der Suche der Ratsversammlung eines Gottes bzw. eines Königs nach einem, der geeignet ist, eine bestimmte schwierige Aufgabe zu lösen. So erzählt der ugaritische Keret-Mythos, wie der Gott Il, den als Hofstaat seine Söhne umgeben, die auf «Thronen der Herrschaft sitzen», einen Beauftragten sucht, der die Krankheit des Königs Keret heilen kann. Il stellt die Frage: «Wer unter den Göttern kann die Krankheit bezwingen, das Leiden verjagen?» Aber «keiner unter den Göttern antwortet ihm». Da sich auf wiederholtes Fragen hin kein Geeigneter findet, muß Il die Aufgabe selbst übernehmen. Ähnlich berichtete bereits das sumerische Gilgamesch-Epos von der Suche des Königs von Kullab und seiner Helden nach einem mutigen Freiwilligen, der eine hoffnungslos belagerte Stadt verläßt. Wenn schließlich in der Berufungsszene des Jesaja (Jes. 6,8) der inmitten seines Hofstaates thronende Jahwe zunächst an diesen die Frage richtet: «Wen sollen wir senden?» ehe Jesaja sich bereit erklärt, sich senden zu lassen, so ist dies eine verkürzte Version des gleichen Motivs. Seine Funktion ist jeweils eine doppelte: Hinzuweisen auf die außerordentliche Schwierigkeit eines Auftrags und klarzustellen, daß zu dessen Übernahme nur einer in Frage komme.

Dieser eine, auf den alles zuläuft, ist hier Jesus Christus. Der Auftrag, den keiner außer ihm empfangen kann, ist – daran läßt die Aufnahme des Erhöhungs- und Inthronisationsschemas keinen Zweifel – die endzeitliche Weltherrschaft. Verhält es sich aber so, dann ist damit auch die in der Auslegungsgeschichte unendlich umstrittene Frage nach der Bedeutung des geheimnisvollen Buches vorgeklärt: Dieses Buch muß mit der Weltherrschaft etwas zu tun haben; sein Empfang bedeutet deren rechtsgültige Übertragung auf das «Lamm», die Lösung seiner Siegel ist Zeichen für die aktive Ausübung der Herrschaftsfunktion. Jesus Christus wird hier geschaut als der endzeitliche Herrscher, der auf Grund des von ihm vollbrachten Heilswerks dazu berufen wird, Gottes Geschichtsplan für das Ende der Geschichte machtvoll zu vollstrecken.

Es will beachtet sein, daß der Inhalt dieser Vision ein vergangenes, in Gegenwart und Zukunft sich auswirkendes Geschehen ist. Dem Seher wird der Sinn dessen erschlossen, was sich in Jesu Kreuz und Auferweckung ereignet hat. Während die Apokalyptik sonst allgemein die Schau von Zukünftig-Verborgenem zum Thema hat, steht hier im Mittelpunkt die Schau jenes Ereignisses, womit bereits in der Vergangenheit die Zukunft begonnen hat. Es wird sichtbar gemacht, daß sich in ihm die Wende der Weltgeschichte vollzogen hat.

V. 1: Mit «und ich sah» wird neu eingesetzt, nicht weil etwa eine neue Vision begänne, sondern weil die Aufmerksamkeit des Lesers auf etwas gerichtet werden soll, was das Geschehen weiterführt. Der Seher erkennt in der Rechten des auf dem Thron Sitzenden, der Hand also, die Macht und Herrschaft verkörpert, eine Buchrolle. Deren nähere Beschreibung zeigt, daß es sich dabei höchst wahrscheinlich um ein Dokument mit rechtlicher Bedeutung nach der Art der antiken Doppelurkunde handelt. Bei wichtigen Urkunden, wie etwa Testamenten und herrscherlichen Erlassen, wurde nämlich eine Kurzfassung des Buchinhalts zusätzlich auf die die Rolle umgebende Außenhülle geschrieben, so daß die Bedeutung des Inhalts sogleich ersichtlich war. Eben in dieser Weise ist auch das Buch in der Hand Gottes «innen und auf der Rückseite» beschrieben. Die Siegel sollen den Inhalt also keineswegs verborgen halten, sondern ihn vor unbefugter Aneignung schützen. Wer die Siegel aufbricht, setzt ihn in Kraft und bringt ihn rechtsgültig zur Wirkung. Die Sieben ist in der Apk. durchweg die Zahl der Vollständigkeit und der von Gott gewirkten Vollendung. Daß das Buch sieben Siegel hat, dürfte demnach ein Hinweis darauf sein, daß in ihm die von Gott vorgesehene Vollendung der Geschichte beschlossen ist. Gott spricht in der Apk. mit wenigen Ausnahmen (1,8; 21,5) nicht direkt. Deshalb wird in **V. 2** ein Engel eingeführt, der die Frage stellt, die sinngemäß von Gott an die himmlische Versammlung gerichtet werden müßte: «Wer ist würdig, das Buch zu öffnen und seine Siegel zu lösen?» Zu verstehen ist diese Frage im Sinne einer an die gesamte Welt – nicht nur an die himmlischen Wesen – ergehenden öffentlichen Aufforderung: Der soll hervortreten, der die Voraussetzungen erfüllt, um die gestellte Aufgabe zu übernehmen, der also «würdig» ist. Anders als in dem hymnischen Lobpreis von 4,11 und 5,12 meint «würdig» hier und in V. 9 vor allem die Befähigung und Qualifikation, wenn auch die andere Komponente des Anspruchhabens auf den Lobpreis mitschwingt. Die Aufgabe, um die es geht, ist nicht etwa das Enthüllen der Zukunft, sondern die Vollstreckung des Geschichtsplanes Gottes gegenüber der Welt, das Ingangsetzen des Weltgeschehens auf das ihm von Gott gesetzte Ende hin. Davon, daß einer sich für diese Aufgabe findet, hängt alles ab: Kann Gott wirklich, gemäß seinen Verheißungen, seine Herrschaft gegenüber der Welt durchsetzen, oder ist diese Welt ihm schon längst entglitten und der Eigenmächtigkeit der Menschheit überlassen? Es geht hier zugleich um die Zukunft der Welt und das Gottsein Gottes. V. 3 verzichtet auf ein konkretes Ausmalen der Szene. Weder erfahren wir davon, daß verschiedene Anwärter aus «Himmel, Erde und Unterwelt», den drei Bereichen des antiken Weltbildes (vgl. Phil. 2,10), also Engel, Menschen und Dämonen, sich angeboten hätten und als nicht würdig abgewiesen worden wären, noch wird etwas über Trauer oder Ratlosigkeit in der himmlischen Versammlung gesagt. Das, worauf es ankommt, ist lediglich dies, daß es tatsächlich in der ganzen Welt keinen gab, der die Aufgabe hätte übernehmen können. Traurig und ratlos auf das Ausbleiben des Erwarteten kann nur ein Mensch reagieren: Der Seher weint (V. 4), und dieses Weinen ist gewissermaßen die rückschauende Zusammenfassung der bislang vergeblichen und gescheiterten messianischen Erwartung des Gottesvolkes Israel. Aber die Glieder des himmlischen Hofstaates Gottes teilen diese ratlose Trauer nicht. Sie wissen, daß es einen gibt, der die gestellte Aufgabe übernehmen kann, ja sie bereits übernommen hat. V. 5: Einer der Ältesten fungiert dem Seher gegenüber als Deuteengel und schließt ihm dieses Geheimnis auf. Er nennt dabei weder den Namen Jesu, noch einen eindeutigen christologischen Hoheitstitel, sondern nur zwei indirekte Umschreibungen der messianischen Würde dessen, der das geheimnisvolle Buch öffnen und seine Siegel erbrechen kann: Er ist der Löwe aus dem Stamm Juda (1. Mose 49,9) und der Wurzelsproß aus David (Jes. 11,10; vgl. Test. Jud. 24,5), der erwartete Heilskönig also, der nach alttestamentlicher Verheißung aus dem Geschlecht der Davididen hervorgehen sollte (Röm. 1,3; 15,12; vgl. 4Q patr. 3f.). Das entscheidende Gewicht liegt jedoch nicht auf diesen Würdebezeichnungen, sondern auf dem Geschehen, durch das sich deren Träger würdig erwiesen hat: Er hat überwunden, er hat den Sieg errungen, und zwar, wie nachher in V. 9 entfaltet werden wird, durch seine gehorsame Lebenshingabe, um deretwillen Gott ihn auferweckt und erhöht hat. Die Apk. bezeichnet mit «überwinden» gleichermaßen das Ziel des Weges und Geschicks Jesu wie auch das der zu ihm gehörenden Menschen; weil Jesus überwunden hat, darum ist ihnen aufgrund ihres Gehorsams und Standhaltens in der Bedrängnis der Gegenwart ebenfalls das Überwinden verheißen (vgl. die Überwindersprüche 2,7.11 u. ö.; ferner 15,2). Weil er überwunden hat, ist er würdig, das Buch und seine sieben Siegel zu öffnen. Er, und nur er allein, kommt als endzeitlicher Herrscher und als Vollender der Geschichte in Frage. V. 6f.: Es bleibt nicht bei der bloßen Ankündigung des Vorhandenseins eines solchen Herrschers; der Seher darf nun vielmehr den feierlichen Akt der Herrschaftsübertragung selbst schauen. Im Mittelpunkt der himmlischen Versammlung, unmittelbar auf dem Thron Gottes, sieht er ein Lamm, das aus der rechten Hand Gottes, in der sie bisher, allem Zugriff entrückt, geruht hatte, die geheimnisvolle Buchrolle empfängt. In der Schilderung dieser eindrucksvollen Szene erhält der theologische Aussagewille auf Kosten der Anschaulichkeit das Übergewicht. Bereits die Ortsangabe in V. 8 bliebe auf der Ebene der gegenständlichen Schilderung absolut unverständlich. Denn wie kann das «Lamm» nicht nur «inmitten des Thrones» sein, auf dem ja Gott selbst sitzt, sondern auch zugleich noch inmitten der Wesen und der Ältesten? Auf der Ebene der theologischen Aussage erhält das jedoch einen guten Sinn: Das Lamm kann nirgends anders als «inmitten des Thrones», des Ortes der Herrschaft Gottes sein, weil es an Gottes Würde und Herrschaft Anteil hat. Gehört es aber so zu Gott, dann bildet es gemeinsam mit ihm den Mittelpunkt der himmlischen Versammlung. Was aber soll es bedeuten, wenn Jesus hier unter dem geheimnisvollen Bild eines Lammes dargestellt wird?

Exkurs: Das Lamm

Das «Lamm» ist die häufigste Bezeichnung Jesu in der Apk. Ihr Vorkommen (28mal) übertrifft das des Christus-Prädikats (8mal) bei weitem. Trotzdem handelt es sich bei ihr schwerlich um einen festen, in den angeschriebenen Gemeinden gebräuchlichen Titel, denn das hier verwendete griech. Wort *(arnion)* erscheint nirgends sonst im Neuen Testament in ähnlicher Bedeutung. Im Johannesevangelium (Joh. 1,29.36) wird Jesus zwar ebenfalls als «Lamm (Gottes)» bezeichnet, doch steht dort ein anderes griech. Wort *(amnos)*. Wahrscheinlicher ist, daß wir es hier mit einem vom Verfasser der Apk. aus vorgegebenen traditionellen Motiven selbst geprägten christologischen Bildsymbol zu tun haben. Man hat aufgrund der Tatsache, daß *arnion* nicht nur «Lamm», sondern auch «Widder» heißen kann, dieses Symbol auf einen astralmythologischen Ursprung zurückzuführen versucht, nämlich auf das Sternbild des Widders. Doch das ist ganz unwahrscheinlich, da dieses im allgemeinen eben nicht als *arnion* bezeichnet wird. Nicht viel mehr hat die Vermutung für sich, daß Johannes sich hier an eine apokalyptische Tradition anlehnt, die den Messias im Bild des mächtigen und kämpferischen Widders, gleichsam des Leittieres des Gottesvolkes, darstellt (vgl. Dan. 8,3; äth. Hen. 89,45–49), denn auch in diese Richtung führt keine direkte terminologische Brücke. Wahrscheinlicher ist die Herleitung aus einem im Neuen Testament verbreiteten christologischen Motiv: Jesus als Passalamm des Neuen Bundes. Ältester Beleg dafür ist das aus einer gottesdienstlichen Formel stammende Zitat in 1. Kor. 5,7: «... unser Passalamm, Christus, wurde geschlachtet» (vgl. Apg. 8,32; 1. Petr. 1,19). Nach jüdischem Glauben hatte das Blut der beim Auszug aus Ägypten geschlachteten Passalämmer sühnende Wirkung für die Sünden des Volkes Israel (vgl. Bill. I, 85ff.). Daran anknüpfend sah das Urchristentum Jesu Lebenshingabe als endzeitliche überbietende Entsprechung zur Schlachtung der Passalämmer beim Exodus, d. h. sie deutete das Kreuzesgeschehen im Sinne einer Passa-Typologie. Am Karfreitag wurde demnach Jesus als das Passalamm geopfert, durch das die endzeitliche Heilsgemeinde von ihren Sünden befreit wurde und Erlösung empfing.

Daß Johannes diese Passa-Typologie im Auge hat, geht daraus hervor, daß er das Lamm in der ihm eigenen Weise des annähernden Vergleichs (s. zu 1,13) als «wie geschlachtet» bezeichnet. Er denkt dabei vielleicht konkret an den Schächtschnitt am Hals als sichtbare Todeswunde, wobei allerdings auch dieser Zug ebenso die Ebene des bildhaft Vorstellbaren durchbricht, wie seine unmittelbare Verbindung mit Zügen, die die herrscherliche Macht des Lammes betonen sollen. Zu den letzteren gehören die sieben Hörner als Symbole der Stärke (Ps. 89,18; 132,17) und die sieben Augen als Zeichen jener Allwissenheit, wie sie nach Sach. 4,10 Gott eigen ist. Wenn diese Augen mit den von uns bereits als Gottes Angesichtsengel identifizierten (s. zu 1,4; 4,5) «sieben Geistern Gottes» gleichgesetzt werden, so ist das ein Hinweis auf die Gott gleiche Herrschaftsstellung des Lammes: Jene Engel, die Gott bei der Durchsetzung seiner Herrschaft als Werkzeuge zur Hand gehen, sind auch dem Lamm zu Diensten. Alles spricht dafür, daß Johannes diese Verbindung des aus der Herrenmahlsliturgie entwickelten Lamm-Motivs mit Symbolen von Macht und Stärke noch nicht in der Tradition vorfand, sondern erst selbst geschaffen hat, um auf diese Weise die beiden zentralen Aspekte des gemeindlichen Christusbekenntnisses, Erniedrigung und Erhöhung, in ihrer unmittelbaren Zusammengehörigkeit sichtbar zu machen: Jesus ist Herr über Welt und Geschichte nur aufgrund seiner Selbsthingabe in das Sterben. Denkbar ist im übrigen, daß Johannes das Wort *arnion* bewußt im Blick darauf gewählt hat, daß es durch seine Bedeutungsbreite besonders geeignet war, beiden sich im Bilde des Lammes vereinigenden Aspekten, Opfer und Herrschaft, gleichermaßen Raum zu geben.

Nur ganz knapp, mehr andeutend als ausmalend, wird in **V. 7** die eigentliche Mitte des Geschehens beschrieben: Das Lamm tritt hinzu und empfängt aus der Hand Gottes das geheimnisvolle Buch, das Symbol der Weltherrschaft. Niemand wird es ihm wieder entreißen können; etwas Endgültiges und Unwiderrufliches ist geschehen, das ausstrahlt in alle Bereiche der Welt und des Himmels. Johannes vermeidet es dabei, diesen Akt der Herrschaftseinsetzung, obwohl das von der christologischen Tradition her nahegelegen hätte (vgl. Hebr. 1,3; 8,1; 10,12; 12,2; Eph. 1,20; Mk. 12,36 par.), als Thronbesteigung darzustellen. Denn für ihn gehört Jesus bereits von Anfang an als der Präexistente auf die Seite Gottes, sein Ort ist nie ein anderer gewesen als «inmitten des Thrones» (V. 6).

Um so ausführlicher ist die auf den Akt der Herrschaftsübergabe antwortende Huldigung beschrieben **(V. 8–13)**. Ein gewaltiger Lobpreis wird im Himmel angestimmt, um Zug um Zug alle Bereiche der Welt einzubeziehen und mitzureißen. Den Auftakt zu dieser kosmischen Liturgie bildet die Huldigung des himmlischen Hofstaates, also der vier Wesen und der Ältesten **(V. 8)**, wobei die Parallele zu 4,8–11 andeuten soll, daß dem Lamm die gleiche Verehrung seitens der Himmlischen zukommt wie Gott selbst. Ein neuer Zug ist, daß die Ältesten auf Harfen musizieren und kostbare Räuchergefäße schwingen, aus denen, Weihrauch gleich, die Gebete der Heiligen, d. h. der Glieder der Heilsgemeinde, zu Gott aufsteigen. Das gemeinte Musikinstrument ist die *kithara*, die – wesentlich kleiner als unsere heutige Harfe – zur Begleitung des kultischen Gesanges diente (vgl. Ps. 33,2; 98,5). Das Bild des Weihrauchopfers ist hier übertragen gebraucht, wie schon in Ps. 141,2: «Mein Gebet möge vor dir aufsteigen wie ein Weihrauchopfer». Die Rolle, die das Weihrauchopfer im irdischen Kultus spielt, spielen in der himmlischen Liturgie die Gebete der Heilsgemeinde. Unter Aufnahme der jüdischen Vorstellung von der Gebetsmittlerschaft der Engel (Tob. 12,12) wird von ihnen gesagt, daß die Engel sie, eingebunden in deren eigenen Lobpreis, vor Gott bringen.

V. 9a: Nach Jes. 42,9 soll man auf Gottes neue Wunder und Heilserweise, durch die er in der Endzeit über sein Schöpfungshandeln hinausführt, mit einem «neuen Lied» antworten. In diesem Sinne wird das Lied der Himmlischen hier als «neu» bezeichnet; es ist Lobpreis des endzeitlichen Handelns Gottes in Jesus. Weil es um den Anfang der neuen Schöpfung geht, darum ist auch ein neues Lied an der Zeit, das die durch Jesus und sein Heilswerk bewirkte grundsätzliche Situationsveränderung zum Ausdruck bringt. Das Lied besteht aus einem Lobpreis im engen Sinn (V. 9b) und dessen anschließender Begründung (V. 9c–10). Der Lobpreis **(V. 9b)** vollzieht im Dank das Geschehene nach: Es ist würdig und angemessen, Jesus dafür zu preisen, daß er die Macht angetreten und sich darin als der von Gott bestimmte messianische Herrscher erwiesen hat. Wieder, wie schon in 4,11 (s. dort), spricht der «Würdig»-Ruf nicht erst nach Überprüfung der Voraussetzungen eine Würde zu, sondern zieht die Folgerungen daraus, daß ein Geschehen die dankende Würdigung herausfordert. Die Begründung **(V. 9c–10)** beschreibt in zwei parallel einander zugeordneten Zeilenpaaren das Heilswerk Jesu, aufgrund dessen ihn Gott als endzeitlichen Herrscher eingesetzt hat, und entfaltet damit die Aussagen von V. 6: Jesus hat (1.) durch seinen Opfertod Menschen aus allen Völkern und gesellschaftlichen Bereichen für Gott losgekauft. Die Redeweise vom «Blut» des «geschlachteten Lammes» ist dabei nicht vordergründig als Beschreibung des Sterbens Jesu zu verstehen. Die Kreuzigung war eine weitgehend unblutige Todesart. Blut ist in den zahlreichen durch Assoziationen an den alttestamentlichen Opferkult geprägten christologischen Aussagen des Neuen Testaments (z. B. Röm. 3,25; 1. Kor. 11,25) anschaulicher Ausdruck für die Lebenshingabe Jesu in ihrer Heilsbedeutung. Ebenso bildhaft-symbolisch ist auch die Rede davon, daß das Lamm durch sein Blut als Kaufpreis Menschen aus der Gefangenschaft freigekauft habe im Auftrag Gottes. Dies soll besagen, daß Jesus durch seine Lebenshingabe Menschen aus der Macht der Sünde und aus dem Bereich der Feindschaft gegen Gott herausgelöst und Gott zur Gemeinschaft zugeführt hat. In dem Hinweis auf die Herkunft dieser Menschen aus allen Völkern und Nationen wird der Heilsuniversalismus der Apk. betont. Jesus hat – so die weitere Bestimmung seines Heilswerkes (2.) – die von ihm befreiten Menschen aus allen Völkern zu einem neuen Volk gemacht, das Gott gehört, seiner Herrschaft untersteht. Dieses Volk trägt jetzt schon, inmitten der vergehenden alten Welt, die Züge der Königsherrschaft Gottes, seine Glieder haben als «Priester» unmittelbaren Zugang zum Bereich Gottes (s. zu 1,6). Es ist die Heilsgemeinde der Endzeit, die zur Herrschaft über die erneuerte Erde bestimmt ist (vgl. 20,6).

V. 11–12a: Die himmlische Liturgie expandiert gleichsam immer weiter. Der Größe des zu preisenden Geschehens entspricht das Um-sich-Greifen seines

Lobpreises. Alle himmlischen Wesen stimmen zunächst in ihn ein. Die Multi-
plikationsformel 10 000 mal 10 000 ist traditionell (Dan. 7,10) als Umschreibung einer unüberschaubar großen Menge. Auch inhaltlich ist der von den En-
gelscharen angestimmte Hymnus **(V. 12b)** ein V. 9b–10 aufnehmendes und
weiterführendes Echo. In ihm werden dem geschlachteten Lamm sieben Prädikationen beigelegt, von denen die ersten vier Eigenschaften Gottes meinen,
die dem Messias zur Ausübung seines Amtes übergeben werden, während die
letzten drei, ähnlich wie in 4,9, das umschreiben, was in der Darbringung des
Lobpreises geschieht.

V. 13: In einer zweiten Stufe der Expansion überschreitet der Lobpreis die
Grenzen des Himmels, um von der gesamten Schöpfung aufgenommen zu
werden. Zu deren üblicherweise genannten drei Bereichen Himmel, Erde und
Unterwelt (V. 3; Phil. 2,10) tritt hier noch als vierter das Meer (vgl. 2. Mose
20,4) als jener Bereich, der nach jüdischem Denken als besonders bedrohlich
galt (vgl. 13,1; 21,1). Der umfassende Charakter dieses abschließenden Lobpreises aller Geschöpfe kommt auch in seinem Inhalt zum Ausdruck. Der kurze Hymnus gilt nämlich gleichermaßen Gott dem Schöpfer wie auch dem messianischen Lamm. Er zieht also die Summe aus den beiden Lobpreisszenen in
4,8–11 und 5,8–12. Damit wird sichtbar gemacht, daß das Heilswerk des Lammes unmittelbar mit dem Schöpfungswerk Gottes zusammengehört und, wie
dieses, alle Bereiche der Welt und alle Räume der Geschichte einbezieht. Eine
kosmische Christologie kommt hier zu Wort, die in manchem an Kol. 1,18–20
erinnert, aber anders als dort nicht aus dem Gedanken der Schöpfungsmittlerschaft und Präexistenz Jesu entwickelt, sondern vom geschichtlichen Heilswerk Jesu her begründet wird.

Indem in **V. 14** die vier Wesen das abschließende Amen sprechen, schließt sich
der Kreis des Lobpreises, der in 4,8f. von den Wesen über die Ältesten und die
Engel bis hin zur ganzen Schöpfung führte. Der Lobpreis mündet da wieder
ein, von wo er ausgegangen war, nämlich in die ewige Anbetung Gottes im
Himmel. Wie im gemeindlichen Gottesdienst, so hat auch hier das Amen den
Charakter der auf den Hymnus antwortenden Response (s. zu. 1,6).

Mit der Doppelszene Kap. 4f. ist der Ansatz der Geschichtsdeutung der Apk.
gegeben, der im folgenden entfaltet wird. Alles Gewicht liegt darauf, daß ein
vergangenes Geschehen, der Tod Jesu, gegenwärtige Realität in der Existenz
der Gemeinde setzt und die noch ausstehende Zukunft für die gesamte Welt
bestimmt. Die Naherwartung ist Konsequenz aus dem bereits in Jesu heils-
schaffendem Sterben wesenhaft realisierten Endgeschehen. Was noch aussteht, ist nur äußerer Nachvollzug dessen, was vor Gott schon geschehen ist
und was in der Gemeinde bereits als Wirklichkeit erfahren wird. Der Gemeinde ist damit eine große Hoffnung, aber auch eine schwere Verantwortung gegeben: Sie vertritt jetzt, in dem seinem Ziel entgegeneilenden Weltgeschehen,
in ihrem Gehorsam und ihrem Überwinden den für die Welt noch verborgenen
Herrn des Weltgeschehens, Jesus Christus. Alles, was weiter in der Apk. berichtet wird, ist die Durchsetzung der Herrschaft Jesu gegen ihre Anfechtung
auf das Ende hin.

6,1–8,1   2. Die Sieben-Siegel-Visionen

Die erste große Siebenerreihe von Visionen beschreibt, wie das Lamm die Siegel der Buchrolle eines nach dem anderen öffnet. Dieser Vorgang ist weder in sich selbst als Enthüllung von im Buch aufgezeichneten verborgenen Zukunftsgeheimnissen gedacht, noch soll das Aufbrechen der Siegel eine nachfolgende Bekanntmachung des Buchinhalts vorbereiten. Nirgends ist nämlich von dem Buchinhalt die Rede! Das Buch ist vielmehr die Urkunde, mit der Gott die Vollstreckung seines Geschichtsplans auf das Lamm überträgt; die Öffnung der Siegel ist darum Bild für die Vollstreckung dieses Geschichtsplans auf das Ende hin. Und zwar wird dieser Vorgang unter einem doppelten Aspekt geschildert. Zum einen soll aufgezeigt werden, wie sich die Macht Jesu auf konkretes irdisches Geschehen in ganz elementaren Daseinsbereichen auswirkt: Die komplexen und unüberschaubaren Faktoren wie Aggression, Krieg, Hunger und Seuchen, die die Weltgeschichte zu bestimmen scheinen, sind umgriffen von dem Willen des endzeitlichen Herrschers, der die Geschichte dem ihr in Gottes Plan bestimmten Ziel entgegenführt. Zum anderen soll die Frage nach dem Geschick der Gemeinde gestellt werden, die als die vom Lamm erkaufte Schar (5,9f.) jetzt schon Anteil an der zukünftigen Königsherrschaft hat, zugleich aber noch inmitten der dem Ende entgegengehenden Geschichte mit ihren Katastrophen lebt (6,9–11; 7,1–17).
Inhaltlich ist die Schilderung der von der Öffnung der Siegel ausgelösten Vorgänge von der alten apokalyptischen Vorstellung der dem Ende vorhergehenden endzeitlichen Drangsale und Schrecken bestimmt (vgl. z. B. Dan. 2,28f.; 11,27; 4. Esr. 13,30). Und zwar scheint Johannes hier auf eine palästinisch-judenchristliche Tradition aus der Zeit des jüdischen Krieges zurückzugreifen, in der diese Vorstellung im Sinne einer Abfolge bestimmter dem Ende vorhergehender Ereignisse konkretisiert worden war. Die synoptische Apokalypse Mk. 13, in die diese Tradition eingegangen ist, zählt so auf als Wehen der Endzeit: Krieg, Bürgerkrieg, Erdbeben, Hungersnot, Verfolgung der Gemeinde (Mk. 13,7–13) und schließlich kosmische Katastrophen, auf die unmittelbar das Kommen des Menschensohns folgt (Mk. 13,26f.). Dem entsprechen die Ereignisse beim Öffnen der Siegel nach Inhalt und Reihenfolge bis auf eine Ausnahme: das Erdbeben fehlt und ist durch den der Hungersnot sachlich zugeordneten Seuchentod (V. 7f.) ersetzt.

6,1–8   a. Die ersten vier Siegel

1 Und ich sah: Als das Lamm das erste der sieben Siegel öffnete, da hörte ich das erste der vier Wesen wie mit Donnerstimme sprechen: Komm! 2 Und ich sah: Und siehe, ein weißes Roß, und der darauf saß, hatte einen Bogen, und ein Kranz wurde ihm gegeben, und er zog als Sieger aus, um zu siegen.
3 Und als es das zweite Siegel öffnete, hörte ich das zweite Wesen sprechen: Komm! 4 Und ein anderes, ein feuerrotes Roß zog aus, und dem, der darauf

saß, wurde es gegeben, den Frieden von der Erde wegzunehmen und daß sie einander abschlachteten, und es wurde ihm ein gewaltiges Schwert gegeben. 5 Und als es das dritte Siegel öffnete, hörte ich das dritte Wesen sprechen: Komm! Und ich sah, und siehe, ein schwarzes Roß, und der darauf saß, hatte eine Waage in seiner Hand. 6 Und ich hörte wie eine Stimme inmitten der vier Wesen, die sprach: Ein Maß Weizen für einen Denar und drei Maß Gerste für einen Denar. Und dem Öl und dem Wein sollst du keinen Schaden tun.
7 Und als es das vierte Siegel öffnete, hörte ich die Stimme des vierten Wesens sprechen: Komm! 8 Und ich sah, und siehe, ein fahles Roß, und der auf ihm saß, heißt «der Tod», und der Hades war sein Gefolge, und es wurde ihnen Macht gegeben über ein Viertel der Erde, zu töten mit Schwert, Hunger und Pest und durch die wilden Tiere der Erde.

Die ersten vier Siegelvisionen bilden innerhalb der Siebenerreihe eine besondere Gruppe kraft ihrer motivlichen Einheitlichkeit und der strengen Parallelität ihres Aufbaus. Das hängt damit zusammen, daß hier ein weiteres traditionelles Motiv aufgenommen ist, das mit der Tradition von den endzeitlichen Drangsalen verschmolzen ist bzw. sie überlagert. Sacharja schaut in seinen Nachtgesichten vier Pferde (Sach. 1,7–17) bzw. vier mit Pferden bespannte Wagen (Sach. 6,1–8), die auf Gottes Geheiß vor dem Ende die Erde durchziehen sollen. Dieses Motiv ist aus alten kosmologischen Vorstellungen herausgewachsen; die Pferde bzw. Wagen symbolisieren nämlich «die vier Winde des Himmels, die vor dem Herrn der ganzen Erde standen und nun losstürmen» (Sach. 6,5). Johannes hat es vermutlich deshalb aufgenommen, weil es von seinem Ursprung her geeignet war, das Betroffensein aller Weltgegenden, sämtlicher vier Himmelsrichtungen, von den Plagen zu veranschaulichen. Dem entspricht, daß er die vier Reiter von den vier Wesen am Throne Gottes, die die Weltherrschaft Gottes in ihrer Ausrichtung auf alle vier Himmelsrichtungen und damit in ihrer Universalität symbolisieren (s. zu 4,6f.), ausgesandt werden läßt.

V. 1: In streng parallelem Ablauf, der als solcher bereits den Eindruck der Unausweichlichkeit unterstreicht, vollzieht sich nach der Öffnung eines jeden der ersten vier Siegel das gleiche unheimliche Geschehen. Jedesmal setzt sich auf einen Kommandoruf eines der Wesen hin ein Pferd, das einen Reiter trägt, in Bewegung, offenbar vom Himmel her auf die Erde zu. Jeder dieser Reiter symbolisiert eine Plage, wobei der Farbe seines Pferdes eine Signalwirkung zukommt. Daß das erste Pferd **(V. 2)** weiß ist, also die Farbe des Sieges trägt, hat, neben dem Umstand, daß sein Reiter als Sieger erscheint, die Ausleger verwirrt. Man hat in ihm entweder Christus selbst (vgl. 19,11) bzw. das siegreich bis zu den Enden der Erde vordringende Evangelium (vgl. Mk. 13,10) sehen wollen, was jedoch unter anderem an der strengen Parallelisierung dieses ersten Reiters mit den drei folgenden scheitert: Wie jene, so muß auch er eine Plage versinnbildlichen. Und zwar muß der erste Reiter auf Grund seiner Attribute als siegreicher Krieger identifiziert werden, der in seiner Gestalt Aggression und Eroberung verkörpert. Ein konkreter zeitgeschichtlicher Bezug auf die parthischen Reiterheere, die seit dem Jahr 62 n. Chr. die Ostgrenzen des römischen Imperiums in immer neuen Anstürmen überrannten, ist nicht auszuschließen (s. zu 16,12; 17,10–14), wenn auch das Bild über ihn hinausreichend zur allgemeinen Darstellung kriegerischer Eroberung wird.

Der zweite Reiter **(V. 3f.)** hat, wie die blutrote Farbe seines Pferdes und sein Schwert anzeigen, ebenfalls ein kriegerisches Geschäft, das sich jedoch von dem des ersten unterscheidet. Er steht nicht für von außen kommende kriegerische Eroberung, sondern für Kämpfe und Wirren, die die Bürger eines Gemeinwesens untereinander entzweien (vgl. Mk. 13,8). Bei dieser Vision des Bürgerkrieges mag Johannes konkret an das durch manche Anzeichen sich andeutende Ende der *Pax Augustea*, des vom Kaiser Augustus ausgerufenen, von den römischen Regierungsorganen geschützten inneren Friedenszustandes des Reiches gedacht haben. Möglich ist darüber hinaus, daß er diese inneren Wirren als Folge der durch den ersten Reiter versinnbildlichten Aggression von außen verstanden wissen wollte.

Der dritte Reiter, dessen Pferd von schwarzer Farbe ist **(V. 5f.)**, bringt Teuerung und Hungersnot über die Erde. In seiner Hand hält er eine Waage als Zeichen für die Knappheit von Nahrungsmitteln. Eine geheimnisvolle Stimme erschallt, die ihren Ursprung «inmitten der vier Wesen» hat, an dem Ort also, wo das Lamm steht (5,6). Sie ist die Stimme des erhöhten Jesus, der das mit dem Reiter verbundene Geschehen in Gang setzt, zugleich aber hinsichtlich seiner verhängnisvollen Wirkung eingrenzt. Ein Maß (ca. ein Liter) Weizen oder drei Maß Gerste sollen einen Denar kosten, also den gesamten Tagelohn eines ungelernten Arbeiters (Mt. 20,2), das ist etwa das Zehnfache des damaligen Durchschnittspreises. Allerdings soll die Teuerungs- und Hungerkatastrophe keine totale sein, denn dem Reiter wird durch die himmlische Befehlsstimme verwehrt, auch Öl und Wein zu verknappen. Ohne Zweifel liegt hier ein zeitgeschichtlicher Bezug vor. Im damaligen Kleinasien wurden zwar Öl und Wein reichlich produziert, für die Getreideversorgung war man jedoch auf Importe angewiesen, vor allem aus dem Gebiet des heutigen Südrußland. Im Falle von Krieg und inneren Unruhen, die die Importwege abschnitten, war also zu allererst eine Verknappung von Getreide zu befürchten, die sich, weil sie das Grundnahrungsmittel der ärmeren Bevölkerungsschichten betraf, besonders verhängnisvoll auswirken mußte.

Der vierte Reiter, der auf einem fahlen Pferd sitzt **(V. 7f.)**, ist die Verkörperung des Todes. Er hat einen Begleiter, der ihm unmittelbar auf den Fersen folgt, nämlich den Hades, die Verkörperung der Unterwelt. Hades ist hier, in Anlehnung an die griechische Vorstellung vom Unterweltsgott (vgl. 1,18), als dämonische Gestalt vorgestellt, die das Werk des Todes vollendet, indem sie dessen Opfer in ihr Reich sammelt, um sie erst wieder beim Endgericht herauszugeben (vgl. 20,13f.). Gedacht ist hier speziell an den Tod durch Pest und Seuchen, wie er sich als Folge von Eroberungskrieg, inneren Wirren und Hungersnot einzustellen pflegte. Wenn in der abschließenden Zusammenfassung der Faktoren des Unheilsgeschehens noch wilde Tiere genannt werden, so ist dies wohl eine Anspielung auf Ez. 14,21, wo als die vier schlimmsten Gottesstrafen «Schwert, Hunger, wilde Tiere und Pest» genannt werden. Zu denken ist dabei konkret an die Tiere, die über die Leichen der Opfer der Katastrophen herfallen. Allerdings wird wieder (vgl. V. 6) die Eingrenzung dieser Katastrophen betont: Nur ein Viertel der Menschheit ist den Reitern zur Vernichtung freigegeben.

Mit den vier Reitern ist eine Ereignisfolge dargestellt, in der sich damalige (und nicht nur damalige!) Erfahrung ganz realistisch widerspiegelt. Sie gibt eine Zusammenschau der Folgen des die Geschichte beherrschenden, durch menschliches Handeln ausgelösten Unheils aus der Perspektive derer, die immer die Opfer sind, der kleinen, wehrlosen Leute. Wenn hier nun diese Unheilsabfolge in Zusammenhang gebracht wird mit dem endzeitlichen Herrschaftsantritt Jesu Christi, so soll damit gesagt sein: Die Weltgeschichte mit ihrem von Menschen in Gang gesetzten brutalen und unmenschlichen Mechanismus ist gerade nicht Bestätigung dafür, daß Gott abgedankt hätte, sondern sie untersteht in ihrer scheinbaren Widersprüchlichkeit dem Willen Gottes, der sie um Jesu willen einem heilvollen Ende entgegenzuführen verheißen hat. So dient das Unheilsgeschehen der Gegenwart dazu, den sichtbaren Herrschaftsantritt Jesu Christi über die Welt Gottes vorzubereiten.

6,9–11   b. Das fünfte Siegel

9 Und als es das fünfte Siegel öffnete, da sah ich am Fuße des Altars die Seelen derer, die geschlachtet worden waren um des Wortes Gottes und des Zeugnisses willen, das sie hatten. 10 Und sie riefen mit lauter Stimme: Wie lange, Herr, du Heiliger und Wahrhaftiger, richtest und rächst du nicht unser Blut an den Bewohnern der Erde? 11 Und es wurde jedem von ihnen ein weißes Gewand gegeben, und es wurde ihnen gesagt, daß sie noch kurze Zeit ruhen sollten, bis die Zahl ihrer Mitknechte und ihrer Brüder, die gleich ihnen getötet werden müßten, voll sei.

Auf den ersten Blick mag es so scheinen, als werde mit der Öffnung des fünften Siegels die Reihe der sich auf Erden ereignenden endzeitlichen Drangsale und Katastrophen durch eine himmlische Szene unterbrochen. In Wirklichkeit wird hier jedoch das vorgegebene Traditionsschema der endzeitlichen Drangsale weitergeführt, in dem auf Krieg und Seuchen die Verfolgung der Zeugen Jesu folgt (Mk. 13,9–13). Das Thema der Verfolgung wird auch hier aufgenommen, allerdings in doppelter Steigerung und Vertiefung gegenüber Mk. 13: 1. Jede Andeutung einer möglichen Bewahrung in der Verfolgung (Mk. 13,11) unterbleibt. Im Gegenteil: Der Verlust des Lebens erscheint hier geradezu als die unausweichliche Folge des Zeugnisses für Jesus. Ja, viele in der Gemeinde müssen noch damit rechnen, daß auch sie, wie schon so viele vor ihnen, ihr Leben verlieren werden. – 2. Was die Verfolgung so schwer erträglich macht, ist nicht das Sterbenmüssen, sondern die Frage nach Gott und seiner Heilsdurchsetzung. Die Anfechtung der bedrängten Märtyrerkirche ist die, daß Gott nicht einzugreifen, seine verheißene endzeitliche Herrschaft nicht zu realisieren scheint.

V. 9: Der Seher schaut den himmlischen Brandopferaltar, an dessen Fuß sich die Seelen der Blutzeugen versammelt finden. Nach jüdisch-apokalyptischer

Vorstellung, die auf die Tempelvision des Ezechiel zurückgeht (Ez. 40,1–44,3) gibt es im Himmel einen Tempel (vgl. 7,15; 11,19; 14,15), der das Urbild des irdischen Tempels ist. Zu seinem Inventar gehört, wie bei jenem, ein Brandopferaltar und ein Rauchopferaltar (8,3). Und wie sich unterhalb des Brandopferaltars des irdischen Heiligtums das auf ihm versprengte Blut der Opfertiere sammelt, so finden sich die «Seelen» derer, die ihr Leben geopfert haben, am Fuße des himmlischen Altars, also in unmittelbarer Nähe Gottes. Nach gemeinsemitischer Vorstellung war der Sitz der Seele bzw. des Lebens im Blut (3. Mose 17,11.14; 5. Mose 12,23–27). Hier liegt die Voraussetzung des Vergleichs des Sterbens der Märtyrer mit dem Geschlachtetwerden der Opfertiere. Jeder, der sich für das Wort Gottes und das Zeugnis Jesu (vgl. 1,9) einsetzt, muß damit rechnen, daß der feindselige Widerstand, den er damit herausfordert, ihn das Leben kosten und daß er nicht anders als Jesus, dem er nachfolgt, als Opfer geschlachtet werden wird (vgl. 18,24). Konkret scheint hier an die Opfer der durch den Kaiser Nero um 64 veranlaßten Christenpogrome in Rom gedacht zu sein. Betont so die Apk. die Entsprechung zwischen dem Geschick Jesu und dem seiner Zeugen, so läßt sie zugleich auch eine nicht unwichtige Differenz erkennen: Die Märtyrer sind «geschlachtet», d. h. sie sind tot, vorhanden sind nur noch ihre «Seelen», d. h. sie sind in einem Zwischenzustand, der ein uneigentliches Leben darstellt, und warten auf die von Gott zugesagte neue Leiblichkeit bei der Auferstehung. Vom «Lamm» hingegen heißt es, es sei «wie geschlachtet» (5,6); Jesus bleibt zwar für immer als der für die Seinen Gestorbene zu erkennen, er trägt die Todeswunde als unaufgebbares Wesensmerkmal, aber er ist nicht tot, sondern aufgrund seines Opfers zum lebendigen Herrn eingesetzt. **V. 10:** Obwohl die Märtyrer einen gegenüber allen anderen Toten (vgl. 20,13) bevorzugten Ort in der Nähe Gottes haben, erweisen sie sich als mit der gegenwärtigen Situation zutiefst unzufrieden. Mit lautem Ruf fordern sie von Gott, daß er ihnen endlich Recht schaffen und sie an ihren Mördern rächen solle. Diese Forderung nach Rache ist von den Auslegern immer wieder als unterchristlich empfunden worden: Steht sie nicht in krassem Widerspruch zu der Botschaft Jesu von Versöhnung, Feindesliebe und grenzenloser Vergebung (Mt. 5,44f.; 6,12; 18,21f.)? In der Tat finden sich zu ihr bis in die Einzelheiten der Formulierung reichende Parallelen in jüdischen Apokalypsen. So fragen in 4. Esr. 4,35f. «die Seelen der Gerechten in ihren Kammern»: «Wie lange sollen wir noch hier bleiben? Wann erscheint endlich die Frucht auf der Tenne unseres Lohnes?», und sie erhalten von einem Engel die Antwort: «Wenn die Zahl von Euresgleichen voll ist!» (vgl. ferner äth. Hen. 47; 97,3–5; 99,3.16; 104,3). Nun wird man, ehe man vorschnell theologische Kritik übt, zu bedenken haben, daß Jesus zwar seinen Jüngern den Verzicht auf eigenmächtige Selbstdurchsetzung andern Menschen gegenüber geboten hat, sie aber zugleich auf die endzeitliche Selbstdurchsetzung Gottes gegenüber seiner Welt harren lehrte (Lk. 18,6–8). Nur um jene aber geht es hier. Die Märtyrer, die ihr Leben um der Sache Gottes willen hingegeben haben, bitten darum, daß Gott endlich diese seine Sache der Welt gegenüber durchsetzen möge. Das Recht, das sie fordern, ist letztlich Gottes eigenes Recht (vgl. 16,5f.; 18,20; 20,4). Alles hängt für sie daran, ob Gott imstande ist, seinen Geschichtsplan zu vollziehen und die im Himmel bereits proklamierte

Herrschaft Jesu Christi (5,9f.) auch auf Erden manifest werden zu lassen. Die Antwort, die den Gemordeten in **V. 11** zuteil wird, verweist sie auf die zeitliche Nähe der Verwirklichung des Geschichtsplans Gottes: Nur noch eine kurze Zeitspanne wird den Feinden Gottes und seiner Gemeinde gelassen (12,12), dann wird er sie richten (18,20) und seinen Zeugen ihr Recht verschaffen (20,4). Bis dahin aber gilt es, geduldig zu warten und sich darauf einzustellen, daß die Leiden der Gemeinde noch keineswegs ihren Höhepunkt erreicht haben. Gott wird es zulassen, daß die Zahl derer, die ihr Leben hingeben müssen, noch weiter wächst. Zugleich erhalten die gemordeten Zeugen ein sichtbares Zeichen dafür, daß Gott sie nicht vergessen hat und daß er seine Zusage an sie wahrmachen wird: jeder von ihnen erhält ein weißes Gewand.

Exkurs: Das weiße Gewand

Das weiße Gewand ist hier sicherlich nicht Bild für die neue Auferstehungsleiblichkeit, mit der die Gerechten überkleidet werden (2. Kor. 5,1ff.). Auch die Gerechten und Märtyrer werden nach der Apk. erst bei der Parusie zu neuem Leben erweckt werden (20,4); die Vorstellung, daß diese bereits vorweg im Himmel die neue Leiblichkeit erhalten, ist ihr fremd. Vielmehr ist hier wie durchweg in der Apk. (3,4f.18; 4,4; 7,9.13; 19,14; 22,14) das weiße Gewand Symbol für das den Gläubigen aufgrund der Heilstat Christi geschenkte Heil und für ihre im Gehorsam zu bewahrende Gemeinschaft mit Gott. Beide Aspekte werden in unterschiedlichen Bildern zum Ausdruck gebracht, gehören aber doch sachlich eng zusammen. Weiß ist die Farbe der endzeitlichen Freude, aber auch der makellosen Reinheit. Die Überwinder erhalten das weiße Gewand als Geschenk Gottes (3,5), und ebenso empfängt die ganze Gemeinde, die «Braut des Lammes», ein strahlend weißes Hochzeitsgewand (19,14). Die weiße Farbe wird mit einem kühnen Bild darauf zurückgeführt, daß das Gewand im Blut des Lammes gewaschen ist (7,14); Jesus allein ist es also, der durch sein sühnendes Sterben dieses Geschenk des Heils ermöglicht hat. Freilich, die Größe dieser Gabe verpflichtet zu ihrer Bewahrung. Wer in seinem sittlichen Verhalten den Forderungen Gottes nicht entspricht und, vor allem, wer es am standhaften Gehorsam angesichts der Herausforderung durch die gottfeindliche Macht des Imperiums fehlen läßt, beschmutzt sein Gewand, ja läuft Gefahr, es zu verlieren und so vom wiederkommenden Herrn «nackt» vorgefunden zu werden (16,15). Dieser letzte Gedanke entspricht weitgehend dem matthäischen Gleichnis vom hochzeitlichen Festgewand (Mt. 22,11–14). Den Märtyrern in 6,11 wird demnach grundsätzlich nichts anderes gegeben, als das, was jeder Christusgläubige empfängt, nämlich Heil und Gemeinschaft mit Gott. Das für sie Spezifische ist, daß ihnen dieses weiße Gewand zum festen, unverlierbaren Besitz wird.

6,12–17   c. Das sechste Siegel

12 Und ich sah, als es das sechste Siegel öffnete, da geschah ein gewaltiges Beben, und die Sonne wurde schwarz wie ein härener Sack, und der ganze Mond

wurde wie Blut, 13 und die Sterne des Himmels fielen auf die Erde, wie ein Feigenbaum, von starkem Wind geschüttelt, seine Herbstfeigen abwirft, 14 und der Himmel entwich, wie wenn eine Buchrolle sich zusammenrollt, und alle Berge und Inseln wurden von ihrer Stelle gerückt. 15 Und die Könige der Erde und die Großen und die Befehlshaber und die Reichen und die Mächtigen und alle Knechte und Freien verbargen sich in den Höhlen und in den Felsen der Berge. 16 Und sie sprechen zu den Bergen und den Felsen: Fallt auf uns und verbergt uns vor dem Angesicht dessen, der auf dem Thron sitzt, und vor dem Zorn des Lammes, 17 denn der große Tag ihres Zorns ist gekommen, und wer kann da bestehen?

Auch bei der sechsten Siegelvision ist wiederum der Inhalt weitgehend durch die Tradition vorgegeben: Die Reihe der Endzeitdrangsale der synoptischen Apokalypse wird von kosmischen Katastrophen beschlossen, die unmittelbar die Erscheinung des Menschensohns vom Himmel her begleiten (Mk. 13,24–27). Die Darstellung dieser Katastrophen ist gegenüber dort noch gesteigert zum Bild des totalen Weltunterganges. Johannes benützt dabei Bilder und Motive apokalyptischer Sprache, die großenteils dem Alten Testament entnommen sind, vor allem greift er das Bild des großen und furchtbaren Tages Jahwes auf, an dem Gott sein endzeitliches Gericht über die Welt vollzieht (Jes. 2,12–21; vgl. 2. Thess. 1,10). Es läßt sich jedoch nicht übersehen, daß Johannes die Szene zugleich als Gegenstück zur fünften Siegelvision gestaltet hat. Sie gibt nämlich Antwort auf die Frage der Märtyrer nach der Selbstdurchsetzung Gottes gegenüber den ihm feindlichen Widerstand entgegensetzenden Erdbewohnern (V. 10), indem sie zeigt, daß das Endgericht kommt und wie bei seinem Kommen die Gottlosen vor Gottes Macht erschrecken. Die Szene will also unmittelbar bis an den Anbruch der Parusie heranführen, aber sie begnügt sich damit, deren kosmischen Rahmen nachzuzeichnen. Die zentrale Mitte des Bildes, das Kommen Jesu Christi, bleibt ausgespart – bis zum Schluß des zweiten Hauptteils (19,11–21).

Die Reihe der Katastrophen wird eingeleitet durch ein großes Beben, das Himmel und Erde umfaßt und das nach Jo. 2,10 (vgl. Am. 8,9; 9,5) zu den Begleiterscheinungen des furchtbaren Tages Jahwes gehört (V. 12). Es folgt die Verfinsterung der Lichtquellen Sonne und Mond (Jo. 3,3f.; Jes. 13,10; Ez. 32,8). Die Sonne wird dunkel, als hülle sie sich in ein Trauergewand (Jes. 50,3), während der Mond ein blutiges Rot, die Farbe des Unheils und Todes, annimmt (Jo. 3,4; Ass. Mos. 10,5). V. 13: Durch die Erschütterung des Himmelsgewölbes lösen sich die nach antiker Vorstellung an ihm als Lampen angebrachten Sterne, um – gleich durch einen Sturmwind vom Baum gerissenen Feigen – auf die Erde zu stürzen (Jes. 34,4). Es folgt die Auflösung des – als die Erde überspannendes Zeltdach vorgestellten – Himmelsgewölbes selbst (V. 14). Mit einem Jes. 34,4 entnommenen drastischen Bild wird dieser Vorgang, der den Zusammenbruch des Kosmos besiegelt, mit dem Zusammenrollen einer Buchrolle verglichen. Die Auflösung schreitet von oben nach unten fort, wenn die als Säulen das Himmelszelt tragenden Berge zusammenfallen und die Inseln sich von ihrer Verankerung im Meeresboden lösen. – Insgesamt geht aus der Art der Darstellung hervor, daß Johannes hier keine Prophetie der Einzelheiten des Weltunterganges geben, sondern im Anschluß an alttestamentliche Traditionen von der Epiphanie Gottes die Begleiterscheinungen der Parusie schildern möchte. Es geht hier um ein durch göttliches Eingreifen herbeigeführtes Ende, das überdies nicht nur die Erde, sondern den gesamten Kosmos betrifft. Der für uns heute angesichts der fast grenzenlosen Möglichkeiten menschlicher Technik und der Anhäufung eines gewaltigen atomaren Vernichtungspotentials naheliegende Versuch, den Abschnitt als Vorausdarstellung einer von Menschen gemachten Weltkatastrophe zu lesen, verbietet sich von daher als grobes Mißverständnis, das verkennt, daß es hier gerade um ein «menschlicher Entscheidung und Wirkkraft entzogenes Geschehen» (A. Vögtle) geht.

Der eigentliche Zielpunkt des Abschnitts ist die Reaktion der Menschen auf das Geschehen (V. 15). Angstvoll verbergen sie sich in den Höhlen und Klüften der Berge – selbstverständlich nicht, um sich vor äußeren, leiblichen Gefährdungen zu schützen, sondern um dem Zornesblick des Weltrichters zu entgehen (vgl. Jes. 2,10.19.21). Vertreter aller Gesellschaftsschichten stehen vor dem Richter gleich da; hier gibt es keine Unterschiede mehr zwischen Reichen und Armen, Mächtigen und Machtlosen. Sie alle bitten verzweifelt die Berge und Felsen, sie unter sich zu begraben (Hos. 10,8; vgl. Lk. 23,30), damit sie dem auf dem Thron Sitzenden und dem Lamm nicht begegnen müssen, doch vergebens: Keiner von ihnen kann sich dem Gericht entziehen (V. 16). Was ihnen bleibt, ist nur das Eingeständnis ihrer Schuld. Denn die abschließende bange Frage «wer kann da bestehen?» (V. 17), läßt bei denen, die sich Gott und seinem Anspruch verschlossen haben, nur eine Antwort zu: Keiner! (vgl. Jo. 2,11; Nah. 1,6; Mal. 3,2). Auffällig ist, daß hier nicht nur vom Zorn Gottes (vgl. 11,18; 14,8–10; 19,15 u. ö.), sondern auch vom «Zorn des Lammes» gesprochen wird. Das hängt zusammen mit der konsequenten Einbeziehung Jesu Christi in die Funktionen Gottes in der Apk. Wie Gott gleichzeitig Retter und Richter ist, so auch Jesus. Das Sterben Jesu ist in der Apk. zugleich verstanden als Offenbarung des schenkenden Heilswillens und des Gerichtszornes Gottes. – Eine besondere Pointe von V. 16f. liegt wohl auch darin, daß die Erdbewohner nun, indem sie ihre Schuld eingestehen, auch Gott und das Lamm als die wahren Herrscher über die Geschichte anerkennen müssen. Wo solche Abdankung des Menschen von seiner angemaßten Herrschaft über die Welt erzwungen wird, da ist der Raum frei für Gottes erneuernde Herrschaft über seine Welt.

7,1–17   d. Die Bewahrung der Gemeinde

1 Danach sah ich vier Engel stehen an den vier Ecken der Erde. Die hielten die vier Winde der Erde fest, damit kein Wind wehte, weder über das Land, noch über das Meer, noch über irgendeinen Baum. 2 Und ich sah einen anderen Engel heraufkommen von Sonnenaufgang her, der hatte das Siegel des lebendigen Gottes, und er rief mit lauter Stimme den vier Engeln zu, denen gegeben war, der Erde und dem Meer Schaden zuzufügen: 3 Tut weder der Erde, noch

dem Meer noch den Bäumen einen Schaden, bis wir die Knechte unseres Gottes auf ihren Stirnen versiegelt haben.

4 Und ich hörte die Zahl der Versiegelten, einhundertvierundvierzigtausend Versiegelte aus allen Stämmen der Söhne Israels:

5 Aus dem Stamm Juda zwölftausend Versiegelte,
aus dem Stamm Ruben zwölftausend,
aus dem Stamm Gad zwölftausend,

6 aus dem Stamm Asser zwölftausend,
aus dem Stamm Naphtali zwölftausend,
aus dem Stamm Manasse zwölftausend,

7 aus dem Stamm Simeon zwölftausend,
aus dem Stamm Levi zwölftausend,
aus dem Stamm Issaschar zwölftausend,

8 aus dem Stamm Sebulon zwölftausend,
aus dem Stamm Josef zwölftausend,
aus dem Stamm Benjamin zwölftausend Versiegelte.

9 Danach sah ich, und siehe, eine große Schar, die niemand zählen konnte, aus allen Völkern und Stämmen und Nationen und Sprachen, die standen vor dem Thron und vor dem Lamm. Bekleidet waren sie mit weißen Gewändern, und Palmen hatten sie in ihren Händen, 10 und sie rufen mit lauter Stimme:
      Die Rettung kommt von unserm Gott, der auf dem Thron sitzt,
      und dem Lamm!

11 Und alle Engel standen rings um den Thron und um die Ältesten und um die vier Wesen, und sie fielen vor dem Thron auf ihr Angesicht und beteten Gott an 12 und sprachen:
      Amen. Lob und Herrlichkeit und Weisheit
      und Dank und Ehre und Macht und Stärke
      sei unserem Gott in alle Ewigkeit. Amen.

13 Und einer der Ältesten nahm das Wort und sprach zu mir: Diese mit weißen Gewändern Bekleideten – wer sind sie und woher sind sie gekommen? 14 Und ich sprach zu ihm: Mein Herr, du weißt es! Und er sprach zu mir: Es sind die, die aus der großen Bedrängnis kommen und ihre Gewänder gewaschen haben und sie im Blut des Lammes weiß gemacht haben. 15 Deshalb stehen sie vor dem Thron Gottes und dienen ihm Tag und Nacht in seinem Tempel, und der auf dem Thron sitzt, wird über ihnen wohnen. 16 Sie werden nicht mehr hungern und dürsten, noch wird die Sonne auf sie fallen, noch irgendeine Glut, 17 denn das Lamm inmitten des Thrones wird sie weiden und sie zu den Quellen des Lebenswassers führen, und Gott wird alle Tränen von ihren Augen abwischen.

Die sechste Siegelvision hatte bis zum Zusammenbruch des Kosmos und dem Beginn des Gerichts geführt. Man könnte den Eindruck haben, daß damit der mit Kap. 4 begonnene erzählerische Zusammenhang zu seinem Ende gekommen sei. In der Tat ist nunmehr das Ziel, auf das in 5,6 verwiesen worden war, erreicht: Das Lamm hat den Geschichtsplan Gottes vollstreckt und seine Herrschaft über Welt und Menschheit sichtbar durchgesetzt, der Widerstand der Erdbewohner gegen Gott ist gebrochen. Aber noch ist eine entscheidende

Frage unbeantwortet, nämlich die nach dem Geschick der Menschen, die dem Lamm jetzt schon zugehören (5,10). Was wird aus der Heilsgemeinde in den Endzeitereignissen? Diese Frage findet in Kap. 7 ihre Antwort. Es mag auf den ersten Blick überraschen, daß Johannes sie nicht in der Form einer weiteren Siegelvision gegeben hat. Aber erstens ist zu bedenken, daß das Öffnen der Siegel ja Bild für den endzeitlichen Herrschaftsantritt Jesu Christi und das Inkraftsetzen des Geschichtsplanes Gottes auf das Ende hin ist. Die Kirche untersteht aber nach 5,10 bereits jetzt der Herrschaft des Lammes, in ihrer Existenz ist die zukünftige Königsherrschaft, auf deren sichtbare Aufrichtung Gottes Geschichtsplan zuläuft, bereits verborgen manifest, so daß das Geschehen der Siegelöffnung sie nicht direkt betrifft. Hinzu kommt zweitens, daß das in Kap. 7 Geschilderte nicht als zeitliche und sachliche Fortsetzung der mit den Siegelöffnungen verbundenen Vorgänge zu verstehen ist. Johannes will hier vielmehr ein *Kontrastbild* zu den sechs vorhergegangenen Siegelvisionen entwerfen, das den in ihnen ausgesparten, nur in 6,9–11 indirekt anklingenden Aspekt des Geschicks der Heilsgemeinde in den Endzeitereignissen nachträgt. Von daher braucht es auch nicht allzusehr zu überraschen, daß 7,1f. von dem unmittelbar vorhergegangenen Bericht über den Einsturz des Kosmos (6,12–14) völlig unberührt erscheint und den Bestand von Erde und Meer, ja sogar von Bäumen auf der Erde voraussetzt.

Hier liegt nämlich ein Neueinsatz vor, der sachlich parallel zu 6,1ff. ist. Kap. 7 ist als große Doppelszene gestaltet, deren beide Teile von zeitlich getrennten Vorgängen handeln, sachlich jedoch im Verhältnis von Grund und Folge einander zugeordnet sind. Die erste Teilszene (V. 1–8) handelt von einem gegenwärtigen Geschehen: Das endzeitliche Israel, die Heilsgemeinde, wird versiegelt und damit dem Eigentumsrecht Gottes unterstellt. Das ist nicht im Sinne äußerer Bewahrung und Verschonung vor Bedrängnis zu verstehen (vgl. 6,9–11). Es bedeutet jedoch die Zusage der Verschonung vor dem über die gottferne Menschheit hereinbrechenden Gericht Gottes. Die zweite Teilszene (V. 9–17) ist in einzelnen Motiven (V. 15a = 22,3; V. 15c = 21,3; V. 17 = 21,4) wie auch in ihrer Gesamtausrichtung mit der Abschlußvision von der Gottesstadt (21,1–22,5) eng verwandt. Sie blickt aus auf die zukünftige Vollendung des Gottesvolkes in der himmlischen Herrlichkeit: Die jetzt Versiegelten werden dereinst, von Not und Leid befreit, in der unmittelbaren Nähe und Gemeinschaft Gottes sein und in den ewigen Lobpreis der himmlischen Wesen einstimmen.

V. 1: Das neue Bild, das sich vor dem Blick des Sehers auftut, erinnert von seinem Motivbestand her stark an 6,1–8, ist inhaltlich jedoch dem dortigen gegenläufig. An den vier Ecken der nach antikem Weltbild quadratisch gedachten Erdoberfläche (Jes. 11,12; Ez. 7,2), stehen vier Engel, um die von dort ausgehenden vier Sturmwinde aufzuhalten. Diese Winde sind, wie schon nach alttestamentlicher Tradition, so auch hier Werkzeuge des endzeitlichen Vernichtungswerkes Gottes (Hos. 13,15; Dan. 7,2); in Sach. 6,5 erscheinen sie unter dem Bild von vier mit verschiedenfarbigen Pferden bespannten Streitwagen. Aber die vier Engel bewirken durch ihre Intervention eine Pause in diesem Vernichtungswerk: Auf der Erde kehrt Ruhe ein, die aufgewühlten Wo-

gen des Meeres glätten sich, ja sogar in den Bäumen, den gegen Wind emp-
findlichsten aller Geschöpfe, bewegt sich kein Blatt. Solche zeitweilige Zurückhaltung des Strafgerichts ist ein beliebtes Motiv in der Apokalyptik: So
wurden nach äth. Hen. 66 die Strafengel so lange zurückgehalten, bis Noah
seine Arche gebaut hatte, und nach syr. Bar. 6,4f. durften die Engel, die mit
Feuerfackeln an den vier Ecken Jerusalems standen, den Tempel so lange
nicht in Brand setzen, bis die heiligen Geräte geborgen waren. Wie in diesen
Parallelen, so wird auch hier die Vernichtung, die Zeichen des göttlichen Gerichtes ist, aufgeschoben, um Raum für den Vollzug einer besonderen göttlichen Anordnung zu schaffen. Worin diese besteht, sagt **V. 2**: Von Osten her,
aus der Richtung, aus der man im Judentum das Kommen Gottes (Ez. 43,2)
und des Messias (Sib. 3,652) erwartete, steigt ein weiterer Engel herauf auf die
Erdoberfläche. Er muß erst noch einen besonderen Auftrag ausführen, als
dessen Zeichen und zugleich Werkzeug er das Siegel Gottes trägt. Feierlich ge-
bietet er den die Winde aufhaltenden Engeln, erst dann dem Vernichtungswerk freien Lauf zu lassen, wenn er die Knechte Gottes, d. h. die Glieder der
Heilsgemeinde (vgl. 1,1), auf der Stirn versiegelt hat. **V. 3**: Was ist unter dieser
Versiegelung mit dem Siegel des lebendigen Gottes zu verstehen? Eindeutig
ist zunächst, daß es hier um das Aufprägen einer Eigentumsmarke geht, die
gleichermaßen Schutz- und Verpflichtungszeichen ist. Es war üblich, Tieren
und Sklaven ein Mal, das das Besitzverhältnis festlegte, einzubrennen. Eine
unmittelbare Sachparallele zu unserer Stelle bietet Ez. 9,4–6: Ezechiel schaut
in einer Vision, wie Gott einen Engel beauftragt, ein Zeichen denen in Jerusalem auf die Stirn zu drücken, die über die Greuel in der Stadt seufzen. Sie sollen verschont werden im kommenden Strafgericht. Das Zeichen, das dabei gemeint ist, ist der letzte Buchstabe des hebräischen Alphabets, das *taw*, das ar-
chaisch als liegendes oder stehendes Kreuz geschrieben wurde (X oder +) und
das somit dem griechischen Buchstaben X (*Chi*), mit dem der Christusname
beginnt, erscheinungsgleich ist. Wie Ezechiel meint auch Johannes eine escha-
tologische Versiegelung, die Rettung und Bewahrung im Gericht durch Unterstellung unter Gottes Eigentumsrecht bewirkt. Aber man wird noch ein Stück
weiter gehen können: Es scheint sicher, daß Johannes hier konkret von der
Taufe her denkt. Denn nach 14,1 ist das Siegelzeichen, das die 144 000 auf der
Stirn tragen, der Name des Lammes und «der Name seines Vaters». Die Unterstellung unter die Macht des Namens Jesu geschieht aber nach urchristli-
chem Verständnis in der Taufe (1. Kor. 1,13.15; Apg. 8,16; Mt. 28,19). Im übrigen ist bereits bei Paulus «Siegel» *(sfragis)* Terminus für die Taufe (2. Kor.
1,22; vgl. Eph. 1,13; 4,30). Dahingestellt muß allerdings bleiben, ob Johannes
bereits konkret den später bezeugten liturgischen Brauch einer Salbung in
Kreuzform an Stirn und Brust voraussetzt. In 13,16 wird von einer satanischen
Imitation des Eigentumszeichens die Rede sein, die das «Tier» seinen Anhän-
gern auf Stirn und Hand prägt. Bezeichnenderweise vermeidet Johannes dort
jedoch das Wort «Siegel» *(sfragis)* – ein Hinweis darauf, daß es für ihn nicht
nur Bild, sondern fester kirchlicher Terminus war.
Wohl durch einen Engel erfährt Johannes das Ergebnis der Versiegelung
(V. 4). Die Zahl 144 000 ist natürlich symbolisch zu verstehen. Es ist die Quadratzahl des heiligen Zwölfstämmevolkes Israel, multipliziert mit 1 000, der

Zahl der unüberschaubar großen Menge. Sie soll andeuten, daß es sich hier um die Vollendung des Gottesvolkes in seiner endzeitlichen Fülle handelt. Bereits für Jesus hatte die Zwölfzahl als Zahl des Gottesvolkes eine besondere symbolische Bedeutung: Mit der Konstituierung des ihn umgebenden Zwölferkreises (Mk. 3,14) stellte er zeichenhaft seinen Anspruch auf die Wiederherstellung ganz Israels in der Endzeit dar (vgl. Mt. 19,28). Ähnlich will Johannes mittels dieser aus der Zwölf abgeleiteten Symbolzahl die Kirche als das endzeitliche Heilsvolk kennzeichnen, das Israels Erbe angetreten hat. An eine Wiederherstellung Israels als Volk denkt er ebensowenig wie an eine besondere Sammlung der aus Israel stammenden Christen. Es ist für ihn vielmehr selbstverständliche Voraussetzung seiner Auffassung von «Kirche», daß die Christen nunmehr in jeder Hinsicht in die Rechte Israels eingetreten sind (s. zu 2,9; 3,9). In ihnen findet darum auch die heilige Ordnung des Zwölfstämmevolkes ihre endzeitliche Erfüllung. Wenn die nun folgende Aufzählung der Stämme (V. 5–8) Differenzen zu den alttestamentlichen Listen der Jakobssöhne (z. B. 1. Mose 35,22–26; 4. Mose 13,4–15; Ez. 48) aufweist, so beruhen diese wohl nicht auf Irrtümern, sondern auf dogmatisch überlegten Korrekturen. So rückt Juda an die erste Stelle als der königliche Stamm, aus dem der Messias kommen sollte (5,5). Es fehlt der Stamm Dan, offenbar weil er nach jüdischer Überlieferung als abgefallen und vom Satan beherrscht galt (1. Kön. 12,29f.; Ri. 18; Jer. 8,16; Test. Dan 5,4ff.). Die Auslegung der Kirchenväter nimmt diese Linie auf: Nach Hippolyt kam Judas Ischarioth aus dem Stamme Dan (frag. in Gen. 30f.), und nach Irenäus geht der Antichrist aus Dan hervor (adv. haer. 5,30,2). An die Stelle Dans tritt in der Liste Manasse, einer der beiden Josefstämme.

Die Visionseinleitungsformel in V. 9 markiert einen Neueinsatz: Der Ort des nunmehr geschauten Geschehens ist nicht mehr die Erde, sondern wieder, wie in Kap. 4 und 5, der himmlische Thronsaal. Und doch ist die Vision unmittelbare Fortführung von V. 1–8, denn sie stellt die zukünftige Folge der Versiegelung des Gottesvolkes vor Augen. Die Zusage der Rettung und Bewahrung inmitten der Bedrängnisse der Gegenwart und deren Einlösung in der heilvollen Zukunft Gottes werden so unmittelbar einander gegenübergestellt. Ausgespart bleibt noch das, was die Gemeinde in der Zeit dazwischen erfahren wird an Bedrohung, Verfolgung, äußerer Niederlage und Herausforderung zur Bewährung des Glaubens. Ehe davon die Rede sein wird (12,1–19,10), wird ihr hier das tröstliche Bild der ihr geltenden Verheißung Gottes vor Augen geführt. Mit den gleichen Wendungen wie in 5,9 wird die vollendete Heilsgemeinde als Volk aus allen Völkern, Nationen und Sprachen gekennzeichnet. War es in V. 4–8 um die theologische Wesensbestimmung des Gottesvolkes als Israel der Endzeit gegangen, so geht es hier um die empirische Beschreibung der Herkunft der Christen. Ohne Zweifel handelt es sich hier wie dort um den selben Kreis von Menschen. Auch der Umstand, daß statt der Zahlangabe von V. 4 hier nur unbestimmt von einer unzählbar großen Schar die Rede ist, kann letztlich nicht dagegen ins Feld geführt werden, denn es handelte sich bei der Zahl 144 000 um eine Symbolzahl, in der das Moment unüberschaubarer Größe bereits mitschwang. – Die Vollendeten stehen unmittelbar vor dem Thron Gottes und des Lammes, nichts trennt sie mehr von denen, denen sie zugehören (vgl. 21,7.22). Als äußere Zeichen des empfangenen Heils tragen sie weiße Gewänder (s. zu 6,11), und die Palmzweige in ihren Händen sind Symbol der Freude über den errungenen Sieg (1. Makk. 13,51; 2. Makk. 10,7). Das Lied, das sie anstimmen (V. 10), ist ein Siegesruf. Es nimmt fast wörtlich eine alttestamentliche Formel auf, in der die gottesdienstliche Gemeinde ihrer Zuversicht Ausdruck gab, daß Gott der einzige Helfer und Retter sei (Ps. 3,9; 38,23; 42,12; 43,5; Jon. 2,10). Sie ist hier erweitert durch den Zusatz «und dem Lamm», um dem Anteil Jesu Christi am endzeitlichen Heilswerk Rechnung zu tragen. Mit diesem Ruf proklamiert die erlöste Schar den Sieg, den Gott und Jesus Christus erkämpft haben und durch den ihnen Rettung zuteil wurde. V. 11: Die den Gottesthron umgebenden verschiedenen Gruppen von Engelwesen (vgl. 5,6) – es sind, von außen nach innen fortschreitend, die Engel, die Ältesten und die den Thron bewachenden vier Wesen – antworten der Siegesproklamation mit ihrem Lobpreis, der von Gesten der Huldigung begleitet wird (vgl. 4,10). Dabei ist das dem kurzen Loblied (V. 12) vorangestellte Amen als unmittelbare Responsion auf V. 10 zu verstehen. Ähnlich pflegte im frühchristlichen Gottesdienst die Gemeinde auf das Gebet eines Vorbeters mit Amen zu antworten. Der Lobpreis selbst besteht aus einer Aneinanderreihung von sieben Prädikationen, die durchweg bereits in 5,12 und 5,13b enthalten waren. Vielleicht ist die Siebenzahl ein Hinweis darauf, daß die Kette der Gottes Macht und Größe preisenden Aussagen ohne Ende fortgesetzt werden könnte. Auffällig ist, daß hier als Empfänger des Lobpreises nur Gott und nicht auch das Lamm genannt ist. Nicht ausgeschlossen ist, daß Johannes damit andeuten wollte, daß sich nunmehr der Kreis zur Anfangsszene 4,1–11 schließt und daß am Ende allen Geschehens wie an seinem Anfang allein das Lob Gottes steht (vgl. 1. Kor. 15,28). Die Ewigkeitsformel mit dem ihr zugeordneten Amen (s. zu 1,6) bildet den Beschluß.

Das besondere Gewicht der Vision wird dadurch unterstrichen, daß ihr eine Deutung angefügt wird (V. 13). Nur noch eine weitere Szene der Apk. erhält eine solche Deutung: die Erscheinung der Hure Babylon (17,7–18). Einer der Ältesten – derselbe, der dem Seher bereits den Sieg und die Erhöhung Jesu ankündigte (5,5)? – richtet eine Frage an ihn. Es ist gewissermaßen eine didaktische Frage, die dem Angesprochenen sein noch nicht zureichendes Wissen zu Bewußtsein bringt und ihn so auf die besondere Bedeutung des beobachteten Vorgangs hinweist. Vielleicht hat die Szene Ez. 37,3f. als Modell gedient, in der Gott den Propheten auf das Feld mit Totengebeinen führt und ihn fragt: «Du, Menschensohn, meinst du, daß diese Gebeine wieder lebendig werden?» – worauf der Gefragte ebenfalls antwortet: «Herr, du weißt es» (vgl. auch Sach. 4,2.5). Wenn der Älteste in V. 14 die von ihm selbst gestellte Frage nach dem Wer und Woher der Erretteten beantwortet, so rückt er damit die Gegenwartssituation der Gemeinde in die Perspektive der zukünftigen Heilsvollendung. Diese Situation ist gekennzeichnet durch große «Bedrängnis» (vgl. 3,10), d. h. durch Bedrohungen derer, die Gott zugehören, an Leib und Leben, aber auch durch Gefährdungen ihres Gehorsams. Nur darum kann die Gemeinde in diesen Bedrohungen standhalten, weil sie bereits jetzt das Geschenk des Heils und die Zusage der Gemeinschaft mit Gott erhalten hat. Sie ist von den Sünden befreit durch die Lebenshingabe Jesu Christi (1,5). Nichts anderes soll das kühne Bild von den gewaschenen und im Blut des Lammes weißgebleichten Gewändern aussagen, das wahrscheinlich auf Taufterminologie anspielt. Denn das Taufgeschehen wird häufig im Neuen Testament als Reinigung durch das Blut Jesu beschrieben (1. Petr. 1,2; Hebr. 9,14; 1. Joh. 1,7; vgl. Eph. 5,26; Joh. 15,3). In **V. 15** geht die Erklärung des Ältesten über die anfängliche Frage hinaus, um – nun wieder aus der Perspektive der Erfüllungssituation – die der Gemeinde gegebene Verheißung zu entfalten. Volle, uneingeschränkte Gemeinschaft mit Gott wird denen, die in den Bedrängnissen standhaft geblieben sind, zuteil werden. Sie werden zusammen mit den himmlischen Engelwesen vor seinem Thron stehen und an seiner ewigen Anbetung teilhaben. Wie Gott einst in der Wüstenzeit Israels inmitten seines Volkes zeltete, so wird er auch in der Endzeit inmitten der Vollendeten sein (vgl. Joh. 1,14). Solche Gegenwart Gottes wird bedeuten, daß alle Qual und alle Gefährdung ein Ende haben **(V. 16)**. Deutlich klingen hier Töne alttestamentlicher Endzeitprophetie an (Jes. 49,10), wenn gesagt wird, daß weder Hunger und Durst, jene Mangelerscheinungen, die irdische Existenz stets begleiten, noch Sonne und Glutwind, die für die Bedrohungen durch die Natur stehen, den Vollendeten etwas anhaben können. Aber Abwesenheit von Mangel und Bedrohung ist nicht das Letzte, was über das Sein in der Vollendung gesagt werden kann **(V. 17)**. Es wird vielmehr positiv bestimmt sein durch das Leiten und Führen dessen, den seine Gemeinde jetzt schon als den guten Hirten kennt (vgl. 1. Petr. 2,25; 5,4; Mt. 9,36). Jesus Christus selbst wird sie zu jenen Quellen führen, aus denen sie unzerstörbares Leben – dargestellt im Bild des lebensspendenden Wassers – empfangen (vgl. 21,1f.; Joh. 4,10–15). In der Gemeinschaft mit ihm wird auch die alttestamentliche Verheißung, die für die Heilszeit das Ende allen Schmerzes und aller Trauer zusagt (Jes. 25,8), ihre Erfüllung finden (vgl. 21,4).

8,1   e. Das siebte Siegel

1 Und als es das siebte Siegel öffnete, trat im Himmel Stille ein, etwa eine halbe Stunde lang.

Endlich erfolgt die Öffnung des letzten Siegels. Der Leser erwartet ein alles Bisherige abschließend überbietendes Geschehen – er erfährt stattdessen nur von einem halbstündigen Schweigen im Himmel. Was hat es zu bedeuten? Viele, nicht nur ältere, Ausleger wollen es als Spiegelung der subjektiven Empfindung des Sehers verstehen, der hier seinen «ekstatischen Starrkrampf» schildere (W. Bousset): Johannes habe eine lähmende, als «unsagbar drückend» empfundene (E. Lohse) Stille erlebt, ehe die Visionen mit der folgenden Posaunenreihe ihren Fortgang nahmen. Aber der Text spricht nicht von einer subjektiven Empfindung des Sehers, sondern von einem objektiven Ereignis im Himmel, und alles deutet darauf hin, daß dieses, analog den von den übrigen Siegelöffnungen ausgelösten Ereignissen, als Teil des endzeitlichen Geschichtsplans Gottes verstanden werden muß. Was aber steht von diesem

Geschichtsplan jetzt noch aus? Die den Endzeitkatastrophen folgende Epiphanie des Weltrichters war in 6,15–17 schon indirekt angedeutet, und die Errettung der Erwählten war in 7,9–17 ebenfalls bereits in visionärer Schau umschrieben. Was noch aussteht, ist das Hervorgehen einer neuen Schöpfung (vgl. 21,1–22,5). Und in der Tat scheint das Schweigen im Himmel ein Hinweis auf das endzeitliche Neuschöpfungswerk Gottes zu sein. Nach jüdischer Überlieferung herrschte vor dem Beginn des ersten Schöpfungswerkes totales Schweigen: «Damals war nur schwebender Geist, Finsternis ringsumher und Schweigen» (4. Esr. 6,39). Für die Endzeit hat man die überbietende Wiederkehr der Urzeitereignisse zu erwarten (vgl. 2,7; 21,1; 22,2); darum wird der Neuschöpfung wiederum ein gewaltiges Schweigen vorhergehen: «Dann wird sich die Welt zum Schweigen der Urzeit wandeln» (4. Esr. 7,30). Eine befriedigende Erklärung der «halben Stunde» ist der Forschung bislang freilich noch nicht gelungen. Die «Stunde» ist für die Apk. entweder symbolische Bezeichnung heilsgeschichtlich besonders markanter Ereignisse (z. B. 3,10; 9,15; 14,7.15) oder Umschreibung für die Kürze einer Frist (17,12). Wenn Johannes die Hälfte einer symbolischen Zahleinheit einführt («3½» als Hälfte von 7: 11,9.11 [vgl. Exkurs zu 11,2]; «anderthalb Zeiten»: 12,14), so signalisiert er damit eine Situation der Krise und des Übergangs. Analog mag die Erwähnung der «halben Stunde» andeuten, daß es sich hier zwar um eine nach Gottes Plan besonders hervorgehobene Zeitspanne handelt, die aber nicht Ende, sondern Übergang ist, indem sie über sich hinaus auf etwas Neues, Abschließendes verweist. Unmittelbar vor der Schwelle dieses Neuen, auf das Gottes Heilsplan abschließend zielt, hält die Visionenreihe inne. Erst im Schlußteil des Buches (21,1–22,5) wird sie überschritten werden. Bis dahin müssen noch weitere Visionenreihen folgen, die das auf Welt und Kirche zukommende Endgeschehen unter immer wieder neuen Gesichtspunkten entfalten.

8,2–11,19   3. Die Sieben-Posaunen-Visionen

Die nun einsetzende Reihe der Sieben-Posaunen-Visionen ist relativ übersichtlich in ihrem Aufbau. Am Anfang steht ein Vorspiel im Himmel, das das thematische Vorzeichen für das Folgende setzt (8,2–6): Die Plagen sollen verstanden werden als Machterweise Gottes gegenüber der ungläubigen Menschheit, mit denen er dem Gebet seiner irdischen Gemeinde antwortet. Die ersten vier Posaunenvisionen (8,7–12) bieten sich, gleich den ersten vier Siegelvisionen (6,1–8), aufgrund ihrer Knappheit und der weitgehenden Parallelität ihres Aufbaus als geschlossener Block dar. Weitaus ausführlicher sind die fünfte (9,1–12) und sechste (9,13–21) Vision gehalten. Ähnlich wie vor der siebten Siegelvision, gibt es auch vor der letzten Posaunenvision eine längere Unterbrechung, die verursacht ist durch den Einschub von zwei Zwischenstücken (10,1–11 und 11,1–14), die wohl als die merkwürdigsten und rätselhaftesten Teile des ganzen Buches gelten müssen. Die drei letzten Posaunenvisionen werden durch eine zusätzliche (allerdings nicht konsequent durchgeführte) Zählung als die «drei Wehe» (8,13; 9,12) besonders hervorgehoben.

Exkurs: Die sieben Posaunen und die sieben Schalen

Aufschlußreich ist der *Vergleich zwischen der Sieben-Posaunen-Reihe und der Sieben-Schalen-Reihe* (15,1–16,21), der zahlreiche enge Entsprechungen ergibt. Eine schematische Gegenüberstellung beider Reihen hinsichtlich des *Inhalts* (a), des *Wirkbereiches* (b) und der *Auswirkungen* (c) der einzelnen Plagen soll das veranschaulichen.

Posaunen-Zyklus	Schalen-Zyklus
1. (a) Hagel (= 7. ägypt. Plage, 2. Mose 9,26) und Feuer, mit Blut vermischt	1. (a) böse Geschwüre (= 6. ägypt. Plage 2. Mose 9,10f.)
(b) Erde	(b) Erde
(c) ein Drittel der Vegetation verbrennt	(c) Menschen, die das Zeichen des Tieres tragen und sein Bild anbeten, werden getroffen
2. (a) Wasser wird zu Blut (= 1. ägypt. Plage, 2. Mose 7,20f.)	2. (a) Wasser wird zu Blut (= 1. ägypt. Plage, 2. Mose 7,20f.)
(b) Meer	(b) Meer
(c) ein Drittel der Meerestiere und der Schiffe gehen zugrunde	(c) alle Meerestiere kommen um
3. (a) Wasser wird zu Wermut	3. (a) Wasser wird zu Blut (= 2. Mose 7,20f.)
(b) Flüsse und Quellen	(b) Flüsse, Gewässer und Quellen
(c) viele Menschen sterben	(c) die «das Blut der Heiligen und Propheten vergossen haben» werden mit Blut getränkt
4. (a) Sonne, Mond und Sterne verfinstern sich (= 9. ägypt. Plage, 2. Mose 10,22)	4. (a) die Sonne versengt die Menschen
(b) Himmel	(b) Himmel
(c) Tag und Nacht verlieren zu einem Drittel das Licht	(c) die Menschen, die Gott lästerten und die Umkehr verweigerten, verbrennen
5. (a) Sterne fallen auf die Erde, die Unterwelt öffnet sich, giftiger Rauch steigt auf, aus dem Heuschrecken hervorkommen (= 8. ägypt. Plage, 2. Mose 10,13)	5. (a) Finsternis (= 9. ägypt. Plage, 2. Mose 10,22)

(b) Unterwelt

(c) Menschen, die das Siegel Gottes nicht tragen, werden gequält

6. (a) vier Engel werden losgelassen – Reiterheere branden heran

(b) am großen Fluß Euphrat

(c) ein Drittel der Menschen wird getötet – auch die übrigen kehren nicht um

7. (a) Blitze, Stimmen, Donner, Erdbeben, Hagel

(b) «Tempel Gottes im Himmel»

(c) der Ort Gottes wird sichtbar (= Epiphanie)

(b) der «Thron des Tieres»

(c) das «Reich des Tieres» wird verfinstert

6. (a) die Könige aus dem Osten kommen, unreine Geister «wie Frösche» (= 2. ägypt. Plage, 2. Mose 8,2) gehen aus dem Maul des Drachen usw. hervor

(b) am großen Fluß Euphrat

(c) Die Könige des Erdkreises werden zum Kampf des «großen Tages Gottes» gesammelt

7. (a) Blitze, Stimmen, Donner, Erdbeben, Hagel

(b) vom «Tempel Gottes im Himmel» geht eine gewaltige Stimme aus

(c) die Stadt Babylon wird in drei Teile geteilt, die Städte der Heiden stürzen ein.

Es ist deutlich, daß beide Reihen Variationen eines von der Tradition vorgegebenen Schemas sind. Und zwar ist die Übereinstimmung beider hinsichtlich der Bereiche, in denen sich die jeweiligen Erscheinungen abspielen bzw. von denen sie ausgehen (b), nahezu lückenlos. In der zugrundeliegenden Tradition dürfte die Reihung gelautet haben: Erde – Meer – Himmel – Unterwelt – Euphrat (= Osten). Den Beschluß bildete sodann die Öffnung des himmlischen Heiligtums, d. h. die Epiphanie Gottes zum Gericht. Lediglich die fünfte Schalenvision (16,10f.) scheint eigene Wege zu gehen, da sie nicht auf die Unterwelt, sondern auf den «Thron des Tieres» bezogen ist. Aber auch diese Differenz ist nur relativ, da für die Apk. das «Tier» der Unterwelt zugehört. Was die jeweiligen Inhalte (a) betrifft, so ist die Übereinstimmung beider Zyklen wesentlich geringer. Sie beschränkt sich auf die Glieder 2, 3, 6 und 7 der beiden Reihen. Ferner fällt auf, daß beide Reihen mehrfach Anspielungen auf die ägyptischen Plagen (2. Mose 7–10) enthalten, die aber nur in einem einzigen Fall (Glied 2) kongruent sind, während sie sonst jeweils ganz unterschiedlich gehalten sind. Das traditionelle Grundschema ist also keinesfalls von den ägyptischen Plagen her entwickelt, vielmehr wurden diese erst sekundär als interpretierende Zusätze eingebracht. Und zwar dürfte dies bereits im Rahmen der vorjohanneischen Entwicklung der Tradition geschehen sein. Es hat den Anschein, als habe Johannes das traditionelle Schema bereits in zwei verschiedenen Fassungen vorgelegen.

Was die Differenzen beider Zyklen hinsichtlich der Auswirkungen (c) betrifft, so wird man sie weniger auf Tradition, als auf die bewußte schriftstellerische Arbeit des Johannes zurückführen. So ist bei den Posaunenvisionen sein Anliegen deutlich, herauszustellen, daß die Plagen jeweils nur einen Teil (ein Drittel) des betroffenen Bereiches erreichen. Ja, die Plagen haben eigentlich nicht den Charakter des vernichtenden Strafgerichts, sondern des Zeichens, das zur Umkehr ruft, indem es Gottes Macht über Welt und Geschichte erweist (bes. 5c und 6c). Mit dieser Akzentsetzung wird ein Motiv aufgenommen, das bereits durch die Deutung der ägyptischen Plagen in 2. Mose 7,5; 9,16; 10,2 vorgegeben war: Gott erweist seine Macht, um so zu seiner Erkenntnis zu führen. Anders steht es mit den Auswirkungen der Schalenplagen: Johannes deutet sie als Vernichtungsgericht an den Widersachern Gottes, nämlich dem «Tier» und seiner Anhängerschaft.

8,2–6   a. Vorbereitung

2 Und ich sah die sieben Engel, die vor Gott stehen, und es wurden ihnen sieben Posaunen gegeben. 3 Und ein anderer Engel kam und trat an den Altar, der hatte eine goldene Räucherpfanne. Und ihm wurde viel Räucherwerk gegeben, damit er es für die Gebete aller Heiligen auf den goldenen Altar bringe, der vor dem Thron steht. 4 Und der Rauch des Räucherwerks stieg mit den Gebeten der Heiligen empor zu Gott. 5 Und der Engel nahm die Räucherpfanne und füllte sie mit Feuer des Altars und warf sie auf die Erde. Da geschahen Donner und Getöse und Blitze und Beben. 6 Und die sieben Engel, die die sieben Posaunen hatten, machten sich bereit, um zu blasen.

Die einleitende himmlische Szene gibt dem Leser den Deutungsschlüssel für das folgende Geschehen an die Hand, indem sie bereits in ihrem Aufbau zwei Aspekte eng miteinander verschränkt: V. 2 und V. 6 handeln von der Übergabe der Posaunen an die sieben Engel und von deren Vorbereitung auf das ihnen aufgetragene Werk. Die nun einsetzenden Ereignisse werden damit eindeutig auf Gottes Willen und Anordnung zurückgeführt. Und zwar gehören sie in den Rahmen jenes Endzeitgeschehens, in dem sich Gott gegenüber seinen Geschöpfen sichtbar durchsetzt und seine Herrschaft endgültig verwirklicht. Eingerahmt von dieser Vorbereitungshandlung ist die Szene V. 3–5, die von der Darbringung der Gebete der Gemeinde als Rauchopfer vor Gott und von Gottes Reaktion darauf handelt. Sie soll zeigen: Die Kirche auf Erden hat teil am Endzeitgeschehen. Alles hängt zwar allein an Gottes Willen und Tun, aber in diesem Tun antwortet Gott der Bitte seines Volkes um das Kommen seines Reiches.

V. 2: Wieder (vgl. 4,1ff.; 7,9ff.) schaut der Seher den himmlischen Thronsaal. Vor dem Thron Gottes stehen jene sieben Engel, die nach der Überlieferung des nachbiblischen Judentums Anführer der himmlischen Engelsheere und besonders hervorgehobene Vermittler von göttlichen Aufträgen waren. Einige dieser Angesichts- bzw. Erzengel werden in der Bibel namentlich genannt: Gabriel (Dan. 8,16; 9,21; Lk. 1,19.26), Raphael (Tob. 12,15) und Michael

(Dan. 10,13.21; 12,1; Jud. 9; Apk. 12,7); weitere Namen (Uriel, Jeremiel, Sariel, Raguel) kennt die außerbiblische Überlieferung (äth. Hen. 20,1–7; vgl. Bill. III, 805ff.). Die Apk. führt sie hier erstmals unter der Bezeichnung «Engel» ein, sie werden von ihr jedoch ohne Zweifel mit den 1,4 erwähnten sieben Geistern vor dem Thron Gottes identifiziert. Gott selbst, dessen Name hier, jüdischem Sprachgebrauch folgend, durch die unpersönliche Passivform umschrieben wird, übergibt jedem von ihnen eine Posaune. Der Schall der Posaune, eines schmalen, geraden, metallenen Blasinstruments, ist bereits im Alten Testament das Signal, das der Gotteserscheinung (2. Mose 19,16.19) bzw. dem endzeitlichen Tag Jahwes (Jo. 2,1; Zeph. 1,16) vorausgeht. Hier knüpften prophetisch-apokalyptische Traditionen des Urchristentums an, nach denen von Engeln gegebene Posaunensignale die endzeitlichen Ereignisse der Wiederkunft Christi, der Auferstehung der Toten und der Sammlung der Gläubigen einleiten werden (Mt. 24,31; 1. Thess. 4,16f.; 1. Kor. 15,52). Besonders aufschlußreich ist der von Paulus 1. Kor. 15,51f. zitierte Prophetenspruch: «alle werden verwandelt werden im Nu, in einem Augenblick, beim Schall der letzten Posaune». Er legt die Vermutung nahe, daß die christlich-apokalyptische Tradition bereits das Motiv einer Gliederung des Endgeschehens durch die Abfolge mehrerer Posaunensignale kannte, so daß Johannes hieran anknüpfen konnte. Bevor die Engel ihre Posaunen blasen, findet eine kultische Handlung statt **(V. 3)**. Sie wird ausgeführt durch einen weiteren Engel, der nicht zum Kreis der Angesichtsengel gehört. Er bleibt anonym – ganz als wollte Johannes auch hier sein Desinteresse an den für die ursprünglichen Leser seines Buches so wichtigen Engelspekulationen demonstrieren (s. zu 1,20). Wie in 6,9, so ist auch hier vorausgesetzt, daß im Himmel die Urbilder der kultischen Einrichtungen des Jerusalemer Tempels vorhanden sind. Mit dem Altar ist jedoch, anders als dort, nicht der Brandopferaltar, sondern der Rauchopferaltar gemeint, dessen Platz im Vorraum des Allerheiligsten war. An ihn tritt der Engel mit einer Räucherpfanne in der Hand heran, um mit der Glut das Gemisch aus wohlriechenden Essenzen zu entzünden. Der zum Thronsitz Gottes aufsteigende Rauch trägt die Gebete der Heiligen, d. h. der auf Erden befindlichen Gemeinde (s. zu 5,8) mit empor **(V. 4)**: Die erstmals Tob. 12,12 belegte Vorstellung vom Mittlerdienst der Engel, die die Gebete der Heiligen vor Gott bringen, ist hier aufgenommen. Vom Inhalt dieser Gebete erfahren wir nichts. Es ist keineswegs gesagt, daß man hier den Ruf der Märtyrer nach der Vergeltung Gottes aus 6,10 eintragen darf. Mehr spricht dafür, ganz allgemein an die Gebete der gottesdienstlichen Gemeinde zu denken. Alle in der Apk. angeführten Gebete mit der Ausnahme von 6,9f. sind nämlich Lobpreis Gottes und seiner Herrschaft! In ihrem gemeinsamen Beten unterstellen sich die Christen der Herrschaft Gottes; sie geben ihm als dem Schöpfer die Ehre, die ihm sonst auf Erden verweigert wird, und sie blicken mit ihrer Bitte um das Kommen Jesu als des Herrn (22,20) auf die endgültige, sichtbare Selbstdurchsetzung Gottes aus (vgl. Mt. 6,10; par. Lk. 11,2). Als bloßes menschliches Wort könnte dieses Gebet nichts bewirken und verändern. Und doch hat es verändernde Kraft, weil es sich in Gottes Willen zur Veränderung und Erneuerung hineingibt. In einem höchst dramatischen Bild zeichnet so **V. 5** die Wirkung des Gebetes der Christen, wenn er der aufstei-

genden Bewegung des Rauches eine von Gott ausgehende Bewegung korrespondieren läßt: Der Engel nimmt nunmehr von demselben Altar, an dem er
das die Gebete begleitende Rauchopfer entzündet hatte, feurige Glut, um sie
auf die Erde auszuschütten. Deutlich ist die Anspielung auf Ez. 10,2, wo ein
Engel den Befehl erhält, die glühenden Kohlen vom Rauchopferaltar zu nehmen und über das schuldig gewordene Jerusalem auszustreuen. Ausgießung
von Feuer ist Sinnbild für den Ausbruch des göttlichen Zorns (Mt. 3,10f.;
2. Thess. 1,7f.). Symbolisch wird in dieser Handlung des Engels das folgende
Geschehen zusammengefaßt und in seiner Gesamtrichtung gedeutet: Gott
schickt sich an, seine Macht zu erweisen, indem er seinen Zorn über die ungehorsame Menschheit sichtbar in Erscheinung treten läßt. Indem er dies tut,
antwortet er der Bitte seines Volkes um die endgültige Durchsetzung seiner
Herrschaft. **V. 6:** Unterdessen stehen die Angesichtsengel bereit, mit ihren
Trompetensignalen die bevorstehenden Erweise des Zornes Gottes manifest
werden zu lassen.

8,7–13   b. Die ersten vier Posaunen

**7 Und der erste (Engel) blies. Da kam Hagel und Feuer, mit Blut vermischt,
und wurde auf das Land geworfen. Und ein Drittel des Landes verbrannte,
und ein Drittel der Bäume verbrannte, und alles grüne Gras verbrannte.
8 Und der zweite Engel blies. Da wurde etwas wie ein großer, feurig brennen-
der Berg ins Meer geworfen. Und ein Drittel des Meeres wurde zu Blut, 9 und
ein Drittel der lebendigen Geschöpfe im Meer kam um, und ein Drittel der
Schiffe wurde vernichtet.
10 Und der dritte Engel blies. Da fiel ein großer Stern vom Himmel, der brann-
te wie eine Fackel, und er fiel auf ein Drittel der Flüsse und auf die Wasserquellen. 11 Und der Name des Sterns ist «Wermut». Und es wurde ein Drittel
der Wasser bitter, und viele Menschen starben von dem Wasser, weil es bitter
geworden war.
12 Und der vierte Engel blies. Da wurde ein Drittel der Sonne geschlagen, und
ein Drittel des Mondes und ein Drittel der Gestirne, so daß ein Drittel von ihnen verfinstert wurde und der Tag zu einem Drittel kein Licht mehr hatte, und
die Nacht ebenso.
13 Und ich sah, und ich hörte, wie ein Adler hoch am Himmel flog und mit lauter Stimme rief: Wehe, wehe, wehe den Bewohnern der Erde wegen der übrigen Posaunenstöße der drei Engel, die noch blasen werden!**

Die erste Vierergruppe der Posaunenvisionen ist im Aufbau weitgehend parallel. Es folgen jeweils aufeinander: Posaunensignal des Engels – Auslösung eines Verderben bringenden Geschehens vom Himmel her – Folgen auf der Erde und für die Menschen. Betont ist dabei besonders die Bewegung vom Himmel auf die Erde hin. Damit soll verdeutlicht werden, daß sich in jeder Einzel-
heit des Plagengeschehens das in der Zeichenhandlung des Engels (V. 5) vorgegebene Grundmuster wiederholt und entfaltet: Indem die schaurigen Erscheinungen vom Himmel auf die Erde geschleudert werden, erfüllt sich das,

was sich im Hinabwerfen des Feuers vom himmlischen Altar auf die Erde symbolisch vorweg angedeutet hatte.

Es ist wichtig zu sehen, daß die Inhalte der einzelnen Plagenschilderungen weitgehend durch die Tradition vorgeprägt sind, wobei – wie bereits gezeigt – insbesondere die ägyptischen Plagen als Vorbilder dienten. Sicher sind einzelne Details auch durch konkrete Katastrophenerfahrungen wie Vulkanausbrüche und durch Erlebnisse seltsamer, unerklärlicher Naturphänomene wie des unheimlichen roten Regens, wie er in den mittelmeerischen Gebieten zuweilen durch Einlagerung von Saharastaub entsteht, oder durch Sonnen- und Mondfinsternisse beeinflußt. Schwerlich hat Johannes jedoch direkte Bezüge zu einzelnen konkreten Naturkatastrophen seiner Zeit herstellen wollen. So ist die zweite Posaunenplage (V. 8) sicherlich nicht, wie zuweilen vermutet, eine Schilderung des großen Vesuvausbruchs von 79 n. Chr., sondern die Ankündigung einer kommenden kosmischen Katastrophe, die die gesamte Erdoberfläche betrifft, wobei allenfalls einzelne konkrete Motive durch Erzählungen von jenem die ganze damalige Welt erschütternden Vulkanausbruch beeinflußt sein könnten. Erkennt man die Absicht des Johannes, vom Himmel her kommende, durch Gottes Eingreifen ausgelöste Katastrophen anzukündigen, so verbieten sich erst recht alle von Einzelmomenten der Darstellung her sich möglicherweise aufdrängenden Assoziationen auf Bedrohungen unserer heutigen Welt, die durch menschlichen Mißbrauch der Schöpfung ausgelöst wurden, wie Napalmbomben (V. 7), Atomexplosionen (V. 8), saurer Regen und Gewässersterben durch Industrieabwässer (V. 10f.). Johannes will nicht solche Vorgänge in ihren Einzelheiten vorhersagen. Sehr wohl kann uns jedoch seine Darstellung die Augen dafür öffnen, daß solche Vorgänge, obwohl von Menschen gemacht und verschuldet, Zeichen des Gerichtes Gottes über unsere Welt und Rufe zur Umkehr sein können.

V. 7: Das erste Posaunensignal löst Unheil aus, das das fruchtbare Land betrifft. Die siebte ägyptische Plage – Hagel, in den Blitze schlugen, zerstörte die gesamte Vegetation – wird hier ins Kosmische erweitert, vermutlich unter dem Einfluß von Jo. 3,3f., wo Blut und Feuer als Zeichen der Endzeit angekündigt werden (vgl. Apg. 2,19). Das Feuer vernichtet ein Drittel aller Pflanzen auf der gesamten Erde. Dadurch wird die Lebensgrundlage der Menschheit ernstlich gefährdet, aber – und dies soll wohl betont werden durch die Zahlangabe «ein Drittel» – noch nicht vernichtet.

V. 8f.: Durch das zweite Posaunensignal wird Unheil für den Bereich des Meeres in Gang gesetzt. Aus der Höhe des Himmels wird eine gewaltige glühende Masse herabgeschleudert. Die Weise der Darstellung legt den Gedanken an einen Meteoriten nahe. Aber auch hier hat ein traditionelles Bild Pate gestanden: Henoch schaut am Ende des Himmels «sieben Sterne wie große brennende Berge» und erfährt, daß es sich bei ihnen um gefesselte Engel handelt (äth. Hen. 18,13f.). Die Masse stürzt ins Meer, das sich alsbald – wie der Nil bei der ersten ägyptischen Plage – zu einem Drittel in Blut verwandelt. Auch hier erscheint Blut wiederum primär als Bild für etwas Unheimliches und Leben Bedrohendes. Die Wirkung ist furchtbar: In einem Drittel des Meeres wird alles Leben vernichtet – nicht nur das der Wassertiere und Fische, sondern auch das der Seeleute auf den Schiffen. Eine rationale Erklärung dafür, daß das vergiftete Wasser auch die Schiffe zerstören konnte, wird man dem Text nicht abpressen dürfen. Die leitende Vorstellung ist, daß das Meer durch den satanischen Himmelskörper zu einer Sphäre des Unheils wird, die grundsätzlich alle Lebewesen einbezieht.

V. 10 f.: Auch das dritte Posaunensignal löst den Sturz eines Gestirns aus, wobei diesmal der Bereich der Flüsse und Quellen auf dem Festland betroffen wird. Noch eindeutiger als bei den vorigen handelt es sich hier um ein Phänomen, das in der Tradition den Endzeitereignissen zugerechnet wurde (6,13; Mk. 13,25). Der Name des Sterns deutet auf seine unheilvolle Wirkung hin: Wermut, ein extrem scharfer pflanzlicher Bitterstoff, ist zwar an sich nicht giftig, erscheint jedoch wegen seiner Bitterkeit im Alten Testament häufig als Symbol für bitteres Leiden und Gericht, die Folge des Abfalls von Gott sind (5. Mose 29,17; Klgl. 3,15.19; Jer. 9,14; 23,15). Diese ins Übertragene hinüberspielende Begriffsbedeutung scheint hier aufgenommen zu sein, wenn gesagt wird, daß der Stern ein Drittel der Gewässer in Wermut verwandelt, so daß der Genuß des Wassers für Menschen tödlich wirkt. Es ist Zeichen des Gerichtes über den Ungehorsam der Menschen, wenn Gott das Wasser vergiftet und damit den Lebensraum dieser Menschen zerstört.

V. 12: Das vierte Posaunensignal löst eine Erscheinung im Bereich des Himmels aus, die ebenfalls ihre verhängnisvollen Auswirkungen auf Erde und Menschen hat. Wiederum läßt sich ein breiter traditionsgeschichtlicher Hintergrund aufweisen, der von der neunten ägyptischen Plage mit ihrer drei Tage andauernden Finsternis (2. Mose 10,22) bis zu apokalyptischen Erwartungen einer plötzlichen Verfinsterung der Sonne (Ez. 32,7; Jo. 3,4; 4,15) reichen. Auch diese Plage ist nur partiell: Sonne, Mond und Sterne verlieren den dritten Teil ihrer Leuchtkraft, so daß Tag und Nacht jeweils ein Drittel ihres Lichtes entzogen werden.

V. 13: Die Vision eines fliegenden Adlers leitet über zu den drei noch ausstehenden Posaunenvisionen. Der Adler kündigt an, daß noch schwerere Plagen als die bisherigen die Gott ungehorsame Menschheit treffen werden. Der dreimalige Weheruf, der lautmalerisch (griech. *ouai*) einen unheimlichen krächzenden Schrei nachahmt, wird später auf die drei folgenden Visionen des Zyklus bezogen (vgl. 9,12; 11,14), wobei allerdings unberücksichtigt bleibt, daß deren letzte (11,15–19) strenggenommen keine die Erdbewohner treffende Plage mehr zum Inhalt hat. Von alters her haben die Ausleger es freilich als Schwierigkeit empfunden, daß der Adler, der nach jüdischer Sicht zu den unreinen Vögeln zählt, hier als Gottesbote aufzutreten scheint, zumal die Tradition dazu keinerlei Entsprechungen liefert: In der Apokalyptik erscheint der Adler sonst nur als Symbol des römischen Weltreiches (4. Esr. 11,1; 12,11; 14,17; Ass. Mos. 10,8). Einige alte Handschriften lesen anstatt «Adler» (griech. *aetos*) «Engel» (griech. *angelos*), doch das ist zweifellos ein sekundärer Erleichterungsversuch, zu dem die scheinbare Parallele von 14,6 Anlaß gegeben hat. Die Schwierigkeit ist jedoch beseitigt, sobald man erkennt, daß der Adler hier keineswegs als Gottesbote gezeichnet ist, sondern lediglich die Funktion hat, drohendes Unheil augenfällig anzukündigen und im voraus darzustellen. Einiges spricht dafür, daß hier Bezug genommen wird auf das in apokalyptischem Zusammenhang überlieferte Jesuslogion Lk. 17,37 par. Mt. 24,28: «Wo das Aas ist, da sammeln sich die Adler (bzw. die Aasgeier)». Denn es liegt nahe, daß der leichenfressende Adler, der zunächst in der Tradition als Zeichen kommenden endzeitlichen Unheils verstanden worden war, in einem weiteren Entwicklungsschritt zu dessen Boten gemacht wurde.

9,1–12   c. Die fünfte Posaune

1 Und der fünfte Engel blies. Und ich sah einen Stern, der vom Himmel auf die Erde gefallen war, und es wurde ihm der Schlüssel zum Schacht des Abgrunds gegeben. 2 Und er öffnete den Schacht des Abgrunds. Da stieg Rauch aus dem Schacht wie Rauch aus einem großen Ofen, und Sonne und Luft verfinsterten sich von dem Rauch aus dem Schacht. 3 Und aus dem Rauch kamen Heuschrecken auf die Erde, und es wurde ihnen Macht gegeben, wie sie die Skorpione auf Erden haben. 4 Und es wurde ihnen gesagt, daß sie dem Gras der Erde und allem Grünen und allen Bäumen keinen Schaden zufügen sollten, sondern nur den Menschen, die nicht das Siegel Gottes auf den Stirnen tragen. 5 Und es wurde ihnen befohlen, sie nicht zu töten, sondern sie fünf Monate lang zu quälen. Und der Schmerz, den sie zufügen, ist wie der Schmerz durch einen Skorpion, wenn er einen Menschen sticht. 6 Und in jenen Tagen werden die Menschen den Tod suchen und werden ihn nicht finden, und sie werden begehren zu sterben, aber der Tod flieht vor ihnen.
7 Und die Gestalten der Heuschrecken waren zum Krieg gerüsteten Rossen gleich, und auf ihren Häuptern hatten sie etwas wie goldschimmernde Kränze, und ihre Gesichter waren wie Menschengesichter, 8 und ihre Haare glichen Frauenhaaren, und ihre Zähne waren wie die von Löwen, 9 und sie hatten Panzer wie eiserne Panzer, und das Geräusch ihrer Flügel war wie das Geräusch vieler Wagen und Pferde, die zum Kampf eilen. 10 Und sie haben Schwänze wie Skorpione und Stachel, und in ihren Schwänzen liegt ihre Macht, die Menschen fünf Monate lang zu quälen. 11 Sie haben über sich als König den Engel des Abgrunds. Er heißt auf Hebräisch Abaddon, und auf Griechisch ist sein Name «Apollyon» (= Verderber).
12 Das erste Wehe ist vergangen. Siehe, es kommen danach noch zwei Wehe.

Während die ersten vier Posaunensignale Katastrophen auslösten, die ganze Bereiche der Welt betrafen und erst indirekt die Menschen in Mitleidenschaft zogen, geht es in der fünften wie auch in der folgenden sechsten Posaunenvision um Plagen, die ausschließlich und gezielt die Menschheit betreffen. Hierin, wie auch in der ausführlichen Darstellung schauerlich-bizarrer Einzelheiten liegt ein deutliches Steigerungsmoment. Vieles, was den heutigen Leser zunächst als wirre Ausgeburt einer unkontrollierten Phantasie anmuten mag, wird klarer faßbar, sobald man erkennt, daß Johannes auch hier auf den Schultern vorgegebener Tradition steht. Und zwar lassen sich drei Traditionskomplexe aufweisen, aus denen Elemente höchst kunstvoll zu einem Gesamtbild zusammengewoben worden sind: 1. Die Überlieferung von der achten ägyptischen Plage (2. Mose 10,12–20) lieferte das Grunddatum der Heuschreckenkatastrophe; sie wußte jedoch weder etwas von besonderen, dämonischen Kriegern gleichenden Heuschrecken noch von deren Angriffen auf Menschen. 2. Diese letzten Motive sind vorgeprägt in Jo. 1 und 2: Das Kommen des Tages Jahwes wird eingeleitet durch den Angriff eines dämonischen Heeres von Riesenheuschrecken, die Rossen, Reitern und Streitwagen gleichen, auf Zion. Von hier hat Johannes eine ganze Reihe konkreter Einzelzüge übernommen, was nicht überrascht, da das Joelbuch mit seinen Ankündigungen der Endzeitereignisse eine wichtige Basis urchristlicher Apokalyptik war (vgl. 6,17; 8,7). 3. Zumindest am Rande klingt auch die alte Tradition vom Sturz eines Engelsfürsten aus dem Himmel (Jes. 14,12; äth. Hen. 86,1.3; 88,1) an, obwohl Johannes sie hier – anders als 12,7ff. (s. dort) – noch völlig unentfaltet läßt.

In **V. 1** wird die von 8,5 vorgezeichnete Grundrichtung des Geschehens in dem vom Himmel auf die Erde gefallenen Stern sichtbar. Dieser Stern ist niemand anders als ein Engel, der von Gott den Auftrag erhalten hat, den Schacht der Unterwelt aufzuschließen. Nach antik-jüdischem Weltbild ist unter der flachen Erdscheibe die Unterwelt, der Ort der Dämonen (vgl. 2. Petr. 2,4). Er ist durch einen Schacht, dessen Pforte versperrt ist, mit der Erdoberfläche verbunden. Der Bereich der widergöttlichen Mächte kommt hier erstmals in der Apk. in den Blick. Aber der Aspekt der aktiven Feindschaft dieser Mächte gegen Gott wird zunächst noch nicht angesprochen – dieses Thema ist erst dem zweiten Abschnitt des Visionenteils der Apk. (Kap. 12–19) vorbehalten. Zunächst steht hier noch alles unter dem Aspekt des machtvollen Selbsterweises Gottes in seinem Zorn. So wird auch, obwohl es das Traditionsmotiv vom Sturz des rebellischen Engels in Gestalt eines Sterns (s. o.) nahelegen würde, der geheimnisvolle Stern-Engel nicht als satanische Gestalt gezeichnet, sondern seine Rolle bleibt auf die des Vollstreckers des göttlichen Willens beschränkt. **V. 2f.:** «Rauch» steigt aus dem geöffneten Schacht auf als Sinnbild des Zornes und der vernichtenden Macht Gottes (vgl. 1. Mose 19,28). Nachdem er Sonne und Mond verfinstert hat (vgl. Jo. 2,10) verdichtet er sich zu Schwärmen dämonischer Heuschrecken, die skorpionartige, mit Stacheln ausgerüstete Schwänze haben. **V. 4:** Anders als normale Heuschrecken stürzen sie sich nicht auf die Vegetation, sondern ihre Opfer sind ausschließlich Menschen – und zwar nur jene Menschen, die nicht der im Auftrag Gottes versiegelten Heilsgemeinde angehören (vgl. 7,1–8). Die Plage hat also den Charakter des Zornesgerichtes an der Gott feindlichen Menschheit. Aber auch sie bleibt, wie die vorhergegangenen, partiell **(V. 5)**: Die Heuschrecken dürfen die Menschen nicht töten, sondern ihnen lediglich Schmerzen zufügen, und auch dies nur für eine beschränkte Zeit. Rätselhaft ist deren Angabe mit «fünf Monaten». Man hat sie auf eine Berechnung der üblichen Lebensdauer von Heuschrecken zurückführen wollen, doch das ist wenig überzeugend, da es sich hier ja keineswegs um normale, sondern um übernatürliche Heuschrecken handelt. In **V. 6** bricht Johannes aus dem Stil der Visionsschilderung aus, um in einem Prophetenspruch das Schicksal der Menschen unter dieser Plage anzukündigen: Sie werden sich wegen der Furchtbarkeit der Qual nach dem Tod sehnen, aber nicht sterben können (vgl. Hi. 3,21; Jer. 8,3). Die in **V. 7–10** folgende Schilderung der Heuschrecken als dämonische

Mischwesen von teils tierischer, teils menschlicher Gestalt soll deren Bedrohlichkeit noch deutlicher hervorheben. Einige Züge sind aus Jo. 1–2 entlehnt,
so der Vergleich mit den Kriegspferden (Jo. 2,4: «Wie Rosse sehen sie aus, wie
Reiter stürmen sie dahin»), die Schilderung ihrer Zähne als «wie die von Löwen» (Jo. 1,6) und der Vergleich des Rauschens ihrer Flügel mit dem «Geräusch vieler Wagen» und Pferde, «die zum Kampf eilen» (Jo. 2,5). Daneben
stehen andere Züge, die dem Bereich volkstümlicher mythologischer Vorstellungen entnommen zu sein scheinen, so der Vergleich ihrer Gesichter mit
Menschengesichtern, ihrer Haare mit Frauenhaaren und ihres Kopfschmucks
mit goldenen Kronen. Der Gedanke an die Zentauren der griechischen Mythologie, Tierwesen mit Menschenhäuptern, liegt hier nahe. **V. 11:** Während
natürliche Heuschrecken keinen König haben (Spr. 30,27), hat dieses dämonische Heer einen Herrscher, nämlich den Engel des Abgrunds. Sein Name wird
in zwei Sprachen mitgeteilt: *Abaddon* (hebr.) ist die Bezeichnung des Abgrunds, des Ortes der Toten (Hi. 26,6; 28,22; 31,12; Ps. 88,12; Spr. 15,11;
27,20). Daß hier freilich nicht nur an einen Ort, sondern an dessen Beherrscher, den personifizierten Machthaber über die Unterwelt (vgl. 6,8;20,13f.),
gedacht ist, wird alsbald durch die griechische Wiedergabe des Namens deutlich. Diese ist nicht, wie in der LXX, neutrisch *(apóleia)*, sondern maskulinisch: «der Verderber» *(ho apollyōn)*. Es ist darüber hinaus denkbar, wenn
auch keineswegs eindeutig, daß damit angespielt werden soll auf den ähnlich
klingenden Namen des griechischen Gottes Apollon, der als Gott der Pest und
des schnellen Todes galt. Wie dem aber auch sei – als entscheidend bleibt festzuhalten, daß die personifizierte dämonische Macht hier ausschließlich als
Vollstrecker des Willens Gottes, noch nicht jedoch als Gottes Widersacher gezeichnet ist. **V. 12** verweist zurück auf 8,13: Bis jetzt ist nur die erste Wehe-Ankündigung des Adlers erfüllt; weiteres, noch schrecklicheres Unheil steht bevor.

9,13–21   d. Die sechste Posaune

**13 Und der sechste Engel blies. Und ich hörte eine Stimme von den vier Hörnern des goldenen Altars her, der vor Gott steht. 14 Die sprach zu dem sechsten Engel, der die Posaune hält: Binde die vier Engel los, die am großen
Strom, am Eufrat, gefesselt sind! 15 Da wurden die vier Engel losgebunden,
die bereitstanden auf Stunde und Tag, auf Monat und Jahr, um ein Drittel der
Menschen zu töten. 16 Und die Zahl der Reiterheere war eine Doppelmyriade
von Zehntausendschaften (= zweihundert Millionen); ich hörte ihre Zahl.
17 Und so sah ich die Rosse und die Reiter in der Vision: Sie hatten feuerrote,
rauchblaue und schwefelgelbe Panzer, und die Häupter der Rosse waren wie
Löwenhäupter, und aus ihren Mäulern kommt Feuer, Rauch und Schwefel
hervor. 18 Von diesen drei Plagen wurde ein Drittel der Menschen getötet,
(nämlich) von dem Feuer, dem Rauch und dem Schwefel, die aus ihren Mäulern hervorgingen. 19 Denn die Macht der Rosse liegt in ihrem Maul und in ihren Schwänzen, ihre Schwänze gleichen nämlich Schlangen, und sie haben
Köpfe, mit denen sie Schaden zufügen.**

20 Und die übrigen Menschen, die nicht durch diese Plage getötet wurden, bekehrten sich auch nunmehr nicht von den Werken ihrer Hände, daß sie nicht die Dämonen anbeteten und die Götzen aus Gold, Silber, Erz und Holz, die weder sehen noch hören noch gehen können, 21 und sie bekehrten sich weder von ihren Morden noch von ihren Zaubereien noch von ihrer Hurerei noch von ihren Diebstählen.

Wie die vorhergegangene, so trifft auch diese Plage direkt die Menschen, freilich in einer äußersten Steigerung: Sie bewirkt nicht nur qualvolle Schmerzen, sondern den Tod. Darin ist sie der letzten der ägyptischen Plagen verwandt (2. Mose 12,29–34), obwohl bei ihrer inhaltlichen Darstellung jene nicht als Modell gedient hat, sondern verschiedene, im einzelnen schwer identifizierbare biblische und nachbiblisch-apokalyptische Motive eingewirkt haben. Das Vollzugsorgan, dessen Gott sich beim Erweis seiner Macht bedient, ist wiederum, wie in 9,1ff., ein dämonisches, dem Kommando satanischer Engel unterstehendes Heer, das diesmal jedoch nicht aus der Unterwelt, sondern vom Osten, dem Gebiet jenseits des Euphratflusses, kommt. Der Höhepunkt des Abschnitts und zugleich der Zielpunkt der bisherigen sechs Posaunenvisionen liegt zweifellos in der abschließenden Bemerkung über die Reaktion der übriggebliebenen Menschen (V. 20f.). Denn die von 8,2–5 her sich stellende Frage, ob die Gott feindliche Menschheit bereit sein werde, sich dem Erweis der Macht Gottes zu öffnen und ihm die Ehre zu geben, erfährt hier eine negative Antwort: Die furchtbaren Zeichen werden nicht als Rufe zur Umkehr verstanden; die Menschen verharren in ihrem hartnäckigen Widerstand gegen Gott.

Trotz ihrer Furchtbarkeit ist auch die durch das Posaunensignal des sechsten Engels eingeleitete Plage ein von Gott angeordnetes Geschehen **(V. 13)**. Die für die gesamte Visionenreihe bestimmende Bewegung von oben nach unten, vom Himmel zur Erde, wird nochmals dargestellt: Vom himmlischen Brandopferaltar her, von dem die Gebete der Heiligen zu Gott aufgestiegen waren und von dem, in Beantwortung dieser Gebete, der Engel in 8,5 Glut auf die Erde geworfen hatte, ergeht nun eine geheimnisvolle Stimme. Wir erfahren zwar nicht, wem sie zugehört, doch ist deutlich, daß der Befehl, den sie erteilt, die Vollstreckung des Willens Gottes in die Wege leitet. **V. 14:** Der Engel, der soeben das Posaunensignal gegeben hat, soll vier dämonische Engel, die in der Gegend des Euphrat angekettet liegen, befreien, so daß die satanischen Heerscharen, deren Führer und Repräsentanten sie sind, in das römische Weltreich von dessen östlichen Grenzen her einfallen können. Eine motivgeschichtliche Verwandtschaft mit den in 7,1 erwähnten vier Engeln liegt sicher vor, doch sind die Differenzen in der Ausgestaltung des Motivs hier und dort zu stark, als daß eine Identifizierung beider Engelgruppen möglich wäre: In 7,1 handelt es sich um die in Gottes Dienst stehenden Repräsentanten der vier Weltgegenden bzw. der vier Winde, hier hingegen um von Gott gebundene dämonische Gestalten, deren Vernichtungskraft durch die Befreiung Raum gegeben wird. Ähnlich ist in der Henoch-Apokalypse (äth. Hen. 56) davon die Rede, daß böse Engel die Völker des Ostens, Parther und Meder, zu einem Vernichtungsfeldzug nach Palästina aufstacheln (vgl. syr. Bar. 6,4f.). Der Euphratstrom markierte in etwa die östliche Grenze des römischen Imperiums, jenseits derer man unheimliche und bedrohliche Völkerschaften vermutete. Ob hier über solche allgemeinen Befürchtungen hinaus auf die konkret drohende Gefahr eines erwarteten Parthersturms angespielt werden soll, bleibt allerdings unsicher (s. zu 16,12). **V. 15** betont, daß die dämonischen Heere nichts ohne Gottes ausdrückliche Zulassung tun dürfen: Sogar der Zeitpunkt ihres Ansturms ist auf die Stunde genau fixiert – wiederum ein geläufiges apokalyptisches Motiv (vgl. 4. Esr. 7,40f.; Sib. 2,325–327; 3,89; 8,424–427). Begrenzt ist ihre Macht auch darin, daß sie nur den dritten Teil der Menschheit töten dürfen, so wie die ersten vier Posaunenplagen auf jeweils ein Drittel des betroffenen Bereiches begrenzt waren (8,7–13). Wenn in **V. 16** fast beiläufig mitgeteilt wird, daß die vier Engel als Repräsentanten von Reiterheeren zu verstehen sind, so ist dies ein deutliches Indiz dafür, daß Johannes sich hier auf traditionell vorgegebene Vorstellungszusammenhänge bezieht. Wichtig ist ihm allein die Zahl der dämonischen Reiter, die jedes vorstellbare Maß überschreitet: sie ist sogar doppelt so groß wie die in 5,11 angegebene Zahl der Engel! Ausdrücklich betont er, daß er sie durch besondere himmlische Mitteilung «gehört» habe (vgl. 7,4).

In einer ausführlichen visionären Schilderung wird in **V. 17–19** der Ansturm der vier Heere dargestellt. Aus der Weise, wie das geschieht, wird deutlich, daß der Seher nicht irdische Krieger, sondern dämonische Wesen mit mythischen Zügen vor Augen hat. Rosse und Reiter sind zu einer unheimlichen Einheit verschmolzen, und die Rosse sind nicht gewöhnliche Pferde, sondern Mischwesen mit Löwenhäuptern und Schlangenschwänzen, die ebenfalls Köpfe tragen. Die Farben der Panzer der Reiter – Feuerrot, Rauchblau und Schwefelgelb – entsprechen den aus den Löwenhäuptern hervorgehenden Vernichtungskräften Feuer, Rauch und Schwefel. Feuer und Rauch speit das Urweltungeheuer Leviathan aus (Hi. 41,11ff.), Schwefel und Feuer vernichten die gottlosen Städte Sodom und Gomorrha (1. Mose 19,24.28).

V. 20 beschreibt zusammenfassend die Wirkung aller bisherigen sechs Posaunenplagen und schlägt damit zugleich den thematischen Bogen zurück zu 8,2–5: Die Plagen waren Machterweise Gottes gegenüber der ihm feindlichen Menschheit; sie sollten Umkehr bewirken. Aber die Menschen sind ebensowenig wie ehedem der Pharao in Ägypten (2. Mose 11,10) bereit, Gott die Ehre zu geben und seine Herrschaft anzuerkennen. Stattdessen verharren sie in ihrem eigenmächtigen Widerstand gegen Gott, als dessen zentrales Merkmal Johannes, ganz jüdischer Tradition folgend, die Verehrung von Götterbildern nennt (Ps. 115,4; 135,15; Jer. 1,16; Dan. 5,4.23). Indem Menschen von Menschenhand gemachte Bilder anbeten, setzen sie nämlich den Bereich der geschaffenen Welt an die Stelle des Schöpfers (vgl. Apg. 14,15; 17,23–27). Die ausführliche Beschreibung der toten Materialien, aus denen die Kultbilder gemacht sind, entspricht einem verbreiteten Topos jüdischer Polemik (z. B. Jes. 44,6ff.; äth. Hen. 99,7; Sib. 5,77ff.). **V. 21:** Als zwangsläufige Folge der sich im heidnischen Kult manifestierenden verkehrten Grundhaltung galten für das Urchristentum jene Laster, die hier in einem der grundlegenden paränetischen Tradition entlehnten Lasterkatalog (vgl. 21,8; 22,15; Gal. 5,19–21) aufgeführt werden. Neben den Sünden des sechsten, siebten und achten Dekalog-

gebots – Mord, Hurerei, Diebstahl – erscheint die Magie, und zwar offensichtlich nicht ohne Grund, da magische Praktiken in der Volksfrömmigkeit des
östlichen Mittelmeerraumes eine große Rolle spielten (Apg. 19,18f.). Indem
Johannes hier die in seinen Augen grundlegenden Merkmale der heidnischen
Gesellschaft nennt, verweist er implizit auf die scharf gezogene Grenze, die
zwischen dieser und der christlichen Gemeinde besteht und jeden Kompromiß
unmöglich macht.

10,1–11   e. Der Auftrag der Prophetie im Rahmen des Endgeschehens

**1 Und ich sah einen anderen starken Engel vom Himmel herabsteigen. Er war
mit einer Wolke bekleidet, und der Regenbogen war über seinem Haupt, und
sein Angesicht war wie die Sonne, und seine Füße waren wie Feuersäulen,
2 und er hatte in seiner Hand ein kleines geöffnetes Buch. Und er setzte seinen
rechten Fuß auf das Meer und den linken auf das Land, 3 und er rief mit gewaltiger Stimme, wie ein Löwe brüllt. Und als er rief, redeten die sieben Donner
mit ihren Stimmen. 4 Und als die sieben Donner geredet hatten, wollte ich
schreiben. Da hörte ich eine Stimme vom Himmel, die sprach: Versiegle das,
was die sieben Donner geredet haben, und schreib es nicht auf!
5 Und der Engel, den ich auf dem Meer und auf dem Land stehen sah, erhob
seine rechte Hand zum Himmel 6 und schwur bei dem, der in alle Ewigkeit
lebt, der den Himmel geschaffen hat und das in ihm ist und die Erde und das,
was in ihr ist und das Meer und das, was in ihm ist: Es wird keine Frist mehr
sein; 7 vielmehr ist in den Tagen des Schalls des siebten Engels, wenn er die
Posaune blasen wird, auch das Geheimnis Gottes zur Vollendung gekommen,
wie er es seinen Knechten, den Propheten, kundgetan hat.
8 Und die Stimme, die ich vom Himmel her gehört hatte, sprach wieder zu mir
und sagte: Geh und nimm das kleine geöffnete Buch in der Hand des Engels,
der auf dem Meer und auf dem Land steht! 9 Und ich ging hin zu dem Engel
und bat ihn, mir das kleine Buch zu geben. Und er spricht zu mir: Nimm und
verzehre es, und es wird deinen Magen bitter machen, aber in deinem Mund
wird es süß sein wie Honig.
10 Und ich nahm das kleine Buch aus der Hand des Engels und verzehrte es,
und es war in meinem Mund süß wie Honig, und als ich es gegessen hatte, wurde mein Magen bitter. 11 Und sie sagten mir: Du mußt wieder prophetisch reden über Völker, Nationen, Sprachen und viele Könige.**

Zwischen die sechste und siebte Posaunenvision schiebt sich, ähnlich wie zwischen die sechste und siebte Siegelvision (7,1–17), ein längeres Intermezzo
(10,1–11,14). Es bildet den mit Abstand schwierigsten und dunkelsten Teil
des ganzen Buches. Es ist deutlich, daß Johannes hier ein Gespräch führt mit
älteren, ihm bereits vorgegebenen Traditionen und Vorstellungen. Diese sind
für uns allenfalls nur in groben Umrissen identifizierbar, weil sie aus einem Bereich des Urchristentums kommen, über den wir sehr wenig wissen, nämlich
aus der Prophetie des palästinischen Judenchristentums, und deshalb ist der
Versuch, die Intention des Johannes beim Umgang mit diesen Materialien zu

rekonstruieren, mit großen Unsicherheiten belastet. Einen Schlüssel für die Gesamtthematik des Abschnitts liefert die Beobachtung, daß ihn Hinweise auf Propheten und prophetisches Reden wie ein roter Faden durchziehen (10,7. 11; 11,3.11; vgl. auch 11,18). Das ist umso auffälliger, als Johannes sonst in seinem Buch seine Selbstbezeichnung als Prophet nicht in den Vordergrund treten läßt und sie allenfalls indirekt gebraucht (22,6.9). Nur hier gibt er Rechenschaft über seine Aufgabe und sein Selbstverständnis, und zwar in der Weise, daß er diese einzeichnet in ein Gesamtbild von Sendung und Auftrag urchristlicher Prophetie. Von da aus ergäbe auch die Stellung des Abschnitts im Kontext der Posaunenvisionen einen guten Sinn: Ist deren Thema der machtvolle Selbsterweis Gottes, durch den die Menschen zu Umkehr und Gehorsam gerufen werden, so ist damit zugleich die Funktion der Propheten als derer angesprochen, die unter Hinweis auf die machtvolle Nähe Gottes in seinem Namen zu Umkehr und Gehorsam rufen. Der Abschnitt dürfte demnach eine Antwort auf die Frage nach Auftrag und Geschick der Propheten im Rahmen des Endgeschehens geben wollen.

Sein erster Teil, 10,1–11, ist nach Form und Inhalt eine Beauftragungsvision, die sich in mancher Hinsicht mit 1,9–20 berührt. Der Erscheinende ist allerdings nicht wie dort der erhöhte Christus, sondern ein gewaltiger Engel, und der erteilte Auftrag ist weder wie dort ein Schreibbefehl, noch bezieht er sich überhaupt direkt auf die Apk. als Buch. Das kleine Buch, das in der Hand des Engels erscheint (V. 2), um sodann dem Seher mit der Weisung, es zu verzehren, übergeben zu werden (V. 8–10), ist allgemeines Symbol für den prophetischen Auftrag. Es geht darum, daß der Seher sich dem ihm kundgemachten Willen Gottes für die Endzeit gehorsam und ohne Rücksicht auf Folgen für sein persönliches Schicksal unterstellt und sich zu erneutem prophetischem Zeugnis vor aller Welt senden läßt. Jede situationsbezogene Zuspitzung dieses prophetischen Auftrags fehlt hier. Allenfalls das «wieder» von V. 11 könnte als Hinweis darauf genommen werden, daß die Szene als Erneuerung und Bekräftigung früherer Beauftragung zu verstehen ist. Insgesamt hat es jedoch den Anschein, als beziehe sich Johannes hier nicht auf ein seinen spezifischen Auftrag betreffendes persönliches Widerfahrnis, sondern auf eine allgemein prophetischen Auftrag reflektierende Tradition.

Eine Sonderstellung nimmt demgegenüber die Episode V. 3–7 ein, in der dem Seher untersagt wird, die Botschaft der «sieben Donner» aufzuschreiben. Einerseits fügt sie sich nicht in das Schema der Beauftragungsvision ein, andererseits aber geht es hier nicht nur allgemein um einen prophetischen Auftrag, sondern ganz konkret um das vorliegende Buch und seinen Inhalt. Hier dürfte demnach auch die Stelle sein, an der Johannes im Gespräch mit der Tradition sein eigenes Wort eingebracht hat. Was ist der Sinn dieser Episode? Er läge einigermaßen klar zutage, wenn dem Schreibverbot von V. 4 ein Schreibbefehl in V. 11 korrespondieren würde. Man könnte dann hier einen Hinweis des Verfassers darauf sehen, daß er bestimmte ihm zuteilgewordene Offenbarungen – nämlich eine Reihe von sieben Donnervisionen – auf himmlische Weisung hin in sein Buch nicht aufnehmen durfte, um stattdessen andere – in dem geheimnisvollen Büchlein enthaltene – ihm einzugliedern. Aber da am Schluß kein Schreibbefehl steht, scheidet diese Deutung aus. Erkennt man jedoch,

daß der Auftrag an den Seher durch die Ansage der unmittelbaren Nähe des
Endes (V. 6f.) motiviert wird, so legt sich eine andere Interpretation nahe: Angesichts des unmittelbar bevorstehenden Endes wäre es verfehlt, den Ablauf
des kommenden Gerichtshandelns Gottes niederzuschreiben und so für eine
Zukunft aufzubewahren, die es nicht mehr geben wird; was jetzt an der Zeit
ist, ist vielmehr die unmittelbare und direkte prophetische Verkündigung. Wir
hätten es demnach hier mit einer polemischen Distanzierung von apokalyptischen Schriften herkömmlicher Art zu tun. Johannes würde, falls diese Vermutung zutrifft, durch die Einfügung der Donnerepisode (V. 4) unterstreichen
wollen, daß sein Buch mit solchen Apokalypsen nichts gemein hat: Es will, anders als jene, unmittelbare prophetische Anrede an die sieben Gemeinden
sein, die ansagt, was jetzt an der Zeit ist (vgl. 1,3).

V. 1: Erstmals seit 4,1 ist der Standort des Sehers wieder die Erde. Der Orts-
wechsel wird nicht besonders reflektiert; er ergibt sich aus dem Inhalt des nun
Folgenden: Ort der Beauftragung eines Propheten kann nur die Erde sein.
Der starke Engel, den Johannes vom Himmel niedersteigen sieht, gehört nicht
zu den sieben Angesichtsengeln, die die Posaunensignale zu geben haben (8,6)
– das allein soll mit seiner Bezeichnung als «anderer Engel» angedeutet werden. Schwerlich ist eine Identifikation mit dem «anderen mächtigen Engel»
von 7,2 beabsichtigt. Worauf es dem Erzähler ankommt, ist vielmehr, die den
Engel auszeichnenden, ihn als Repräsentanten Gottes ausweisenden Attribute göttlicher Macht zu schildern: Wie Gott sich in der Wolke offenbart (2. Mose 16,10; 1. Kön. 8,10), so erscheint auch der Engel in der Wolke; wie den
Thron Gottes (4,3), so umgibt auch sein Haupt ein Regenbogen. Sein son-
nengleich leuchtendes Angesicht erinnert an die Erscheinung des erhöhten
Herrn (1,16), und gleiches gilt von den feurigen Säulen gleichenden Füßen
(1,15). **V. 2:** Das kleine Buch, das der Engel geöffnet, d. h. als aufgerollte Buchrolle, in seinen Händen hält, ist sicher nicht identisch mit dem siebenfach
versiegelten Buch, das in 5,7 dem Lamm zur Öffnung übergeben worden war.
Es ist nicht wie jenes Herrschaftsurkunde, sondern es enthält die Botschaft,
die dem Propheten übergeben werden soll. Der Engel steht mit dem einen seiner mächtigen Füße auf dem Meer, mit dem anderen auf dem Land: Darin findet die umfassende Bedeutung seiner Sendung sinnfälligen Ausdruck, denn
Meer und Land zusammen ergeben das Ganze der Welt (1. Mose 1,10; 2. Mose
20,4.11). Mit **V. 3f.** nimmt das Geschehen eine unerwartete Richtung. Nicht
das Buch und der mit ihm verbundene Auftrag an den Seher, sondern eine offenbar nicht in diesem Buch enthaltene Botschaft des Engels wird nun zum
Thema. Von deren Inhalt erfahren wir nichts. Wohl aber werden ihr Gewicht
und ihre Wirkung anschaulich herausgestellt, wenn die Stimme des Engels mit
der eines Löwen und das von ihr hervorgerufene Echo mit sieben Donnern
verglichen wird. Das Gebrüll des Löwen ist im Alten Testament häufig Bild für
die Stimme Gottes (Hos. 11,10; Am. 3,8; Jo. 4,16), und Donner ist wesentli-
ches Element der Gotteserscheinung. In ihm wird das Niederschmetternde
und Überwältigende des Kommens Gottes sinnfällig (Ps. 29). Die Botschaft,
die der Engel ausruft, ist also ohne Zweifel eine Botschaft von Gott. Und zwar
ist sie artikuliert und verständlich, denn der Seher beeilt sich, sie niederzu-

schreiben. Eben dies wird ihm jedoch durch eine Himmelsstimme verwehrt. Wenn diese ihm befiehlt, das Gehörte zu «versiegeln», so klingt das an ein geläufiges Motiv aus der apokalyptischen Literatur an: Die apokalyptischen Seher versiegeln die von ihnen niedergeschriebenen Offenbarungen über den Ablauf des Geschichtsplans Gottes, um deren Kenntnisnahme durch die gegenwärtige Generation zu verhindern und sie der Generation der Endzeit vorzubehalten (Dan. 12,4; 4. Esr. 14,18–48). Hier jedoch soll es gerade nicht um ein Aufbewahren von Geheimwissen für die Zukunft gehen (vgl. 22,10) – Johannes soll auf eine Niederschrift des Gehörten überhaupt verzichten. Das Versiegeln ist also nur bildlich zu verstehen. Was ist der Grund dieses Verbotes? Diese Frage läßt sich nur in Verbindung mit der anderen nach dem Inhalt der Botschaft der sieben Donner beantworten. Es ist sicher zu einfach, hier eine Analogie zu jenen himmlischen Visionen zu sehen, die Paulus zuteil wurden und deren Inhalte er als nur ihn ganz persönlich betreffende religiöse Widerfahrnisse bewußt aus seiner Verkündigung an die Gemeinden ausklammerte (2. Kor. 12,4). Denn hier handelt es sich gerade nicht um solche persönliche Widerfahrnisse, sondern um eine Kundgabe des herrscherlichen Willens Gottes, die bezogen ist auf das Ganze der Welt, vermutlich sogar um eine Ankündigung des Ablaufs des kommenden Gerichtshandelns. Der Seher darf den Inhalt dieser Ankündigung nicht in sein Buch aufnehmen, weil – so ist zu folgern – damit der spezifische Charakter seines Auftrags verfehlt würde. Worin dieser Auftrag besteht, wird im folgenden deutlich gemacht werden.

Die Szene **V. 5–7** ist offenkundig unter dem Einfluß von Dan. 12,7 gestaltet. Dort ist die Erscheinung einer Engelsgestalt beschrieben, die mit feierlichem Schwur den Ratschluß Gottes für das Endgeschehen bekräftigt: Wenn Gott nach der geheimnisvollen Frist von dreieinhalb Zeiten (s. zu 11,9) die Macht des das Gottesvolk bedrängenden Seleukidenherrschers Antiochus Epiphanes gebrochen haben wird, dann ist die Vollendung nahe. Auch hier geht es um eine solche Bekräftigung des Ratschlusses Gottes, die durch den bereits in V. 1–4 eingeführten starken Engel erfolgt. Die Bezeichnung Gottes als dessen, «der in alle Ewigkeit lebt», stammt ebenfalls aus Dan. 12,7. Sie wird jedoch in einer für das Gottesbild der Apk. charakteristischen Weise ergänzt durch den Bezug auf die Macht Gottes als Schöpfer und Erhalter der Welt (vgl. 4,9–11). Das, was der Engel mit seinem Schwur ankündigt, betrifft, wie bei Daniel, den Ratschluß Gottes für das Endgeschehen. Allerdings – und hier liegt der entscheidende Unterschied, der gerade auf dem Hintergrund der sonstigen engen literarischen Entsprechung um so schärfer hervortritt – wird nicht auf eine dem Endgeschehen vorausgehende Frist verwiesen, sondern im Gegenteil dessen unmittelbare Nähe betont: «Es wird keine Frist mehr sein!» Unmittelbar nahe ist der Zeitpunkt der endgültigen Selbstdurchsetzung Gottes in Gericht und Heil gerückt. Und zwar wird er unverzüglich eintreten, sobald der dafür schon bereitstehende Engel das siebte Posaunensignal gibt. Das «Geheimnis Gottes», sein Heilsplan, gemäß dem er die Geschichte zu ihrem Ziel bringen wird, steht unumstößlich fest, ja, weil er aus der Sicht Gottes vollendet ist, kann von dieser seiner Vollendung hier in der Vergangenheitsform gesprochen werden. Eben aus dieser Sicht Gottes, von der her es keinen offenen und ungewissen Rest mehr gibt, sind die Propheten in diesen Heilsplan eingeweiht worden.

Darum ist es ihre Aufgabe, die Gewißheit seiner nahen sichtbaren Verwirklichung anzukündigen, nicht aber, bestimmte Termine und Abläufe des kommenden Handelns Gottes im einzelnen vorherzusagen. Das Verbum, das wir mit «kundtun» übersetzt haben (*euangelizesthai*), gehört zum selben Wortstamm wie das Wort «Evangelium», weshalb man zunächst versucht sein könnte, es mit «als frohe Botschaft kundtun» wiederzugeben. Doch dagegen spricht die Beobachtung, daß wir es hier (wie in 14,6) mit einem sehr alten palästinisch-judenchristlichen Sprachgebrauch zu tun haben, der noch nicht durch das terminologische Gewicht bestimmt ist, den der Wortstamm im griechischsprachigen Christentum erlangen sollte. Es geht hier lediglich um eine den Propheten von Gott her aufgetragene Botschaft, nicht jedoch spezifisch um eine heilvolle Botschaft. Die Frage, ob hier von den alttestamentlichen oder von den urchristlichen Propheten die Rede sei, richtet eine falsche Alternative auf. Sicher spricht Johannes zunächst von seinem eigenen Auftrag, in dem er sich mit allen übrigen urchristlichen Propheten eins weiß, aber er scheint jene zugleich in einer direkten Linie zu den alttestamentlichen Propheten zu sehen, deren Auftrag es ja ebenfalls war, das ihnen erschlossene Geheimnis des Willens Gottes der Heilsgemeinde zu verkündigen.

Hatte V. 5–7 Wesen und heilsgeschichtlichen Ort des prophetischen Auftrags umschrieben, so handelt die folgende Szene **(V. 8–9)** von dessen konkreter Übertragung auf den Seher. Es ist dieselbe himmlische Stimme, die ihm das Aufschreiben der Botschaft der sieben Donner verwehrt hatte (V. 4), die ihn nunmehr anweist, das geöffnete Buch aus der Hand des Engels entgegenzunehmen. Durch diese gegenbildliche Entsprechung soll offenbar das rechte Verständnis dieses Auftrags von dem vorher abgewiesenen falschen abgehoben werden. Von V. 7 her läßt sich nun auch der Inhalt des kleinen Buches näher bestimmen: Er ist das «Geheimnis Gottes», sein Heilsplan für die Endzeit, dessen sichtbare Erfüllung unmittelbar bevorsteht. Merkwürdig umständlich wird erzählt, wie der Seher, durch den himmlischen Befehl veranlaßt, sich zum Engel wendet, um von ihm das Büchlein zu erbitten; vielleicht soll damit seine Bereitschaft zur Übernahme des Auftrags sichtbar gemacht werden. Die Worte, mit denen der Engel das Büchlein übergibt, sind eine Variation eines Motivs aus der Berufungsvision Ez. 3: Ezechiel erhält dort aus der Hand Gottes eine Buchrolle, die er essen soll und die in seinem Mund süß wie Honig schmeckt (Ez. 3,1–3), womit angedeutet werden soll, daß das Wort Gottes, das sich der Prophet gleichsam leibhaft zu eigen macht, von diesem als heilschaffende Wirklichkeit erfahren und bejaht wird (vgl. Ps. 19,11; 119,103). Im Unterschied dazu ist hier von einer doppelten Wirkung des Büchleins die Rede: im Magen des Propheten wird es bitter, in seinem Mund jedoch süß sein. Man wird das schwerlich auf den Inhalt der Verkündigung des Propheten beziehen dürfen, etwa in dem Sinne, daß sie für die einen Ansage des Heils, für die anderen Ankündigung des Gerichtes sei (2. Kor. 2,16), denn dem widerspricht der Kontext, der ausschließlich von Prophetenauftrag und -schicksal, nicht jedoch von der Wirkung der prophetischen Botschaft auf andere spricht. Näher liegt die Deutung auf eine doppelte Wirkung des Wortes auf den Propheten selbst: Es ist für ihn einerseits, nicht anders als für Ezechiel, heilvolles Wort, das er mit seiner ganzen Existenz bejaht und von dem er lebt, es wird für

ihn jedoch andererseits zur Ursache von Leiden und Verfolgungen (11,3–13).
Träger und Botschafter des Wortes Gottes sein heißt zugleich die Süße und die
Bitternis dieses Wortes in der eigenen Existenz erfahren müssen.
V. 10 berichtet den gehorsamen Vollzug der Weisung des Engels und konstatiert das Eintreten der in ihr angekündigten doppelten Wirkung. **V. 11** gibt eine abschließende Deutung der Vision, die vermutlich, obwohl ihr Urheber
nicht direkt genannt wird, als durch den Engel gegeben zu denken ist: Der Seher soll weiter unermüdlich und ohne Rücksicht auf die Folgen für sein persönliches Geschick vor der ganzen Öffentlichkeit der Welt seine Botschaft aus-
richten. Die Aufzählung «Völker, Nationen, Sprachen, Könige» ist formel-
haft. Man wird sie darum nicht pressen dürfen. Der Umstand, daß, über ähnliche Aufzählungen in 5,9 und 7,9 hinausgehend, auch «Könige» erwähnt werden, berechtigt nicht zu der Annahme, daß ein konkreter Ausblick auf die in
weltpolitische Dimensionen ausgreifende Botschaft von Kap. 12–19 beabsichtigt sei. Wahrscheinlich liegt hier ein Rückgriff auf alte urchristlich-apokalyptische Tradition vor, in der das Zeugnis vor Königen und Völkern als fester Topos zur Umschreibung des Auftrags der Gemeinde vor der Öffentlichkeit der
Welt erscheint (vgl. Mk. 13,9 par. Mt. 24,18; Lk. 21,12).

11,1–14   f. Die Vermessung des Tempels und die beiden Zeugen

**1 Und es wurde mir ein Maßstab gleich einem Stock gegeben, und mir wurde
gesagt: Auf und miß den Tempel Gottes und den Altar, und die darin anbeten!
2 Und den äußeren Vorhof des Tempels laß aus und miß ihn nicht, denn er
wurde den Heiden gegeben, und sie werden die heilige Stadt zertreten zweiundvierzig Monate lang.
3 Und ich werde meinen zwei Zeugen Auftrag geben, und sie werden prophetisch reden zwölfhundertsechzig Tage lang, bekleidet mit Säcken. 4 Diese sind
die zwei Ölbäume und die zwei Leuchter, die vor dem Herrn der Erde stehen.
5 Und wenn ihnen jemand Schaden zufügen will, geht Feuer aus ihrem Mund
hervor und verzehrt ihre Feinde. Und wenn jemand ihnen Schaden zufügen
will, muß er auf diese Weise umkommen. 6 Diese haben Vollmacht, den Himmel zu verschließen, daß kein Regen falle während der Tage ihres prophetischen Redens, und sie haben Vollmacht über die Gewässer, sie in Blut zu verwandeln und die Erde mit jeder Plage zu schlagen, so oft sie wollen.
7 Und wenn sie ihr Zeugnis vollendet haben, wird das Tier, das aus dem Abgrund heraufsteigt, mit ihnen Krieg führen, sie besiegen und töten. 8 Und ihr
Leichnam wird auf den Straßen der großen Stadt liegen, die geistlich Sodom
und Ägypten heißt, wo auch ihr Herr gekreuzigt wurde. 9 Und es werden Menschen aus den Völkern, Stämmen, Sprachen und Nationen ihren Leichnam
dreieinhalb Tage lang sehen, und sie werden nicht zulassen, daß die Leichen in
ein Grab gelegt werden. 10 Und die Erdbewohner freuen sich darüber, be-
glückwünschen sich und schicken einander Geschenke, denn diese beiden
Propheten hatten die Erdbewohner gequält.
11 Und nach dreieinhalb Tagen kam von Gott her der Lebensgeist in sie, und
sie stellten sich auf ihre Füße, und große Furcht überfiel die, die es sahen.**

**12 Und sie hörten eine gewaltige Stimme vom Himmel her zu ihnen sprechen: Steigt hier herauf! Und sie stiegen auf in den Himmel in der Wolke, und ihre Feinde sahen sie. 13 Und in jener Stunde entstand ein gewaltiges Erdbeben, und ein Zehntel der Stadt stürzte ein, und es wurden durch das Erdbeben siebentausend Menschen getötet; die übrigen aber gerieten in Furcht und gaben dem Gott des Himmels die Ehre.
14 Das zweite Wehe ist vergangen. Siehe, das dritte Wehe kommt schnell.**

Dieser Abschnitt gehört eng mit dem vorigen zusammen. In ihm wird der Auftrag an den Seher, vor dem Forum der ganzen Welt öffentlich sein prophetisches Zeugnis abzulegen, nach zwei Seiten hin konkretisiert und entfaltet: zunächst in V. 1–2 im Blick auf das, was er für die Heilsgemeinde bewirkt, sodann in V. 3–13 hinsichtlich seines Zusammenhangs mit dem persönlichen Geschick des Propheten. Diese Entfaltung erfolgt im wesentlichen anhand von vorgegebenen älteren Traditionen, die Johannes in sein Werk aufgenommen hat. Wir begegnen hier einer Reihe von Bildern und Motiven, die sonst in der Apk. nicht erscheinen. Viele der erwähnten Einzelheiten und erzählerischen Züge lassen sich der aus dem Kontext ersichtlichen interpretatorischen Absicht des Johannes offensichtlich nicht oder allenfalls durch übertragene Deutung integrieren, z. B. die Wundertaten der beiden Zeugen (V. 5f.) und ihre wunderbare Himmelfahrt (V. 11f.). Solches Überschießen ist ganz allgemein ein Hinweis auf die Verarbeitung vorgegebener Tradition. Die Beobachtung, daß diese Tradition sowohl in V. 1f. als auch in V. 7–9 deutliche lokale Bezüge auf Vorgänge in Jerusalem aufweist, berechtigt zu dem Schluß, daß sie aus dem palästinischen Judenchristentum stammt. Und zwar scheint in ihnen die Reflexion christlicher Propheten über ihren Auftrag und ihr Selbstverständnis angesichts der geschichtlichen Erfahrungen der Zeit des jüdischen Krieges (um 70 n. Chr.) ihren Niederschlag gefunden zu haben.

Die erste Szene **(V. 1–2)** ist durch Ez. 40,3ff. inspiriert: Ezechiel wird in ein ideales oberes Jerusalem entrückt und schaut, wie ein Engel das himmlische Urbild des Tempels vermißt. Während aber diese Vermessung dazu diente, Ezechiel die Maße zu übermitteln, nach denen der damals in Trümmern liegende Jerusalemer Tempel wieder aufgebaut werden sollte, soll die Vermessung, mit der hier der Seher durch eine himmlische Stimme beauftragt wird, am bestehenden Jerusalemer Heiligtum vorgenommen werden. Und zwar hat sie den Sinn einer Zeichenhandlung: Indem ein großer Teil des Tempelbezirks, nämlich der Heidenvorhof, ausdrücklich durch die himmlische Weisung von der Vermessung ausgenommen wird, soll zeichenhaft dessen Preisgabe an die Heiden, zusammen mit ganz Jerusalem, der «heiligen Stadt», angekündigt werden. Was aber die vermessenen Teile betrifft, nämlich das Allerheiligste und den inneren Vorhof, in dem der Brandopferaltar steht, so ist für sie umgekehrt die Vermessung Zeichen des Verschonungswillens Gottes. Letztlich zielt dieser Verschonungswille aber nicht auf Gebäude, sondern auf Menschen, nämlich auf die, die «darin (nämlich im Innern des Tempelbezirks) anbeten». Die Entsprechung zu den tatsächlichen Ereignissen des Jahres 70 scheint zunächst frappierend. Als die Römer Jerusalem belagerten, verschanzten sich nämlich die den jüdischen Aufstand tragenden Zeloten im Tempelinneren, um es zum Zentrum ihrer Verteidigung zu machen: «So glich der Tempelbezirk ringsum wegen der Unzahl von Leichen einem Totenfeld, das Tempelgebäude selbst einer Festung. In die heiligen und jedem Zutritt verwehrten Räume sprangen diese Männer hinein mit Waffen in den Händen» (Jos. Bell. 6,3,118). Man hat von da her vermutet, den Kern des vorliegenden Traditionsstücks bilde ein Prophetenspruch aus zelotischen Kreisen, der für das Tempelinnere und die dort sich verschanzenden Widerständler Verschonung verheißen habe. Aber diese Annahme hängt an der unwahrscheinlichen Voraussetzung, daß ein solches durch den geschichtlichen Gang der Ereignisse in seinem ursprünglichen Wortsinn widerlegtes zelotisches Orakel nachträglich christlich rezipiert worden sein müßte. Mehr spricht darum für die Annahme, daß wir hier einen ursprünglich christlichen Prophetenspruch vor uns haben, der die Ereignisse des Jahres 70 aus der Sicht der christlichen Gemeinde deutete. Und zwar wurde in ihm das in urchristlicher Tradition fest verwurzelte Verständnis der endzeitlichen Heilsgemeinde als des wahren Tempels (1. Kor. 3,10.16; Gal. 2,9; Mt. 16,18 u. ö.) verbunden mit einem Motiv christlich-apokalyptischer Prophetie, nämlich der Ankündigung des Endes Jerusalems und seines Tempels (Lk. 21,24). Die christliche Gemeinde sah in dem Untergang Jerusalems, der Preisgabe der «heiligen Stadt» an die Heiden, zwar ein Zeichen des Gerichtes über Israel, nicht jedoch die Zurücknahme der Verheißung Gottes für sein Volk. Denn entscheidend war, daß das Innere des – geistlich verstandenen – Tempels, die Schar der Gott in Jesus Christus Anbetenden, verschont wurde. Die Gemeinde ist hier als der «heilige Rest» verstanden, der im Gericht bleibt und in dem sich die Identität des Gottesvolkes durchhält. Für Johannes lagen diese ursprünglichen aktuellen Bezüge des von ihm verwendeten Traditionsstücks weit dahinten. Auch spielt für sein Kirchenverständnis weder der Restgedanke eine erkennbare Rolle, noch hat er ganz allgemein das Verhältnis zwischen Kirche und Judentum zum Gegenstand theologischer Reflexion gemacht (s. zu 2,9; 3,9). Jerusalem ist für ihn, trotz des von der Tradition geprägten Wortlauts von V. 2, nicht mehr «heilige Stadt», sondern Bild der Gott feindlichen Menschheit (vgl. V. 8), und das Tempelinnere ist für ihn die Heilsgemeinde, die äußerster Anfeindung und Bedrängnis ausgesetzt ist. Ihm geht es darum, zu zeigen, worin der prophetische Auftrag für diese Heilsgemeinde besteht: Es gilt, sie dessen gewiß zu machen, daß sie trotz äußerster Bedrängnis von Gott bis zum Ende bewahrt werden wird. Diese Bedrängnis mag kaum mehr erträglich sein und an die Substanz gehen – sie ist jedoch zeitlich begrenzt; Gott selbst hat ihr ein Ende gesetzt. Solche Begrenzung kommt zum Ausdruck in der vermutlich von Johannes in seine Tradition eingetragenen geheimnisvollen Zeitangabe «zweiundvierzig Monate».

Exkurs: 3½ Jahre – 42 Monate – 1260 Tage

In drei Varianten erscheint in der Apk. mehrfach die gleiche Zeitangabe (11,3.11; 12,6.14). Woher stammt sie und was ist ihr Sinn? 42 nach dem Mondzyklus mit je 30 Tagen berechnete Monate ergeben 1260 Tage bzw. 3½ Jahre. Der geschichtliche Hintergrund für diese Zahlenangabe liegt in der Dauer der Schreckensherrschaft des Antiochus Epiphanes über Jerusalem (Dan. 7,25; 12,7). Aber bereits im Danielbuch hat die Zahl eine symbolische Bedeutung, insofern als sie die Hälfte der siebzigsten und letzten Weltwoche, die dem von Gott gesetzten Ende vorangeht, umfaßt. Die Verfolgung ist also nicht nur zeitlich begrenzt, sie füllt auch die von Gott vorgesehene und geplante Zeit nicht aus, sondern wird von jener umgriffen. Ganz in diesem Sinn gebraucht auch Johannes die geheimnisvolle Zahl: Die 3½ Jahre (bzw. ihre Entsprechungen) symbolisieren eine jeweils von Gott begrenzte, durch seinen Heilsplan umgriffene Epoche der Bedrängnis, die für die um Gottes Heilsratschluß wissende Gemeinde zur Zeit der Bewährung zu werden vermag.

Hinter **V. 3–13** lassen sich deutlich die Umrisse eines ebenfalls palästinischen Überlieferungsstücks erkennen, das die in drei Phasen gegliederte Geschichte von zwei prophetischen Zeugen erzählte: **V. 3–6** handeln von der *irdischen Wirksamkeit* der beiden Zeugen, die durch unwiderstehliche Krafttaten gekennzeichnet ist. Wie Elia vermögen sie mit Feuer ihre Gegner abzuwehren (2. Kön. 1,10; Sir. 48,3) und den Himmel zu verschließen, so daß kein Regen fällt (1. Kön. 17,1; Sir. 48,3); wie Mose haben sie die Vollmacht, Wasser in Blut zu verwandeln und so ihre Gegner mit Plagen einzuschüchtern (2. Mose 7,17.19f.). **V. 7–10** handeln von ihrem *Lebensausgang* und dessen unmittelbaren Folgen: Sie erleiden in Jerusalem den Tod und ihre unbestattet und geschändet «auf den Straßen der großen Stadt» liegenden Leichen werden den Gegnern Anlaß äußersten Triumphs. Aber ihr Geschick erfährt nach **V. 11–12** eine unerwartete Wendung: Gott läßt sie – wiederum Elia (2. Kön. 2,11; Sir. 48,9) und Mose (Jos. Ant. 4,8,48) gleich – auferstehen und leibhaft zum Himmel auffahren.

Ohne Zweifel ist hier die im nachbiblischen Judentum weit verbreitete Vorstellung aufgenommen worden, wonach Prophetengestalten der Anfangszeit – Mose bzw. Henoch und Elia (Apk. Eliae 35,7) in der Endzeit als Bußprediger wiederkehren und die Ankunft des Messias vorbereiten. Diese Vorstellung, deren biblische Grundlagen 5. Mose 18,18 und Mal. 3,23f. bilden, begegnet auch mehrfach in der Evangelientradition: Johannes der Täufer gilt aufgrund seiner Umkehrpredigt als der wiedergekehrte Elia (Mk. 1,2; 6,15; 9,11–13; Mt. 11,14), und bei der Verklärung Jesu erscheinen Mose und Elia als die beiden Vorläufer (Mk. 9,4). Das Problem liegt nun freilich darin, daß das Urchristentum nach Jesu Tod und Auferweckung sich diese jüdische Erwartung unmöglich mehr zu eigen machen konnte, zumal sie in der Erscheinung Johannes des Täufers, was Elia betraf, bereits als erfüllt galt. Demnach müßte es sich, wie manche Ausleger vermuten, um ein ursprünglich jüdisches Überlieferungsstück handeln. Aber wie wäre dessen christliche Übernahme denkbar, wenn die darin enthaltenen Vorstellungen mit den christlichen Endzeiterwartungen nicht in Einklang zu bringen waren? So spricht mehr für die Annahme, daß wir hier ein ursprünglich christliches Überlieferungsstück vor uns haben, in dem die jüdische Vorstellung von den beiden endzeitlichen Propheten durch typologische Neudeutung so umgestaltet wurde, daß sie geeignet wurde,

Weg und Schicksal christlicher Propheten zu interpretieren. Diese Vorstellungen gaben also den judenchristlichen Propheten das Material an die Hand, mit dem sie ihr Selbstverständnis als Vollender und Überbieter der Sendung der alttestamentlichen Propheten entfalten konnten. Die Motive der von Machttaten begleiteten Umkehrpredigt und der Himmelfahrt bildeten dabei zunächst die Eckpunkte: Gleich Mose und Elia wußten sich christliche Propheten zu von Zeichen begleiteter Umkehrpredigt bevollmächtigt (Lk. 10,17–20); gleich jenen auch erwarteten sie für das Ende ihres Weges die errettende Tat Gottes, und zwar in der Auferstehung der Toten. Mit diesen Motiven verband sich für sie das ebenfalls aus alttestamentlicher Tradition stammende Motiv der Verwerfung und des gewaltsamen Todes der Propheten, das für sie zugleich vom Geschick Jesu her in ein neues Licht rückte (Lk. 13,33f.; Mt. 5,12; Apg. 7,52; Hebr. 11,36f. u. ö.): Gewaltsamer Tod war nicht nur Prophetenschicksal, sondern zugleich Teilnahme am Weg Jesu. Es ist anzunehmen, daß das Überlieferungsstück in der Zeit unmittelbar vor dem Jüdischen Krieg in Palästina entstand, als die dortige Gemeinde von den Juden immer stärker bedrängt wurde und einige ihrer führenden Männer Opfer von Ausschreitungen und Pogromen wurden. Daß V. 7f. auf konkrete Vorfälle Bezug nimmt, die die Gemeinden besonders erschütterten, ist nicht auszuschließen. So hat man an den Tod des Zebedaiden Jakobus (Apg. 12,2) und an den des Herrenbruders Jakobus (Euseb, KG 2,23,4ff.) denken wollen. Aber angesichts der Dürftigkeit unserer Quellen über die Geschichte der palästinischen Urgemeinde sind derartige Spekulationen müßig.

Wie deutet Johannes das Überlieferungsstück? Er will mit ihm Weg und Geschick der Propheten veranschaulichen: Es ist ein Weg, der vor die Öffentlichkeit der Welt, zum Zeugnis über «Völker, Nationen, Sprachen und Könige» (10,11) führt, und es ist zugleich ein Weg ins Leiden – das Büchlein ist bitter im Magen des Propheten (10,10). Dieses Leidensmotiv hat für Johannes besonderes Gewicht; so scheint er auch in den Abschnitt V. 7–10 besonders stark redigierend eingegriffen zu haben. Er hat hier den ursprünglichen engen Bezug auf Jerusalem aufgebrochen zugunsten einer weltweiten Perspektive, die bereits Kap. 12f. vorbereitet. Die Himmelfahrts- und Auferweckungsaussagen von V. 11f. scheint er im Sinne einer Rechtfertigung der Propheten und ihres Auftrags durch Gott verstanden zu haben, wobei er mit dem wohl von ihm selbst geschaffenen V. 13 den Abschnitt in das Ganze der Posaunenvision einbindet und ihm damit zugleich eine unerwartete Pointe gibt.

V. 3: Es ist die selbe Himmelsstimme wie in 10,8.11; 11,1f., die hier ertönt. Daß sie Gott zugehört, wird daraus deutlich, daß sie von «meinen zwei Zeugen» spricht. Gott selbst ist es, der sich seine Zeugen (s. zu 1,2.9) aussucht und sie beruft. Es entspricht im übrigen dem Selbstverständnis des Johannes (vgl. 1,9), wenn die beiden mit dem übergreifenden Begriff «Zeugen» eingeführt werden; Prophetie ist für ihn nur eine Funktion des Zeugendienstes. Die Zweizahl der Zeugen ergibt sich aus dem Zeugenrecht: Jede Wahrheit muß zumindest von zwei Zeugen bekundet werden (vgl. Mt. 18,16). Ihre Kleidung weist die beiden als Bußprediger aus: Der Sack ist ein Gewand, das Trauer und Buße symbolisiert (Jes. 22,12; Jer. 4,8; Jon. 3,6–8; Mt. 11,21). Durch die sym-

bolische Zeitangabe «1260 Tage», die hier wohl wie durchweg von Johannes
stammt, wird das Folgende mit V. 2 verknüpft: Die beiden Zeugen treten eben
in jener zeitlich durch Gottes Willen begrenzten Epoche der Bedrängnis auf,
in der die Heiden, d. h. die Gott feindlichen Menschen, die Oberhand haben
und das Geschick der Welt zu bestimmen scheinen (vgl. V. 7). **V. 4** umreißt
Stellung und Funktion der beiden Zeugen näher anhand einer recht eigenwil-
ligen Umdeutung einer Vision des Propheten Sacharja (Sach. 4,1–14). Diese
stellt die beiden Häupter Israels, den davidischen König Serubbabel und den
Hohenpriester Josua, im Bild von zwei Olivenbäumen dar, von denen Öl in
goldenen Röhren einem siebenarmigen Leuchter zufließt, der Gottes Gegenwart symbolisieren soll. Dieses Bild war von großer Bedeutung für die messianische Erwartung des nachbiblischen Judentums. In der Sekte von Qumran
wurde es als Beleg für die Hoffnung auf das Kommen zweier Messiasse, eines
Priesters und eines Königs, gedeutet (1QS 9,11). Ein solches messianisches
Verständnis liegt an unserer Stelle nicht vor. Aus dem einen Leuchter Sachar-
jas werden zwei, so daß jeder der beiden Zeugen zugleich Ölbaum und Leuchter ist. Dabei ist der Ölbaum als Symbol der Sendung durch Gott, der Leuchter
aber wahrscheinlich als Hinweis auf die Geistbegabung zu verstehen, denn in
4,5; 5,6 werden die sieben Geister Gottes im Bilde des siebenarmigen Leuchters dargestellt.

Weil die Zeugen von Gott selbst beauftragt und mit seinem Geist begabt sind,
darum stehen sie unter Gottes besonderem Schutz **(V. 5f.)**. Die Vollmacht
zum Tun von Wundern, die in Anlehnung an die Elia- und Mose-Tradition beschrieben werden (s. o.), ist streng an ihren Auftrag gebunden. Die Wunder
machen sie einerseits für ihre Gegner unangreifbar (V. 5), andererseits aber
dienen sie – analog den ägyptischen Plagen – als zur Umkehr rufende Erweise
der Macht Gottes gegenüber diesen Gegnern (s. zu 8,6–13).

V. 7: Mit solcher Unangreifbarkeit wird es jedoch ein Ende haben, wenn es die
beiden Zeugen am Ende ihrer Wirksamkeit mit einem neuen, unheimlichen
Gegner zu tun bekommen werden. Dieser wird als eine bekannte Größe eingeführt, obwohl seine Identifizierung erst in Kap. 13 und 17 erfolgen wird. Aber
wenn unter Aufnahme von Worten aus der Weltreiche-Vision Dan. 7,21 gesagt wird, daß er mit den Zeugen «Krieg führen, sie besiegen und töten wird»,
so ist damit für damalige Leser seine Identität bereits dahingehend umrissen,
daß es sich um eine übermenschliche dämonische Macht handelt, in deren
Auftreten sich der endzeitliche Widerstand gegen Gott bis aufs äußerste verdichtet. Die Einführung des Tieres aus dem Abgrund an dieser Stelle ist ein ge-
schickter literarischer Kunstgriff, mit dem der Verfasser die Thematik des mit
12,1 beginnenden zweiten Visionenteils vorweg ankündigt und mit dem Bisherigen verbindet. Wer wie die Propheten Gottes Zeugnis ausrichtet, bekommt
es mit dem dämonischen Widersacher Gottes zu tun, ja, er muß damit rechnen, im Kampf mit ihm zu unterliegen. Gott rüstet seine Zeugen zwar mit
Macht aus, aber er bewahrt sie nicht vor letztem äußerem Scheitern und physi-
scher Vernichtung. Hier wird eine ungemein nüchtern-realistische Prognose
gestellt, die allen kirchlichen Triumphalismus widerlegt. **V. 8:** Unbestattet liegen die Leichen der Zeugen «auf den Straßen der großen Stadt» – ein Bild äußerster Erniedrigung und Schmach (vgl. Jer. 8,2; Tob. 1,18–20; 2,3f.). Aber

welche Stadt ist gemeint? Nach der Bemerkung, daß «auch ihr Herr dort gekreuzigt» worden ist, wird man zunächst an Jerusalem denken müssen. Sie
scheint eine Identifikation der «großen Stadt» mit Rom auszuschließen, obwohl Johannes im folgenden die «große Stadt» Rom als Sitz des Tiers aus dem
Abgrund (17,18) und als Zentrum des Widerstands der gegengöttlichen Kräfte
darstellen wird. Aber hier soll dem Leser nicht durch das Verschweigen des
Namens der Stadt ein Ratespiel aufgegeben werden; vielmehr soll die merkwürdige indirekte Umschreibung andeuten, daß es sich bei dieser Stadt nicht
um eine reale, sondern um eine typische Stadt handelt. Was sie kennzeichnet,
ist ihr geistlicher Name, d. h. die vom Geist ermöglichte Aufdeckung dessen,
was ihr Wesen vor Gott ausmacht: Sie ist zugleich Sodom, der Prototyp der
Stadt, die Gottes Gebot und Willen verwirft (Jes. 1,10; Jer. 23,24), und Ägypten, der typische Ort der Fremdlingschaft und Sklaverei des Gottesvolkes
(Mt. 2,13–23; Apg. 13,17). Und weil das so ist, darum müssen die Jünger Jesu
in ihr das gleiche Schicksal wie ihr Herr erleiden. Hier wird also gleichsam Jerusalem über das rein Geographische hinaus ausgeweitet zum Bild der gottfeindlichen Welt, ja letztlich verschwimmt das Bild Jerusalems hier geradezu
mit dem Bild Roms! Dieses Ineinanderfließen der Konturen setzt voraus, daß
Jerusalem für Johannes aufgehört hatte, «heilige Stadt» zu sein (vgl. 20,9;
21,2). So wird denn auch in dieser Stadt nach **V. 9** die gesamte Weltöffentlich-
keit anwesend gedacht. Alle Völker, Gruppen und Schichten vereinigen sich
angesichts des Sieges des Tieres über die Zeugen in Siegesfreude. Nur die hier
erneut erscheinende geheimnisvolle Zahl der 3½ Tage deutet an, daß die Erniedrigung der Zeugen nicht das Letzte sein wird: Auch sie gehört zu jenen
zeitlich begrenzten Bedrängnissen, denen Gott durch sein Eingreifen ein Ende
setzen wird.

Vor diesem Hintergrund erscheint die Schilderung der Freude über die Befreiung von den unbequemen Bußpredigern, die sich im Austausch von Geschen-
ken äußert (vgl. Est. 9,18f.; Neh. 8,10.12), nicht ohne subtile Ironie **(V. 10)**.
Mit Wendungen, die der Vision Ezechiels von der Auferweckung der Toten-
gebeine durch den lebenschaffenden Geist Gottes entstammen (Ez. 37,10),
wird die Wende des Geschicks der Propheten beschrieben **(V. 11)**. Weil Gott
eingreift, darum stehen nicht Tod und Niederlage am Ende der Zeugen Gottes. Gott läßt sie vielmehr vom Tode auferstehen, und die Gegner müssen er-
schrocken erkennen, daß ihr Siegestaumel verfrüht war. Der Auferstehung
folgt eine leibhafte Entrückung in den Himmel **(V. 12)**: Auf den Befehl einer
himmlischen Stimme werden die Zeugen von einer Wolke in den Himmel aufgehoben. Diese Entrückungsszene läßt sich nicht allein vom Vorbild der Elia-
geschichte (2. Kön. 2,11) erklären; sie scheint vielmehr mit den Farben einer
sehr urtümlichen Parusie-Erwartung gemalt zu sein, wie sie ähnlich in
1. Thess. 4,16f. greifbar wird: Demnach werden bei der Wiederkunft Jesu
Christi die noch lebenden und die vom Tod erstandenen Gläubigen in einer
Wolke dem kommenden Herrn entgegengeführt und mit ihm vereinigt. Geht
man so davon aus, daß auch hier von der endzeitlichen Totenerweckung und
der Vereinigung der treuen Zeugen mit Christus die Rede sein soll, so erscheint freilich die Aussage, wonach sich diese vor den Augen der gottfeindlichen Welt vollziehen soll, zunächst befremdlich. Sie wie auch das Folgende

wird verständlicher, wenn man sie auf dem Hintergrund von 20,5f. liest: Johannes trennt nämlich zwischen der «ersten Auferstehung» der Christusgläubigen und dem alle Menschen betreffenden Endgericht (vgl. 20,11–15). Was er in V. 12 beschreibt, gehört in den Rahmen dieser ersten Auferstehung. Mit **V. 13** wendet er sich der Frage nach dem Geschick jener gottfeindlichen Menschen zu, die die Auferstehung der Zeugen geschaut haben. Zugleich bringt er damit den gesamten Abschnitt 10,1–11,12 in einen Zusammenhang mit der Reihe der Posaunenvisionen. Denn was sich nunmehr ereignet, gleicht den durch die Posaunensignale eingeleiteten Erweisen göttlicher Macht: Wieder wird ein Geschehen ausgelöst, das partiell über die Menschen Unheil bringt. Und zwar ist es ein gewaltiges Erdbeben, das ein Zehntel der Stadt zerstört und 7000 Menschen tötet (vgl. 8,7.9.10.12; 9,5.15). Aber während bisher die von solchen Plagen betroffenen Menschen sich weigerten, Gott die Ehre zu geben und umzukehren (9,20f.), tritt eben diese Wirkung nunmehr ein: Die Übriggebliebenen werden von Furcht Gottes ergriffen und geben Gott die Ehre. Sie tun damit also das, was die Apk. als heilsentsprechendes Tun von allen Bewohnern der Erde erwartet und erhofft (vgl. 14,6f.). Mit diesem Ausblick auf eine endgültige Selbstdurchsetzung Gottes am Ende der Geschichte ist der Grund dafür gelegt, daß Johannes den ersten Teil seiner Visionen über die düstere Perspektive von 6,15ff.; 9,20f. hinausführen kann auf eine Vision endgültigen Heils.

Kaum erklärbar erscheint im vorliegenden Zusammenhang **V. 14**, der die 8,13 und 9,12 eingeleitete Zählung der drei letzten Posaunen als drei «Wehe» wieder aufnimmt. Warum geschah das nicht schon nach 9,21? Vor allem aber: Wie läßt sich die Ankündigung eines dritten Wehe mit dem tatsächlichen Inhalt der letzten Posaunenvision vereinbaren? Zwei Antworten sind denkbar: Entweder ist die Ankündigung hier versehentlich aus einer Urfassung der Posaunenvisionen stehengeblieben, die mit einer Katastrophe endete, oder – wahrscheinlicher – wir haben es hier, wie vielleicht auch schon in 9,12, mit dem Zusatz eines pedantischen Glossators zu tun, der aus 8,13 eine dort vom Verfasser keineswegs beabsichtigte Zählung ableiten wollte.

11,15–19   g. Die siebte Posaune

15 Und der siebte Engel gab ein Posaunensignal. Da ertönten mächtige Stimmen im Himmel, die sprachen:
> **Nun gehört die Herrschaft über die Welt**
> **unserem Herrn und seinem Gesalbten,**
> **und sie werden herrschen in alle Ewigkeit.**

16 Und die vierundzwanzig Ältesten, die vor Gott auf ihren Thronen sitzen, fielen auf ihr Angesicht, beteten Gott an 17 und sprachen:
> **Wir danken dir, Herr, Gott, Allherrscher,**
> **der da ist und der da war,**
> **denn du hast deine große Macht ergriffen**
> **und bist König geworden.**

18 Die Völker wurden zornig,

**da kam dein Zorn
und die Zeit, die Toten zu richten
und den Lohn zu geben deinen Knechten,
den Propheten und den Heiligen und denen, die deinen Namen fürchten,
den Kleinen und den Großen,
und die zu verderben, die die Erde verderben.
19 Da wurde der Tempel Gottes im Himmel aufgetan und es wurde die Lade
seines Bundes in seinem Tempel sichtbar, und es geschahen Blitze, Stimmen,
Donner, Erdbeben und gewaltiger Hagel.**

Die siebte Posaunenvision handelt nicht mehr, wie die sechs vorangegange-
nen, vom Kampf Gottes um seine Selbstdurchsetzung auf Erden. Dieser
Kampf ist mit V. 13 siegreich abgeschlossen. Jetzt geht es um ein himmlisches
Geschehen, nämlich um die Proklamation des endgültigen Herrschaftsantritts
Gottes und Jesu Christi (V. 15b) sowie das ihr antwortende Dankgebet der vie-
rundzwanzig Ältesten (V. 17–18). Die Vollendung der Geschichte ist also im
Blick, und zwar ungleich deutlicher als in der letzten Siegelvision (8,1). Zu-
gleich schließt sich der Kreis von Kap. 4 her: War es dort um den Lobpreis des
Schöpfers gegangen, so ist hier der Dank dafür, daß dieser Schöpfer seine
Schöpfung nicht allein gelassen, sondern seinem Recht in ihr Raum geschaffen
hat, das beherrschende Thema.

V. 15: Die 10,7 angekündigte Vollendung des Geheimnisses Gottes beginnt
mit dem siebten Posaunensignal. Himmlische Stimmen rufen Gottes endgültigen Sieg aus. Wem diese Stimmen gehören, erfahren wir nicht. Da das folgende Dankgebet von den 24 Ältesten gesungen wird, könnte man schließen, daß
es hier, wie 4,8, die vier Wesen sind, die den himmlischen Anbetungsakt eröffnen. Ihre Proklamation nimmt die alttestamentliche Erwartung der Königsherrschaft Gottes auf (Jes. 24,23; 33,22; Mi. 4,7; Sach. 14,16f.). In dieser geht
es nicht um das allgemeine Weltregiment des Schöpfers, sondern um das endzeitliche Sichtbarwerden der Königsmacht Gottes in allen Bereichen der Welt,
das die Vernichtung aller Gott widerstrebenden Kräfte und Mächte zur Voraussetzung hat (Jes. 24–27; Ob. 21). Diese Erwartung ist nunmehr erfüllt;
Gott hat, zusammen mit seinem Gesalbten (vgl. Ps. 2,2), die Herrschaft über
die Welt angetreten. Unter der «Welt» ist hier zunächst der Bereich der
Menschheit und der Völkerwelt zu verstehen. Aber zugleich ist doch vorausgesetzt, daß der Sieg Gottes über die ihm widerstrebenden Menschen auch
Rückwirkungen auf die Natur und die gesamte kreatürliche Welt hat. Wenn
Gott endzeitlich zur Herrschaft kommt, wird die ganze Erde heil! Daß diese
Herrschaft nichts Vorübergehendes, sondern der Endzustand ist, betont die
Abschlußzeile. Gottes Herrschaft, die sich jetzt in der Welt verwirklicht, wird
in alle Ewigkeit Bestand haben.
Die vierundzwanzig Ältesten huldigen Gott, indem sie vor ihm anbetend niederfallen **(V. 16).** Diese Proskynese wird fast wörtlich wie in 4,10 beschrieben
– ein Hinweis darauf, daß es sich um keinen neuen himmlischen Gottesdienst
handelt. Es ist derselbe Gottesdienst, der im Himmel ohne Pause weitergeht;
er hat nunmehr lediglich eine neue Dimension gewonnen, nämlich die des

Dankes an Gott für den endgültigen Sieg über seine Gegner. **V. 17**: Die Einleitungsformel des Dankgebetes «Wir danken dir» (*eucharistoumen soi*) ist die einzige Wendung in den Hymnen der Apk., für die sich mit Sicherheit eine gleichzeitige Verwendung im urchristlichen Gottesdienst nachweisen läßt; sie begegnet unter anderem in den Herrenmahlsgebeten Did. 9,2.3; 10,2.4. Da das Gebet keinerlei darüber hinausgehende Anklänge an die Herrenmahlsliturgie aufweist, wird man es insgesamt nicht als eucharistisches Gebet verstehen können. Wohl aber könnte in der Eingangsformulierung eine beabsichtige Anspielung vorliegen: Der Sieg Gottes, den die das Mahl feiernde Gemeinde erbittet und zugleich dankend preist, ist nunmehr vor aller Welt manifest geworden. In eine ähnliche Richtung weist der Umstand, daß die aus 1,4.8; 4,8 geläufige Gottesbezeichnung «der ist und der war und der kommt» hier in der Gebetsanrede um das letzte Glied verkürzt wird: Das Kommen Gottes, der noch ausstehende, von der Kirche ersehnte letzte Erweis seiner Geschichtsmächtigkeit, ist nunmehr erfolgt! Indem Gott seine große Macht über die er von Anfang an verfügte, «ergriffen», d. h. in Wirkung gesetzt hat, ist er da. In **V. 18** wird der Dank näher begründet, indem gesagt wird, wie sich dieses Kommen Gottes, dem er gilt, im einzelnen vollzieht. Betont wird dabei die doppelte Ausrichtung dieses Kommens: Gott kommt zum Heil wie zum Gericht! Gott hat auf die Auflehnung der Völker gegen ihn, ihren «Zorn» (vgl. Ps. 2,1–5; 99,1), mit dem Erweis seines Zornes reagiert und den Widerstand zerschlagen. Nun ist der Zeitpunkt seines Gerichtes gekommen, das alle Menschen, auch die Toten, einbezieht (vgl. 20,11–15). In diesem Gericht trifft sein Zorn alle, die die Erde verdorben haben (vgl. 19,2): Auflehnung gegen Gott und Zerstörung der Erde werden hier als Ursache und Wirkung unmittelbar zusammengesehen. Wo Gottes Wille als der des Schöpfers nicht ernst genommen wird und der Mensch die Erde als Werkzeug und Mittel eigener Selbstverwirklichung mißbraucht, wird Gottes gute Schöpfung verdorben. Das Gottesverhältnis des Menschen ist nicht nur eine Sache der Innerlichkeit, sondern strahlt aus auf alle Lebensbereiche. Wo es zerstört ist, da wird auch die Erde in Mitleidenschaft gezogen. Kein anderes neutestamentliches Buch hat diese für uns angesichts heutiger Umweltproblematik fundamentale Einsicht so entschieden herausgestellt wie die Apk. – Zugleich aber bedeutet das Kommen Gottes für seine Knechte Heil, und zwar für alle, die ihm im Gehorsam die Treue gehalten haben, die «Kleinen» und die «Großen» (13,16; 19,5.18; 20,12). Sie erhalten ihren Lohn, und zwar nach dem Maßstab ihrer Werke (s. zu 20,13).
Ein eindrucksvolles Schlußbild bringt **V. 19**: Der himmlische Tempel (vgl. 6,9; 8,3) öffnet sich, und sein Innerstes, das Urbild des allen Unbefugten verschlossenen Allerheiligsten des irdischen Tempels, wird sichtbar. Vor aller Augen erscheint das himmlische Urbild der Bundeslade. Ohne Zweifel soll damit ein In-Erscheinung-Treten Gottes selbst angedeutet werden. Denn die geheimnisvolle Lade, die ursprünglich im Begegnungszelt der Wüstenzeit ihren Ort hatte, wird im Alten Testament häufig mit Theophanieschilderungen in Verbindung gebracht (vgl. Jes. 33,3.10; Ps. 99,1). Die klassischen Begleiterscheinungen der Theophanie – Blitze, Stimmen, Donner, Erdbeben und Hagel – werden auch hier genannt (vgl. 2. Mose 19,16ff.; Ps. 18,13; 104,7; Jes. 30,30). Gott selbst tritt aus seiner himmlischen Verborgenheit hervor, um für alle

sichtbar die von seinen Widersachern befreite Erde wieder in Besitz zu nehmen – das ist der Sinn dieses der notvollen Gegenwart weit vorauseilenden
Ausblicks auf die Zeit der Vollendung. Durch ihn wird die jüdische Vorstellung, nach der die Bundeslade vor allen heidnischen Augen verschlossen bleiben müsse, pointiert – und vielleicht auch ein Stück weit polemisch – aufgehoben.

12,1–19,10   C. Zweite Visionenreihe: Das Endgeschehen als Kampf Gottes mit seinem Widersacher

Zwischen 11,19 und 12,1 liegt ein tiefer Einschnitt. Mit dem Ausblick auf die
Vollendung der Geheimnisse Gottes (10,7) in 11,19 ist der erste Teil der Visionen an sein Ziel gekommen, dessen Thema die Herrschaft Jesu Christi über
die Geschichte und deren Durchsetzung war. Die mit 12,1 beginnende Reihe
von Visionen ist nicht Fortsetzung, sondern komplementäre Ergänzung des
Bisherigen. Johannes setzt noch einmal neu ein, um das Endgeschehen unter
einem Blickwinkel darzustellen, den er bisher bis auf wenige Andeutungen
ausgespart hatte: Der Kampf zwischen Gott und seinem satanischen Widersacher sowie der Ort der Kirche in diesem Kampf wird nunmehr zum bestimmenden Thema. Warum kommt es erst jetzt zur Sprache? Offensichtlich wollte Johannes das Mißverständnis vermeiden, als sei der Satan ein gleich mäch-
tiges, gleich wirkliches und gleich ewiges Gegenüber zu Gott, gewissermaßen
ein Gegengott. Biblischer Gottesglaube hat sich stets gegen solchen Dualismus entschieden abgegrenzt und ihm gegenüber die Alleinwirksamkeit und
Alleinmächtigkeit Gottes betont. Darum ist ihm auch jede Satanologie, jede
spekulative Lehre über Herkunft und Wesen des Bösen, fremd. Diesem Ansatz bleibt die Apk. treu, wenn sie die Frage nach Gegenwart und Wirkung des
Bösen erst stellt, nachdem sie klargemacht hat, daß Gott, der Schöpfer und
Allherrscher, Herr der Geschichte ist und daß sein Auftrag an Jesus Christus
zur Vollstreckung seines Herrscherwillens die einzige das Endgeschehen vor-
antreibende und bestimmende Kraft ist. Die Frage nach dem Bösen ergibt sich
notwendig aus der Erfahrung seiner Realität. Die Apk. stellt sich ihr in 12,1–
19,10 mit allem Ernst, ohne jedoch auch nur einen Augenblick lang den Bezug
auf den ersten Teil der Visionen (4,1–11,19) aus den Augen zu lassen: Das
dort über Gottes und Jesu Christi Herrschaft Gesagte bleibt Basis und Leitmotiv der Argumentation, was besonders in den zahlreichen kompositorischen
Rückverweisen und Querbezügen zum Ausdruck kommt. Nach den Maßstä-
ben spekulativer Logik mag man hier einen Widerspruch konstatieren: Kann
es, wenn Gott wirklich der Allherrscher und Alleinherrscher ist, in Welt und
Geschichte noch Raum für widergöttliche Mächte geben? Aber der Ansatz der
Apk. ist nicht von solcher abstrakter Spekulation, sondern von der realen
Welterfahrung des Glaubens bestimmt. Die Gemeinde erfährt in ihrer tägli-
chen Existenz die Realität widergöttlicher Kräfte und Mächte. Ihr wird nicht
gesagt, woher diese Mächte kommen, wohl aber, daß sie infolge des endzeitlichen Sieges Gottes in Jesus Christus im Himmel bereits besiegt sind und keine
Zukunft mehr haben. Sie soll die Vorgänge und Ereignisse der Gegenwart ver-

stehen lernen als Teile jenes gewaltigen Endkampfs, in dem das Böse noch einmal auf Erden seine ganze widergöttliche Macht entfalten will, ehe es von Gott auch hier endgültig vernichtet wird.

Dieser Teil des Visionenkorpus ist gekennzeichnet durch eine äußerste Spannweite der Darstellung, die vom Mythos (Kap. 12) bis zur Analyse aktueller Vorgänge im politischen und gesellschaftlichen Umfeld der Gemeinde (Kap. 13; 17) reicht. Eine Bildersprache von kaum mehr zu überbietender Drastik und Kühnheit wird hier in den Dienst eines leidenschaftlichen aktuellen Situationsbezugs gestellt. Dieser Abschnitt bildet zweifellos die eigentliche Spitze der Botschaft des Johannes für die Christen Kleinasiens – und darüber hinaus für die Kirche aller Zeiten.

12,1–14,20   1. Der Aufstand der widergöttlichen Mächte

12,1–18   a. Die Frau, der Drache und das Kind

1 Und ein großes Zeichen erschien am Himmel, eine Frau, bekleidet mit der Sonne, und der Mond zu ihren Füßen, und auf ihrem Haupt ein Kranz von zwölf Sternen, 2 und sie ist schwanger und schreit in ihren Wehen und leidet die Qual des Gebärens. 3 Und es erschien ein anderes Zeichen am Himmel, und siehe, ein großer feuerroter Drache, der hatte sieben Häupter und zehn Hörner, und auf seinen Häuptern sieben Diademe. 4 Und sein Schwanz fegt ein Drittel der Sterne des Himmels hinweg und wirft sie auf die Erde. Und der Drache stand vor der Frau, die gebären sollte, um das Kind zu verschlingen, sobald sie es geboren hatte. 5 Und sie gebar einen Sohn, ein männliches Kind, der alle Völker mit eisernem Stabe weiden wird. Da wurde ihr Kind zu Gott entrückt und zu seinem Thron. 6 Die Frau aber floh in die Wüste, wo sie einen Platz hat, den Gott ihr bereitet hatte, damit man sie dort zwölfhundertsechzig Tage lang ernähren sollte.

7 Da brach Krieg aus im Himmel; Michael und seine Engel (erhoben sich), **um mit dem Drachen Krieg zu führen. Und der Drache und seine Engel kämpften, 8 aber er konnte sich nicht halten und es fand sich kein Platz mehr für sie im Himmel. 9 Und gestürzt wurde der große Drache, die alte Schlange, genannt Teufel und Satan, der den ganzen Erdkreis verführt, hinabgestürzt wurde er auf die Erde, und seine Engel wurden mit ihm hinabgestürzt. 10 Und ich hörte eine gewaltige Stimme im Himmel rufen:**

(I)   **Jetzt ist angebrochen das Heil und die Macht und die Königsherrschaft unseres Gottes**
        und die Gewalt seines Gesalbten!
        Denn hinabgestürzt ist der Ankläger unserer Brüder,
        der sie anklagte vor unserem Gott Tag und Nacht.

(II)   **11 Und sie haben ihn besiegt durch das Blut des Lammes**
        und durch das Wort ihres Zeugnisses,
        und sie haben ihr Leben nicht geliebt bis zum Tode.

(III)   **12 Deshalb jauchzt, ihr Himmel, und alle, die darin wohnen!**
        Wehe der Erde und dem Meer,

denn hinabgestiegen ist der Teufel zu euch und hat großen Zorn, weil er weiß, daß er nur noch kurze Frist hat.
13 Und als der Drache sah, daß er auf die Erde hinabgestürzt war, verfolgte er die Frau, die das männliche Kind geboren hatte. 14 Da wurden der Frau die zwei Flügel des großen Adlers gegeben, um in die Wüste an ihre Stätte zu fliegen, wo sie ernährt wird eine Zeit und (zwei) Zeiten und eine halbe Zeit, fern von der Schlange. 15 Da spie die Schlange aus ihrem Maul Wasser aus wie einen Strom hinter der Frau her, um sie hinwegzuschwemmen. 16 Da kam die Erde der Frau zu Hilfe, und die Erde öffnete ihren Schlund und trank den Strom, den der Drache aus seinem Maul gespieen hatte. 17 Da ergrimmte der Drache über die Frau und ging weg, um Krieg zu führen mit den übrigen ihres Samens, die die Gebote Gottes halten und das Zeugnis Jesu haben. 18 Und er trat an den Strand des Meeres.

Exkurs: Der Mythos in der Johannesapokalypse

Dieses Kapitel nimmt innerhalb der Apk. eine Sonderstellung ein, denn es ist das einzige, in dem der Mythos unmittelbar und direkt als Darstellungsmittel eingesetzt wird. Unter Mythos versteht die Religionswissenschaft eine erzählende Darstellung von urzeitlichen Vorgängen zwischen Göttern, dämonischen Mächten und Heroen, die Auskunft geben will über Ursprung und Wesen der Welt, die Stellung des Menschen in ihr und die Entstehung der seine Existenz bestimmenden Verhältnisse und Normen. Das, was jetzt ist und als geltend erfahren wird, will der Mythos erklären, indem er es als Auswirkung eines Geschehens zwischen übernatürlichen Wesen deutet. Und zwar sind es zwei sehr alte mythologische Traditionen, die hier aufgenommen worden sind.

Die eine dieser Traditionen geht wohl letztlich zurück auf den astralen Mythos von der Himmelsgöttin, die täglich die Sonne gebiert, und von dem Finsternisdrachen, der diese zu verschlingen trachtet. So erzählt die ägyptische Sage, daß die schwangere Göttin Hathor bzw. Isis, von dem roten Drachen Typhon bzw. Seth verfolgt, auf eine Insel im Nil-Delta floh, wo sie ihr Kind, den Sonnengott Horus, gebar. Als dieser erwachsen war, nahm er den Kampf gegen Seth-Typhon auf und tötete ihn. Die kleinasiatisch-hellenistische Variante dieser Sage handelt von der Göttin Leto. Als der große Drachen Python, die Orakelschlange von Delphi, erfahren hatte, daß Apollon, das zu gebärende Kind der Leto, ihn vernichten werde, stellte er der Göttin nach. Auf der Insel Delos, wohin der Nordwind Leto in Sicherheit gebracht hatte, gebar sie Apollon und dessen Zwillingsschwester Diana. Bereits vier Tage nach seiner Geburt zog Apollon aus, um den Drachen zu töten.

Im Hintergrund der zweiten hier verarbeiteten Tradition steht der Mythos vom Götterkampf im Himmel und vom Satanssturz, dessen älteste Gestalt sich aus ugaritischen Texten rekonstruieren läßt: El Eljon, der höchste Gott, thront inmitten seines Hofstaates auf dem Weltenberg. Ihm wollte es Helel, Schachars Sohn, ein gewaltiger Recke, gleichtun; er stürmte den Berg, um dort als der König des Alls zu thronen. Doch das mißlang, und er wurde in die Tiefen der Unterwelt hinabgestürzt. Auch hierzu gibt es eine griechische Variante, nämlich die Sage von den Erdriesen, die den Himmel ersteigen wollten, indem sie die höchsten Berge, Ossa und Olympos, aufeinandertürmten, dabei aber von Apollon mit Pfeilen getötet wurden. Hier geht es jeweils um die Abwehr der Angriffe der chaotischen Mächte auf die Weltordnung durch die höchste Gottheit und somit um die Vermittlung des Bewußtseins der Verläßlichkeit der Welt.

Auch in das Alte Testament sind Motive dieses Mythos eingegangen, bezeichnenderweise allerdings in entmythisierter, vergeschichtlichter Form. Hochmut und Fall fremder Herrscher wurden im Bild des Himmelskampfes und Göttersturzes glossiert. Der eine Beleg dafür ist das Spottlied auf den König zu Babel (Jes. 14), den «vom Himmel» gefallenen «strahlenden Sohn der Morgenröte», der den Himmel ersteigen wollte, «um dem Höchsten zu gleichen», von dort aber in die äußerste Tiefe der Unterwelt hinabgeworfen wurde (Jes. 14,13–15). Der andere ist das satirische Leichenklagelied auf den König von Tyrus Ez. 28,11–19, in dem es heißt: «Auf dem heiligen Berg der Götter bist du gewesen, ... in Sünde bist du gefallen. Darum habe ich dich vom Berg der Götter verstoßen ... Ich stieß dich auf die Erde hinab, den Blicken der Könige gab ich dich preis, damit sie dich alle begaffen. Zu einem Bild des Schreckens bist du geworden ... du bist für immer dahin.»

Wie und mit welchem Ziel sind nun diese mythologischen Traditionen in der Apk. verarbeitet worden? Kaum etwas könnte für die Annahme eines direkten Rückgriffs auf vorgegebene schriftliche Quellenstücke, in denen diese Mythen in einer bestimmten Gestalt enthalten und vielleicht sogar schon miteinander verbunden waren, sprechen. Alles deutet vielmehr darauf hin, daß Johannes beide Mythen, deren Grundelemente er aus volkstümlicher Überlieferung kannte und deren Bekanntheit er auch bei seinen Adressaten voraussetzen durfte, in sehr freier Weise gestaltet, miteinander verknüpft und in den Dienst seiner theologischen Aussageabsichten gestellt hat. Und zwar benutzte er den *Mythos vom Himmelskampf und Satanssturz*, um die Stellung der widergöttlichen Macht innerhalb des Endgeschehens zu bestimmen: Gottes Widersacher, der Satan, hat «im Himmel» keinen Raum mehr; in Gottes Bereich, dort, wo Jesus Christus bereits als Herr über Welt und Geschichte proklamiert ist, ist er schon besiegt und gerichtet. Auf der Erde jedoch, im Bereich der zu Ende gehenden Geschichte, wo der vergebliche Widerstand der Gegner Gottes noch einmal vor dem Ende seine volle Kraft entfaltet, ist ihm noch «eine kurze Zeit gegeben». Der Umstand, daß er im Himmel schon gerichtet ist, läßt ihn hier auf Erden umso erbitterter um seine Macht kämpfen. Der Widersacher Gottes setzt alles daran, um die zu Ende gehende Geschichte als Raum seiner Herrschaft zu behaupten. – Der *Mythos von der Frau und dem Kind* dient nun dazu, den Ort der Kirche innerhalb des Endgeschehens zu umreißen. Der Umstand, daß die Einwohnerschaft Jerusalems und, darüber hinaus, die sich um den dortigen Tempel scharende Heilsgemeinde im Alten Testament im Bilde einer Frau, der «Tochter Zion», dargestellt werden konnte (Jes. 1,8; Jer. 4,31; 4. Esr. 9,38ff.), machte die Übertragung des mythischen Bildes der Frau auf die Kirche möglich. Die Deutung des göttlichen Kindes auf den messianischen Heilbringer legte sich ebenfalls vom Alten Testament (Jes. 7,14; 9,5) her nahe.

Neu und von den uns bekannten Formen des Mythos nicht gedeckt ist einerseits die Unterscheidung zwischen dem Geschick der Frau – sie bleibt auf Erden und wird vom Drachen weiter bedrängt – und dem ihres Kindes, das in den Himmel entrückt und dem Zugriff der feindlichen Macht entzogen wird. Neu ist andererseits auch die Einführung weiterer Nachkommen der Frau, die ebenfalls dem Zorn des Drachen auf der Erde ausgeliefert sind. Beides sind spezifische, von Johannes gesetzte Pointen, die deutlich machen sollen: Die Heilsgemeinde hängt zwar mit ihrem Herrn unmittelbar zusammen, hat jedoch an dessen Sieg über die Mächte noch nicht sichtbaren Anteil. Während ihr Herr im Himmel ist, ist sie noch auf Erden, und das heißt, an dem Ort, den der Drache zur letzten Bastion seiner Herrschaft gemacht hat. So muß sie damit rechnen, daß die Feindschaft der widergöttlichen Mächte, die ihrem Herrn gilt, sich mit voller Wucht auf sie entladen wird. Weil der Ort der Kirche in der gegenwärtigen Weltzeit nicht der Himmel, sondern die Erde ist, darum ist diese Kirche nicht triumphierende, sondern leidende und tödlich bedrängte Kirche. – Auch sonst finden sich in der Erzählung noch eine Reihe von den ursprünglichen Mythen fremden Zügen, durch deren Einbringung Johannes christliche Deuteakzente setzt, so das Motiv der messianischen Wehen (V. 2), die Identifikation des Kindes mit dem messianischen Herrscher von Ps. 2 (V. 5) und des Drachen mit der Schlange der Sündenfallgeschichte (V. 9) sowie der Hinweis auf die «dreieinhalb Zeiten» der Bedrängnis (V. 14). Umgekehrt finden sich aber auch einige aus dem Mythos übernommene Züge, deren Integration nicht voll gelungen ist und die darum in der vorliegenden Erzählung seltsam quer stehen. Hierzu gehört vor allem die Geburt des göttlichen Kindes aus der Frau. Da Johannes diese auf die Kirche deutet, könnte die Folgerung zunächst nahe liegen, daß die Kirche hier als die Mutter des Messias erscheine – doch diese Interpretation ist sicherlich nicht beabsichtigt. Ähnliche sich aus den verarbeiteten Traditionen ergebende Ungereimtheiten bestehen darin, daß nach V. 2 die messianischen Wehen des Gottesvolkes bereits der Geburt des Messias vorausgehen und daß nach V. 5f. der Ort der Bedrohung der Frau und ihres Kindes die Erde ist, während V. 7 voraussetzt, daß der Drache sich zunächst im Himmel aufhielt, um erst nach der Erhöhung des Kindes auf die Erde hinabgestürzt zu werden.

Aber was veranlaßt Johannes überhaupt dazu, hier seine sonstige streng geschichtsbezogene Darstellungsweise zu durchbrechen und eine mythologische Erzählung einzuschalten? Um die Voraussetzungen zu umreißen, die die gegenwärtige Situation der Kirche bestimmen, muß er eine Vorgeschichte erzählen, aber es ist eine Vorgeschichte, der die Dimension des Geschichtlichen fehlt. Mit der Rede von der die Gegenwart bestimmenden Macht des Bösen steht es anders als mit der Rede von der Macht und Weltherrschaft Jesu Christi. Kann diese sich auf das einmalige Handeln Gottes gründen, durch das die Geschichte der Welt auf das Ende hin in Gang gesetzt worden ist, so fehlt jener solche geschichtliche Verankerung und solcher geschichtlicher Bezug. Eben dies scheint Johannes andeuten zu wollen, wenn er hier auf eine mythologische Bildersprache zurückgreift, in der die Konturen von Raum und Zeit merkwürdig verschwimmen. Solche uneigentliche Redeweise trägt letztlich dem Umstand Rechnung, daß Gottes Widersacher vor Gott, dem Schöpfer und Herrn der Geschichte, nichtig ist.

Die Erzählung gliedert sich in drei Szenen (V. 1–6; V. 7–12; V. 13–18), von denen die erste und dritte, die untereinander eng zusammenhängen, gleichsam einen Rahmen um die zweite bilden. Diese nämlich enthält die zentralen theologischen Aussagen, auf die hin das ganze Triptychon angelegt ist.

V. 1 leitet nicht eine Vision des Sehers (vgl. 4,1; 5,1; 6,1; 7,1 u. ö.), sondern die Beschreibung einer allgemein wahrnehmbaren außergewöhnlichen Erscheinung am Himmel ein. Eine Frau wird sichtbar, die von den Strahlen der Sonne wie von einem Gewand eingehüllt ist; unter ihren Füßen hat sie den Mond, und zwölf Sterne umgeben, einem Diadem gleich, ihr Haupt. Es liegt nahe, hier an eine bestimmte Gestirnkonstellation zu denken: Wenn die Sonne ins Zeichen der Jungfrau tritt, das von den Alten mehrfach mit Isis gleichgesetzt wurde, dann steht am Nachthimmel der Vollmond zu ihren Füßen. Dieses allen sichtbare Himmelsphänomen wird nun als «Zeichen» gedeutet, d. h. als ankündigender Hinweis auf Ereignisse der Endzeit. Ganz analog ist in frühchristlich-apokalyptischer Tradition von mehr oder weniger außergewöhnlichen himmlischen Zeichen die Rede, die kommendes Geschehen signalisieren (Mk. 13,24f.; Mt. 24,29f.; Lk. 21,25). Mittelalterliche Marienfrömmigkeit hat in der himmlischen Frau die Mutter Jesu sehen wollen, und von da her ist das Bild der Himmelskönigin zu einem zentralen Motiv kirchlicher Malerei und Plastik geworden. Doch der Kontext schließt diese Deutung auf eine konkrete geschichtliche Gestalt aus. Die himmlische Frau ist vielmehr Bild der endzeitlichen Heilsgemeinde, Symbol der Kirche. Diese ist Erbin der Verheißungen des alttestamentlichen Gottesvolkes: darauf deutet die Zwölfzahl der Sterne (vgl. 1. Mose 37,9) hin, die das heilige Zwölfstämmevolk in seiner endzeitlichen Fülle und Vollendung symbolisiert (vgl. 7,4–8; 14,1). Gegen die Möglichkeit, daß mit der Himmelsfrau das Gottesvolk des Alten Bundes, aus dem der Messias geboren wurde, gemeint sei, spricht neben dem Fortgang der Erzählung (V. 13–17) ganz allgemein der Umstand, daß die Apk. nirgends die Frage nach dem Verhältnis Israels zur Kirche theologisch thematisiert. Ihr genügt die Gewißheit, daß die Kirche ihre Wurzeln in Israel hat und daß sie nunmehr in die Rechte Israels eingetreten ist (vgl. 7,4–8). Auch Überlegungen, ob die Himmelsfrau als himmlisches Urbild der Kirche, als Gemeinde der Vollendung zu verstehen sei, finden keinen Anhalt am Text, der im folgenden eindeutig vom irdischen Geschick dieser Frau spricht und ihren Ort auf Erden lokalisiert. Daß die Frau «am Himmel» erscheint, bedeutet dazu keinen ernstlichen Widerspruch, sobald man erkennt, daß hier der Himmel nicht als Ort Gottes und seiner himmlischen Versammlung, sondern als das Himmelsgewölbe, an dem eine Erscheinung von zeichenhafter Bedeutung sichtbar wird, eingeführt ist. Das Bekleidetsein der Frau mit der Sonne und das Stehen über dem Mond sind – nicht anders als der Sternenkranz – als Symbole der der Kirche geltenden Verheißungen zu deuten: Ihr ist die zukünftige Vollendung und der Triumph über die Mächte der Finsternis zugesagt. Von ihrem gegenwärtigen notvollen Zustand spricht **V. 2**: Sie soll ein Kind gebären und ist von den

Schmerzen der Wehen geschüttelt. Mit diesem Zug soll gewiß nicht nur die aus dem Mythos übernommene Geburtsszene realistisch ausgestaltet werden; er dient vielmehr einer grundsätzlichen, das Kommende vorbereitenden Charakterisierung der Situation der Heilsgemeinde in der Gegenwart: Sie ist bedrängt und geschüttelt von den «Wehen» der Endzeit, jenen Drangsalen also, die nach apokalyptischer Erwartung der Zeit der Heilsvollendung vorangehen. So ist Mi. 4,9f. von den schmerzhaften Wehen der «Tochter Zion» die Rede (vgl. Jes. 26,17; 1 QH 3,7–12; Joh. 16,19–23). Gemeint ist konkret die der Gemeinde jetzt auferlegte «Bedrängnis», die von der Kirche und ihren Gliedern «Ausharren» erfordert (s. zu 1,9).

Wenn in **V. 3** dem ersten ein zweites himmlisches «Zeichen» gegenübergestellt wird, so ist damit die Grundkonstellation alles Folgenden umrissen. Wieder könnte dabei auf eine bekannte Himmelserscheinung angespielt sein: Wie am Himmel dem Sternbild der Jungfrau das der Wasserschlange Typhon gegenübersteht, so tritt nun der Heilsgemeinde ihr erbitterter Widersacher gegenüber. Er wird näher gekennzeichnet als feuerroter Drache. Wie schon in altorientalischen Mythen, erscheint im Alten Testament die chaotische Macht, der Gott den Kampf angesagt hat, im Bild eines Meeresungeheuers verkörpert, des Leviathan, dessen Name in der LXX mit «Drache» wiedergegeben wird (Ps. 74,14; Hi. 7,12; Am. 9,3). Rot ist die Farbe des Mordes und der tödlichen Bedrohung. Zur Furchtbarkeit des Drachen gehört es, daß er – ungleich allen anderen Lebewesen – mehrere Köpfe hat (Ps. 74,13). Darüber hinaus ist mit der Siebenzahl der Köpfe und der Zehnzahl der Hörner ein vorausweisender Bezug auf 13,1 hergestellt: Auch das Tier, das sich der Drache als sein Ebenbild aus dem Meer erweckt und das Symbol des widergöttlichen Weltreiches ist, hat sieben Köpfe und zehn Hörner. Ähnlich hat das Tier, auf dem die große Hure reitet, sieben Köpfe und zehn Hörner (17,3). In letzter Instanz geht diese Symbolik auf die Weltreichevision Dan. 7 zurück (s. zu 13,1). In dem Drachen verbinden sich Herrschaftsanspruch, symbolisiert durch die sieben Diademe, und Zerstörermacht. Auf die letztere verweist **V. 4**; ähnlich wie nach Dan. 8,10 das den gottfeindlichen König Antiochus Epiphanes symbolisierende «kleine Horn» bis zum Himmel hinaufwächst, um von dort Sterne auf die Erde herabzuschleudern, fegt hier der Drache mit seinem Schwanz die Sterne vom Himmel. Erstes und zentrales Objekt seiner Zerstörermacht soll freilich das Kind der Frau sein. So steht er unmittelbar vor ihr, um die Geburt abzuwarten und das Neugeborene alsbald zu verschlingen. Es ist also eine Situation von auswegloser Bedrohlichkeit, die das bisher beschriebene himmlische Bild sichtbar werden läßt. Mit **V. 5** beginnt dieses Bild gleichsam zu leben; eine dramatische Handlung entwickelt sich aus ihm heraus, deren Ort zunächst die Erde (V. 5f.), sodann der Himmel (V. 7–12) und zuletzt wiederum die Erde ist (V. 13–18). An ihrem Beginn steht die Geburt des Kindes, dessen besondere Stellung durch Anspielungen auf messianische Verheißungen des Alten Testaments hervorgehoben wird: Nach Jes. 7,14 wird die «junge Frau» einen «Sohn», den endzeitlichen Heilsbringer, gebären, und Jes. 66,7 spricht von einem «männlichen Kind», dem die Tochter Zion nach ihren Wehen das Leben schenkt. Ps. 2,9 beschreibt die herrscherliche Vollmacht des Davidsmessias, der «die Völker mit eisernem Stabe weiden», d. h. alle Heiden unter seine Herrschaft und sein Gericht bringen wird (vgl. 2,27). Indem diese Prädikate das neugeborene Kind als den zukünftigen endzeitlichen Weltherrscher kennzeichnen, wird die Ursache für die Feindschaft des Drachen deutlich: Das Kind ist sein Konkurrent, weil es seinen Anspruch auf die Weltherrschaft in Frage stellt! Aber er erweist sich trotz seiner Drohgebärde als ohnmächtig, denn das Kind wird an den Ort Gottes entrückt, also in den Himmel. Die passivische Verbform (passivum divinum) deutet an, daß Gott selbst es ist, der hier die Initiative ergreift. Wer in Geburt und Entrückung des Kindes Eckdaten der irdischen Geschichte Jesu von Nazareth finden möchte, steht vor der Schwierigkeit, daß das zentrale Ereignis dieser Geschichte, nämlich das Kreuz, unerwähnt bleibt. Aber auch der Versuch einiger Ausleger, die messianische Geburt nicht auf das Ereignis von Bethlehem, sondern auf die Auferweckung und Erhöhung zu deuten, die ja in der Tat im Lichte von Ps. 2,7 («mein Sohn bist du, heute habe ich dich gezeugt») verstanden werden konnte, überzeugt nicht. Denn es geht hier um das spannungsvolle Nebeneinander von menschlicher Geburt und damit äußerster Gefährdung des Kindes einerseits und seiner Erhöhung durch göttliche Intervention andererseits. Aus der Konzentration auf dieses Nebeneinander erklärt sich auch das Fehlen des Kreuzes; der irdische Weg Jesu ist hier ebensowenig im Blick wie sein Heilswerk und dessen Ertrag. Durch die göttliche Intervention wird das Kind nicht nur vor der Bedrohung in Sicherheit gebracht, sondern in den ihm bestimmten Herrscherstatus eingesetzt: Der «Thron Gottes» an den es entrückt wird, ist nämlich eben der Ort, von dem aus das «Lamm» seine Herrschaft ausübt (5,6). Mit **V. 6** wird die Pointe des ersten Erzählungsteils formuliert, die in der Trennung des Geschicks der Frau von dem ihres Kindes liegt. Anders als in den uns bekannten Formen des zugrundeliegenden Mythos wird die Frau nämlich nicht zusammen mit ihrem Kind – und zwar vor dessen Geburt – gerettet; sie bleibt vielmehr der Bedrängnis durch den Drachen weiter ausgesetzt. Mit ihrer Flucht in die Wüste wird bereits vorgreifend die Thematik der dritten Szene (V. 13–17) eingeleitet. Die Wüste ist hier gleichermaßen Stätte der notvollen Emigration wie der Bewahrung. Die in den Städten und im Kulturland Verfolgten wichen in die Wüste aus, wie etwa Elia. Auf die wunderbare Speisung, die ihm dort durch die Raben (1. Kön. 17,2–6) und durch den Engel (1. Kön. 19,5ff.) zuteil wurde, könnte hier angespielt sein; denkbar ist aber auch ein Bezug auf die Speisung Israels während seiner Wüstenwanderung mit Wachteln und Manna (2. Mose 16). Die Dauer des Wüstenaufenthalts der Frau wird mit der geheimnisvollen Zahl «1260 Tage» angegeben, d. h. mit einer Variante jener Maßzahl, mit der die Apk. die von Gott begrenzte Zeitspanne der Bedrängnis zu umschreiben pflegt (vgl. 11,2.11). Die Heilsgemeinde geht Zeiten der Bedrängnis und Not entgegen – aber Gott wird sie in alldem nicht ohne seine Fürsorge und Hilfe lassen; er wird dafür sorgen, daß sein Widersacher das Ziel, sie zu vernichten, nicht erreichen wird. Irgendwelche darüber hinausgehende zeitgeschichtliche Anspielungen, etwa auf die Flucht der Jerusalemer Urgemeinde im jüdischen Krieg nach Pella in der Dekapolis, wird man hier allerdings kaum finden können.

Mit **V. 7** wird der Erzählgang in einer zunächst recht unmotiviert scheinenden Weise unterbrochen. Eine neue Szene beginnt, deren Ort der Himmel ist.

Dort sammeln sich die Heerscharen Gottes unter ihrem Anführer, dem Erzengel Michael, zum Kampf gegen den Drachen. Eine geläufige Vorstellung aus apokalyptischer Tradition wird damit aufgenommen: Michael galt als der Engel Israels, der über die Völkerengel die Aufsicht führt (Dan. 10,13; äth. Hen. 9f.; Test. Naph. 8f.). Als Feldherr der göttlichen Heere ist er für die Bekämpfung des Satans zuständig (äth. Hen. 20,5; 1 QM 9,15f.; 17,33ff.; Jud. 9). Wie kommt der Drache, nachdem er in V. 5 auf Erden in Erscheinung getreten war, nun auf einmal in den Himmel? Der Widerspruch klärt sich, sobald man erkennt, daß der «Himmel» hier eine vom Vorigen her theologisch motivierte Ortsangabe ist: Er ist der Ort Gottes, an dem nun auch Jesus aufgrund seiner Erhöhung seine Herrschaft ausübt. Wo aber Jesus herrscht, wo die Weltherrschaft des Lammes bereits durchgesetzt ist, dort hat der Widersacher Gottes weder Raum noch Recht **(V. 8)**. Mit der Übernahme des mythischen Bildes vom Himmelskampf gegen den Satan wird hier indirekt ein Ersatz geliefert für die vom Mythos der Geburt des Kindes geforderte Vernichtung des Drachen durch den Sohn der göttlichen Mutter, allerdings mit der wichtigen Modifikation, daß dieser Sieg über den Widersacher vorerst eben nur auf den Himmel begrenzt ist, auf der Erde hingegen – wo die Heilsgemeinde ihren Ort hat – noch aussteht. Der Erhöhte selbst tritt hier nicht in Aktion; dem Engelfürsten obliegt es, seinen Sieg sichtbar zu vollstrecken. **V. 9** unterstreicht die Bedeutung dieses Sieges, indem er die Identität des Drachen aufdeckt und damit ein weitgespanntes theologisches Beziehungsgefüge freilegt. Er ist kein anderer als die «alte Schlange», der Versucher aus der Paradiesgeschichte, der die Menschen zum Aufstand gegen Gott verführt hatte (1. Mose 3,1). Seine beiden Namen, die gleichbedeutend sind, weisen ihn als den Widersacher Gottes aus: «Teufel» (griech. *diabolos*) ist die Übersetzung des hebräischen Wortes *satan*, das die Bedeutung «Feind», «Widersacher» hat. Das Alte Testament kennt in seinen späten Schichten bereits die Gestalt eines solchen Widersachers, der allerdings noch als Angehöriger des himmlischen Hofstaates Gottes und damit als Gott untergeordnete Macht gesehen wird (Hi. 1,6; Sach. 3,1). Seine Funktion ist es, als Ankläger aufzutreten und vor Gottes Tribunal all das vorzubringen, was gegen die Menschen spricht. Erst in der nachbiblischen Literatur wird er zur Verkörperung des Bösen und zum negativen Widerpart Gottes. Er gilt nun als Anführer eines dämonischen Heeres, das im Kampf mit Gottes Engeln liegt (sl. Hen. 29,5). Hier anknüpfend sieht auch die Apk. im Satan jene geheimnisvolle Macht, die von Anfang der Menschheitsgeschichte an den Widerstand gegen Gott verkörperte und die es darauf abgesehen hat, Menschen unter ihren Einfluß zu bringen und so die Herrschaft über die Welt zu erlangen. Nun aber ist diese Absicht des Satans zunichte gemacht durch den Sieg Jesu Christi. Eine ähnliche Sicht des Satanssturzes im Sinne der endzeitlichen Entmächtigung des Satans durch Jesu Weg und Geschick findet sich auch Lk. 10,18; Joh. 12,31.

Neu ist jedoch an unserer Stelle die spezifische Pointe, wonach der Satan zwar im Himmel entmächtigt ist, aber auf Erden für eine begrenzte Zeit noch weiter Macht ausübt. Sie kommt klar zum Ausdruck in dem *Hymnus V. 10–12* durch den eine himmlische Stimme – vermutlich jene der vier Wesen und der vierundzwanzig Ältesten vor dem Thron Gottes (vgl. 4,10f.; 5,8f.; 11,15f.) – das

Geschehen kommentiert. In ihm steht nämlich beides nebeneinander: der Lobpreis Gottes und seines Gesalbten, denen der Sieg im Himmel zu verdanken ist (V. 10b–12a) und der Weheruf über die Erde angesichts des ihr durch den Drachen noch drohenden Verhängnisses (V. 12b), wobei allerdings formal wie auch inhaltlich der Lobpreis das beherrschende Element ist. Dieser Hymnus ist Höhepunkt und Mitte von Kap. 12. In ihm wird die Ebene der mythologischen Erzählung nach drei Seiten hin durchbrochen: 1. In der Einleitung **V. 10a** wird das Folgende als Audition, d. h. als Ertrag eines durch den Geist vermittelten prophetischen Hörens gekennzeichnet, während sonst im ganzen Kapitel Hinweise auf prophetisches Sehen und Hören fehlen. – 2. In **V. 10b** erfolgt eine genaue zeitliche Fixierung auf das «Jetzt» der heilsgeschichtlichen Situation zwischen Ostern und der Parusie, die über die Zeitlosigkeit des Mythos hinausführt. – 3. Hand in Hand mit dieser geht eine Ausrichtung auf Weg und Geschick der gegenwärtigen Gemeinde. Damit wird die Spitze herausgestellt, auf die hin Johannes die mythologische Erzählung interpretieren will **(V. 10c)**.

Formal läßt sich der Hymnus in drei Strophen zu 4 und 3 und 4 Zeilen aufgliedern.

Strophe I **(V. 10b–c)** setzt ein mit einem an 11,15b erinnernden proklamatorischen Siegesruf. Jetzt ist die entscheidende Wende in der Geschichte Gottes mit seiner Welt erfolgt: Gott hat seine Macht zum Heil seiner Schöpfung durchgesetzt, er hat seine Königsherrschaft anbrechen lassen, und zwar in der Weise, daß er seinem Gesalbten Gewalt übertragen hat. Gemeint ist damit der in 5,6f. geschilderte Vorgang der Bevollmächtigung des Lammes mit der Vollstreckung des göttlichen Geschichtsplanes auf das Ende hin. Das «Jetzt» umschreibt demnach den durch das Geschehen von Kreuz und Auferstehung eröffneten heilsgeschichtlichen Zeitraum der Christusherrschaft, in dem die Kirche lebt. Auch die in **V. 10c** folgende Begründung ist ganz auf die Situation der Kirche hin ausgerichtet: Daß die Glaubenden auf Erden, die hier von den himmlischen Wesen als «unsere Brüder» angesprochen werden, «jetzt» bereits der Königsherrschaft unterstehen und aus ihr leben, ist Folge dessen, daß der Satan gestürzt ist und darum über sie keine Gewalt mehr hat. Überraschenderweise wird hier der Satan nun mit einem sonst im Neuen Testament nirgends mehr auftauchenden Wort als «Ankläger» (*kategor*) bezeichnet. Motivgeschichtlich wird dabei an die Vorstellung des Satans als des Anklägers der Menschen vor dem göttlichen Tribunal (Hi. 1,9–11; 2,4f.; Sach. 3,1) angeknüpft. Damit soll nicht die das Kapitel beherrschende Sicht des Satans als des Widersachers Gottes eingeschränkt, sondern lediglich ein bestimmter Aspekt seiner Aktivität hervorgehoben werden: Er geht darauf aus, das Verhältnis Gottes zu den Menschen zu stören. Nun aber darf die Gemeinde wissen, daß es dem Satan nicht mehr gelingen wird, einen Keil zwischen sie und Gott zu schieben. Weil Jesus Christus der Herr der Seinen ist, darum kann keine Gewalt sie von der Liebe Gottes trennen (vgl. Röm. 8,33–35).

Strophe II **(V. 11)** führt die Begründung weiter: Die irdische Gemeinde lebt nicht nur in der Gewißheit des Sieges Jesu Christi über den Satan, sondern sie hat selbst an diesem Sieg in der Weise Anteil, daß er sich in ihrer eigenen Existenz immer wieder aufs neue verwirklicht. Sie ist ja die Schar, die durch die sühnewirkende Kraft des Blutes des Lammes erkauft worden ist (5,9f.) und die darum Gottes Eigentum ist, über das keine andere Macht mehr verfügen darf. Durch ihre Gegenwart auf Erden wird sie zum vorausweisenden Zeichen des Sieges Jesu Christi, und zwar gerade darin, daß sie das ihr aufgetragene Zeugnis im Kampf mit der noch auf Erden gegenwärtigen Macht des Satans ausrichtet und unerschrocken die sich daraus ergebenden Konsequenzen, die bis zur Hingabe des Lebens gehen können, auf sich nimmt. Weil die Glaubenden uneingeschränkt auf der Seite Christi stehen und in seinen Sieg hineingenommen sind, können sie nicht anders, als diesem Sieg in ihrem Zeugnis Raum zu geben. Weil sie aber andererseits noch auf der Erde leben, die gegenwärtig Kampffeld des Satans ist, hat solches Zeugnis notwendig die Gestalt des leidenden «Überwindens» (s. zu 2,7). Und zwar ist dieses Zeugnis auch dann Sieg, wenn es in die äußere Niederlage führt, weil in ihm die Gemeinde nicht ihren eigenen Machtanspruch proklamiert, sondern die Sache dessen vertritt, der im Himmel bereits als Sieger proklamiert ist. Es entspricht dem Rigorismus der Apk., wenn das Martyrium in einer an Mk. 8,34f. anklingenden Wendung nicht nur als ein Sonderweg einiger weniger, sondern als eine Möglichkeit erscheint, mit der grundsätzlich alle Christen rechnen müssen, weil sie sich aus der Feindschaft gegen das ihnen aufgetragene Zeugnis ergibt.

Strophe III **(V. 12)** setzt ein mit einer Aufforderung zum Jubel, der ein Weheruf folgt. Der Herrschaftsantritt Jesu Christi und der Sturz Satans haben zwei Seiten, Heil und Unheil. Der Jubel beschränkt sich in der gegenwärtigen Weltzeit auf den Himmel, den Bereich Gottes und seiner Engel, in dem der Satan keinen Raum mehr hat. Gerade durch den beabsichtigten Anklang an alttestamentliche Formulierungen, in denen Himmel *und* Erde zum Jubel über den Herrschaftsantritt Gottes aufgefordert werden (Jes. 44,23; Ps. 96,11), wird die Beschränkung noch auffälliger. Die Erde ist aus dem Jubel ausgenommen, denn auf ihr ist der im Himmel errungene Sieg noch nicht manifest. Im Gegenteil: der Satan ist auf sie hinabgestiegen, um sie zum Schauplatz seines letzten, verzweifelten Widerstandes gegen Gott zu machen. Daß das Meer ausdrücklich neben der Erde erwähnt ist, entspricht dem biblischen Weltbild, wonach der Bereich unter dem Himmelsgewölbe aus Festland und Wasser besteht (vgl. 21,1). Während im Jubelruf die Bewohner des Himmels genannt werden, fehlt im Weheruf eine entsprechende Erwähnung der Bewohner der Erde. Das ist sicher nicht von ungefähr, denn als «Erdbewohner» bezeichnet die Apk. durchweg die gottfeindlichen Menschen (3,10; 6,10; 8,13; 11,10; 13,8.12.14; 17,2.8), nie jedoch die Glieder der Kirche. Der Weheruf soll aber grundsätzlich diesen wie jenen gelten: den gottfeindlichen Menschen im Sinne einer Ankündigung des Gerichtes, das Gott an seinem Widersacher und den von ihm Beherrschten vollziehen wird, den Glaubenden aber im Sinne einer Mahnung, sich wachsam und unerschrocken auf die im Zuge der letzten irdischen Machtentfaltung des Satans auf sie zukommenden Bedrängnisse einzustellen. So maßlos der Satan seine Macht entfalten wird – die ihm dafür gegebene Zeit ist begrenzt. Er hat nur eine kurze Frist, die enden wird, wenn der dem Lamm anvertraute Geschichtsplan Gottes sein Ziel erreicht haben wird. Die mit **V. 13** beginnende dritte Szene handelt von äußerster Gefährdung und wunderbarer Bewahrung der Heilsgemeinde auf Erden. Die mythologische

Darstellungsweise wird wieder aufgenommen, indem die erzählerischen Fäden der beiden vorangegangenen Szenen (V. 1–6 und V. 7–12) miteinander verknüpft werden. Der aus dem Himmel auf die Erde herabgestürzte Drache macht dort alsbald die Ankündigung des Weherufes V. 12c wahr, indem er die kurze, ihm dort gegebene Zeit benutzt, um die Heilsgemeinde, dargestellt in der Mutter des Kindes, zu verfolgen. Da er des messianischen Kindes nicht habhaft werden konnte, richtet sich sein großer Zorn nun gegen die Frau. **V. 14** greift zurück auf das bereits in V. 6 Erzählte, um es wiederholend weiter zu entfalten: Gott steht der Frau bei, indem er dafür sorgt, daß sie in der Wüste einen Ort der Zuflucht und Bewahrung findet. In einer neuen Variation erscheinen hier die geheimnisvollen dreieinhalb Jahre (V. 6; 11,3; 13,5), diesmal (im Anschluß an Dan. 7,25) als Umschreibung der Frist der von Gottes Heilswillen begrenzten Bedrängnis. Mit ihrer Rettung widerfährt der Frau das gleiche wie der Heilsgemeinde Israels, die von Gott «wie auf Adlersflügeln» aus Ägypten in die Wüste geführt worden war (2. Mose 19,4; 5. Mose 32,11). Wie Israel damals durch das Manna wunderbar gespeist worden war, so wird auch jetzt die Gemeinde durch Gott ernährt und am Leben erhalten. In **V. 15–16** vermischt sich alttestamentliche Typologie seltsam mit mythologischen Motiven. So mag es Anknüpfung an jene uralte mythologische Vorstellung sein, nach der der Chaosdrache ein Meeresungeheuer ist, wenn der Verfolger hier als Wassertier erscheint (Ez. 29,3; 32,2; Ps. 74,14) und mit der aus seinem Maul hervorgehenden Flut die Frau zu ertränken sucht. Mythologisch klingt es auch, wenn die Erde hier gleichsam als handelnde Person eingreift, der bedrängten Frau zu Hilfe kommt und den Wasserstrom aufsaugt. Zugleich erinnert die Formulierung von V. 16 jedoch an einen Vorfall aus der Wüstenzeit Israels: Gegen Dathan und Abiram, die Aufrührer gegen Gott, öffnete die Erde ihren Mund, um sie zu verschlingen (4. Mose 16,32; 5. Mose 11,6; vgl. Ps. 106,17). Die Möglichkeit ist nicht ganz auszuschließen, daß hier auch der Gedanke an die Rettung Israels vor den Wasserfluten des Schilfmeers (2. Mose 14,16) mit hineingespielt hat. Wie dem auch sei – der Sinn der Stelle ist klar: Weil Gott zu seiner Gemeinde steht, darum können sie die von seinem Widersacher aufgebotenen vernichtenden Kräfte, dargestellt im Bild der Wasserfluten (Ps. 32,6; 124,4 u. ö.), nicht auslöschen. Mit **V. 17** nimmt die Erzählung noch einmal eine überraschende Wendung: Weil der Drache sieht, daß er die Frau selbst nicht vernichten kann, wendet sich sein Zorn nunmehr gegen ihre übrigen Kinder, und er heckt einen Kriegsplan gegen sie aus, dessen Verwirklichung in Kap. 13 berichtet wird. Was steht hinter der Unterscheidung zwischen der Frau und «den übrigen ihres Samens», und wie ist sie zu deuten? Mit hoher Wahrscheinlichkeit geht sie auf eine Interpretation von 1. Mose 3,15 zurück, jener Ankündigung Gottes in der Sündenfallgeschichte, nach der Feindschaft sein soll zwischen dem «Samen» der Schlange und dem «Samen» der Frau. In diese Richtung deutet jedenfalls die Identifikation des Drachen mit der Paradiesschlange in V. 9. Eine weitere Wurzel scheint in der bereits von Paulus (Gal. 4,26) angeführten Tradition vorzuliegen, derzufolge die Glaubenden Kinder des – als Frau vorgestellten – «oberen Jerusalem» sind (s. zu 21,2). Wenn Johannes hier den «übrigen Samen» der Frau als eine eigene Größe einführt, so deshalb, weil ihm eine Unterscheidung zwischen dem

Geschick der einzelnen Gläubigen und dem der Kirche notwendig erscheint. Die Kirche als von Gott gesetzte heilsgeschichtliche Größe steht unter dem Schutz Gottes. Sie kann nicht zerstört werden, weil das Heilswerk Christi, dessen Ertrag sie ist, nicht rückgängig gemacht werden kann. Das bedeutet jedoch nicht, daß die einzelnen Glieder dieser Kirche mit Bewahrung und Verschonung in den Endereignissen rechnen dürften. Im Gegenteil: Sie müssen des Scheiterns und der physischen Vernichtung gewärtig sein (vgl. 13,9f.). In den zwei aufgeführten Merkmalen dieser Gläubigen manifestiert sich der Rigorismus des Kirchenverständnisses der Apk.: Die Glieder der Gemeinde «halten die Gebote Gottes», d. h. sie treten inmitten einer vom Ungehorsam gegen Gott beherrschten Welt in bedingungslosem Gehorsam für den Willen Gottes ein (vgl. 14,12), und sie «haben das Zeugnis Jesu» (vgl. 1,9; 6,9; 12,11; 20,4).

V. 18: In Verfolgung seines neuen Planes tritt der Drache an das Ufer des Meeres. (Einige Handschriften, denen auch ältere Ausgaben der Lutherbibel sowie die Zürcher Bibel folgen, lesen hier statt dessen «Und ich trat ...», was eine völlige Sinnveränderung des Satzes zur Folge hat, denn er wird dadurch zur Einleitung eines neuen Visionsberichtes des Johannes. Doch diese Lesart, die von den zuverlässigen alten Handschriften nicht gestützt wird, ist sicher nicht ursprünglich). Warum geht der Drache ans Meer? Ganz allgemein ist für das Nicht-Seefahrervolk der Juden das Meer ein unheimlicher Grenzbereich, an dem das allein zuverlässige Festland in die bedrohliche Unterwelt übergeht (vgl. 21,1). Darüber hinaus konnte für damalige Bewohner des Orients das Meer leicht mit der römischen Weltmacht assoziiert werden: Es war ja das Mittelländische Meer, von dem her die Römer ins Land gekommen waren! So kommt nach 4. Esr. 11,1 (vgl. 12,11) der römische Adler, der die Siege des Weltreiches ankündigt, vom Meer her. Hier ist nun die Nahtstelle erreicht, an der die zeitlose mythologische Schau des Weltgeschehens in eine allegorisch-symbolische Darstellung aktuellster Gegenwart übergeht.

13,1–10   b. Das Tier aus dem Meer und seine Macht

1 Und ich sah, wie aus dem Meer ein Tier aufstieg, das hatte zehn Hörner und sieben Häupter, und auf seinen Hörnern zehn Diademe, und auf seinen Häuptern Namen der Lästerung. 2 Und das Tier, das ich sah, glich einem Panther, und seine Füße (glichen) **denen eines Bären, und sein Maul** (glich) **dem Maul eines Löwen. Und es gab ihm der Drache seine Macht, seinen Thron und seine große Gewalt. 3 Und eines seiner Häupter** (sah aus) **wie tödlich verwundet; aber seine Todeswunde wurde geheilt. Und die ganze Erde sah dem Tier staunend nach, 4 und sie warfen sich huldigend vor dem Drachen nieder, weil er dem Tier die Gewalt gegeben hatte, und sie huldigten dem Tier und sprachen:**
> **Wer ist dem Tier gleich,**
> **und wer vermag mit ihm zu streiten?**

5 Und ihm wurde ein Maul gegeben, um anmaßende Worte und lästerliche Reden zu führen, und es wurde ihm Gewalt gegeben, es zweiundvierzig Monate lang (so) **zu treiben. 6 Und es öffnete sein Maul zur Lästerung gegen Gott, um**

seinen Namen und seine Wohnung (und) **die im Himmel Wohnenden zu lästern. 7 Und es wurde ihm gegeben, Krieg zu führen gegen die Heiligen und sie zu besiegen, und es wurde ihm Gewalt gegeben über jeden Stamm, jedes Volk, jede Sprache und Nation. 8 Und alle Bewohner der Erde werden ihn anbeten** – (jeder), **dessen Name nicht geschrieben steht im Lebensbuch des geschlachteten Lammes seit der Grundlegung der Welt.**
9 Wenn einer Ohren hat, so höre er:
10 Wenn einer in Gefangenschaft (ziehen soll), **so zieht er in Gefangenschaft.**
    Wenn einer mit dem Schwert getötet werden soll, so (wird er) **durch das Schwert getötet.**
Hier ist Standhaftigkeit und Glaube der Heiligen.

Nirgends in der Apk. verdichten sich die zeitgeschichtlichen Bezüge so stark wie in der Doppelvision von Kap. 13. Hier werden Ereignisse der unmittelbaren Gegenwart des Johannes in den Horizont des geoffenbarten Geschichtsplanes Gottes gestellt und von diesem her prophetisch erhellt. Um sich nicht im Gewirr von Vermutungen über Einzelheiten zu verlieren, muß die Auslegung sich zunächst Rechenschaft geben über die *Traditionsgrundlage* des Abschnitts (1.), die Eigenart des in ihm verarbeiteten *Bildmaterials* (2.) sowie das ihm zugrundeliegende *Darstellungsprinzip* (3.).
1. Der Vision liegt die *Tradition von Antichrist*, dem in der Endzeit in Erscheinung tretenden Gegen-Messias, zugrunde. Eine Vorstufe dieser Tradition ist erstmals im Danielbuch (Dan. 9,27; 11,31; 12,11) belegt und hat ihren geschichtlichen Ansatzpunkt an dem gottlosen Seleukidenherrscher Antiochus IV. Epiphanes. Seine Entweihung des Jerusalemer Tempels (167 v. Chr.), den er in ein Heiligtum des Zeus Olympos umwandeln wollte, war für das Judentum eine traumatische Erfahrung. Aus ihr entstand die Erwartung, daß sich in der Endzeit der Widerstand gegen Gott steigern und daß sich eine dämonische Herrschergestalt an die Spitze der aufrührerischen Mächte stellen und den Gesalbten Gottes bekämpfen werde. So erwartete die Qumran-Sekte für das Ende der Tage das Auftreten eines Verfluchten, eines «von Belial», «um seinem Volk zum Fangnetz zu werden und ein Schrecken für alle seine Nachbarn», der Jerusalem «zu einem Bollwerk der Gottlosigkeit machen» werde (4 Qtest. 22ff.). Im Neuen Testament erscheint der Terminus *antichristos* zwar nur 1. Joh. 2,18.22; 4,3; 2. Joh. 7, aber die Vorstellung ist breiter gestreut. So weiß die synoptische Apokalypse (Mk. 13,6.22) von wundertätigen falschen Propheten, die den Anspruch erheben, Messiasse zu sein. Erfahrungen aus der Zeit des jüdischen Krieges, als Messiasprätendenten als Volksverführer auftraten (vgl. Apg. 5,36f.) mögen hier mit eingewirkt haben. Die deutlichste Ausprägung dieser Tradition findet sich im (sicher unpaulinischen) 2. Thessalonicherbrief: Der «Mensch der Gesetzlosigkeit» wird erscheinen, «der Sohn des Verderbens, der Widersacher, der sich über alles, was Gott oder Heiligtum heißt, so sehr erhebt, daß er sich sogar in den Tempel Gottes setzt und sich als Gott ausgibt» (2. Thess. 2,3f.). Eben diese Erwartung eines Menschen, der als Werkzeug des Widersachers Gottes mit dem Anspruch des religiösen Heilsbringers auftritt und sich damit in Konkurrenz zu Jesus Christus begibt, hat die Apk. hier aufgenommen.

2. Das *Bildmaterial* stammt im wesentlichen aus der Vier-Weltreiche-Vision Dan. 7,2–27. Johannes hat es freilich nicht mechanisch übernommen, sondern sehr bewußt seiner eigenen Intention angepaßt. Daniel sieht aus dem Meer nacheinander einen Löwen, einen Bären, einen Panther mit vier Häuptern, sowie ein alles zermalmendes Ungeheuer mit zehn Hörnern auftauchen. Diese Tiere werden als die vier letzten Weltreiche – das babylonische, das medische, das persische und das hellenistische Diadochenreich – gedeutet. Die zehn Hörner des vierten Tieres symbolisieren zehn Herrscher, deren letzter Antiochus Epiphanes ist. In der Apk. erscheint nur noch ein einziges Tier, das jedoch die Merkmale aller vier danielischen Tiere in sich vereinigt – bis dahin, daß die Siebenzahl seiner Häupter die Summe aller Tierhäupter aus Dan. 7 bildet. Es geht Johannes also nicht darum, die danielische Vision dem tatsächlichen Geschichtsablauf auf seine Gegenwart hin anzupassen, wie das etwa in 4. Esr. 11 versucht worden ist. Ihm liegt nicht an der Abbildung eines Ablaufs geschichtlicher Vorgänge, sondern ihm geht es um die Charakteristik des gegenwärtigen Weltreiches, nämlich des Imperium Romanum: Es ist für ihn die widergöttliche Macht schlechthin.

3. Dieser widergöttliche Charakter wird mittels eines *Darstellungsprinzips* herausgestellt, das sich am zutreffendsten als Parodieverfahren kennzeichnen läßt. Die ganze Szene ist nämlich als verzerrtes Gegenbild zu der himmlischen Einsetzung des Lammes in die Weltherrschaft in Kap. 5 angelegt. Wie das Lamm von dem auf dem Thron Sitzenden das versiegelte Buch erhält (5,7) und damit Macht empfängt (5,12), so wird dem Tier durch den Drachen Macht übertragen (V. 2). Wie das Lamm Herrscher ist über Menschen aus allen Stämmen, Sprachen und Nationen, die es durch sein Blut erkauft hat (5,9), so herrscht auch das Tier über Stämme, Völker, Sprachen und Nationen (V. 7). Wie die himmlischen Wesen als Vertreter der ganzen Schöpfung dem Lamm ihre Huldigung darbringen (5,12), so fallen alle Erdbewohner vor dem Tier huldigend nieder und singen ihm einen Lobgesang (V. 4). Wie das Erkennungszeichen des Lammes das Mal seiner Schlachtung ist (5,6), so trägt auch das Tier eine Todeswunde, die geheilt ist (V. 3). Dieses Parodieverfahren bleibt nicht auf Kap. 13 beschränkt, sondern erweist sich, ausgehend von hier, bis zum Ende der Apk. als ein die Komposition des Buches wesentlich bestimmender Faktor. So erscheint die von dem Tier beherrschte «große Stadt» als negatives Gegenbild der Stadt der Heilsgemeinde (Kap. 17; 21f.), und ebenso hat die große Hure Babylon (17,1–6) ihr positives Gegenüber in der als Braut des Lammes gezeichneten Kirche (19,7).

Solche parodierende Gegenüberstellung, bei der gewisse sarkastische Untertöne nicht fehlen, will entlarvend wirken. In der Weise scheinbar absichtslosen Beschreibens deckt sie das Wesen der widergöttlichen Macht und der von ihr beherrschten Gesellschaft auf: So glänzend sich diese Macht auch darstellt – sie ist nichts Eigenes, sondern nur eine schlechte Kopie, auch wenn sie sich dessen selbst nicht bewußt ist! Sie ist usurpierte Macht, geboren aus der Negation Gottes und seines Herrschaftsanspruchs, und darum zu keiner konstruktiven Leistung, sondern nur zur Verneinung fähig. Indem dies deutlich wird, wird zugleich ein Urteil über die Welt- und Menschheitsgeschichte angedeutet: Seit der Erhöhung Jesu Christi zum Weltherrscher ist diese Geschichte von der bereits verborgen angebrochenen Gottesherrschaft bestimmt (vgl. 5,9). Die in ihr herrschenden Mächte stehen vor der Alternative, sich entweder dieser Herrschaft zu beugen oder sie zu bekämpfen, indem sie sich selbst an die Stelle Jesu Christi, des wahren Weltherrschers, setzen. Jede sich auf sich selbst gründende Macht, die nicht nach Gottes Anspruch auf seine Welt fragt, und jede Gesellschaft, die sich auf solche autonome Macht gründet, wird unweigerlich zum Zerrbild der Macht Jesu Christi und trägt damit die Züge des Antichrist.

Die Vision setzt ein mit einer Beschreibung des aus dem Meer aufsteigenden Tieres **(V. 1)**. Der am Ufer stehende Drache, der ja kein anderer als der Satan selbst ist, erweckt sich aus dem Meer, dem Bereich bedrohlicher chaotischer Gewalten und furchtbarer Ungeheuer (vgl. Hi. 40,15–32), seine Kreatur, die er benötigt, um den Kampf gegen die – in Kap. 12 im Bild der Frau dargestellte – Heilsgemeinde siegreich zu Ende zu führen. Das Tier, das aus der Tiefe emporsteigt, ist gewissermaßen die Verleiblichung seines Spiegelbildes: Wie er hat es sieben Häupter und zehn Hörner (12,3). Ein Unterschied besteht lediglich darin, daß der Drache als Zeichen seines Herrschaftsanspruches sieben Diademe hat, die unmittelbar auf den sieben Häuptern sitzen, während dem Tier zehn auf den Hörnern sitzende Diademe eigen sind. Er erklärt sich vermutlich daraus, daß die Hörner im Anschluß an Dan. 7,24 mit Königen identifiziert werden (s. zu 17,12), weshalb ihnen die Herrschaftszeichen zugeordnet werden mußten. Mit den Lästernamen, die auf den Hörnern stehen, sind ohne Zweifel jene Ehrentitel gemeint, die sich die römischen Kaiser beilegten, um ihren Anspruch auf göttliche Verehrung im Kaiserkult zu bekunden: «Göttlicher (*divus*)», «Erhabener (*augustus*)», «Herr und Gott (*dominus ac deus*)». Jedenfalls ist durch das aus Dan. 7 stammende Bildmaterial im Verein mit diesen gezielten Hinweisen für jeden damaligen Leser die Identität des Tieres hinreichend geklärt: Es ist das Römische Weltreich, das sich im Kaiserkult selbst göttliche Ehre gibt und damit jene Macht usurpiert, die Jesus Christus allein gehört. Zu diesen Hinweisen mag man auch noch den Umstand zählen, daß das Tier, wie auch die den östlichen Mittelmeerraum okkupierenden römischen Truppen, vom Meer her ans Land steigt (s. zu 12,18). **V. 2:** Nach den Häuptern wird auch der Leib des Tieres für den Seher sichtbar. Es ist ein unheimliches Mischwesen aus Panther, Bär und Löwe. Nicht bildhafte Veranschaulichung ist das Anliegen des Verfassers, sondern die Einbringung aller Züge aus Dan. 7,2–8. So sah er darin wohl auch keine Unstimmigkeit, daß das Tier zwar sieben Häupter, aber nur ein einziges Maul hat. Der Drache stattet das Tier mit herrscherlicher Vollmacht aus und gewährt ihm Anteil an seinem Thron: In knappster Form wird hier eine Inthronisationsszene angedeutet, die im wesentlichen 5,7 entspricht. Mit **V. 3a** wird ein weiterer parodierender Bezug zur Inthronisation des Lammes hergestellt: Eines der Häupter des Tieres trägt eine Todeswunde, ganz wie das Lamm (5,6); diese Wunde wurde wieder geheilt, wie auch Jesus nicht im Tode geblieben ist. Aber was ist mit der geheilten Todeswunde des einen Hauptes konkret gemeint? Man verweist zur Erklärung zumeist auf die gerade in Kleinasien gegen Ende des 1. Jahrhunderts verbreitete volkstümliche Sage vom wiederkommenden Nero: Nach einer Variante hatte sich dieser exzentrische und grausame Kaiser im Jahr 68 nicht wirklich selbst den Tod gegeben, sondern war unerkannt aus Rom in den fernen Osten geflohen, um von dort in naher Zukunft an der Spitze der parthischen Reiterheere zurückzukommen und sein Reich erneut in Besitz zu nehmen. Nach einer anderen Variante hielt man Nero zwar für wirklich gestorben, erwartete jedoch seine baldige Wiederkehr aus dem Totenreich (Sueton, Nero 57,2–3; Dion Chrysostomus, Oratio 21,10; Sib. 5,23f.).

Der feierlichen Inthronisation folgt, wie 5,8–13, die Präsentation des neuen Herrschers und die Huldigung vor ihm (V. 3b–4). Sein gesamter Herrschaftsbereich, die Erde (vgl. 12,12), gewährt ihm widerspruchslos göttliche Ehre. Der Grund für diese allgemeine Bereitschaft, ihm zu huldigen, ist sicher nicht allein in der wunderbaren Wiederkehr des totgeglaubten Kaisers zu suchen. Diese ist letztlich nur ein Zeichen, das die Unwiderstehlichkeit und Sieghaftigkeit der vom Drachen herkommenden Macht bestätigt. Er, der Drache, wird ja ausdrücklich als Urheber und Garant dieser Macht in die Huldigung mit einbezogen, wie ja auch die Huldigung vor dem Lamm zugleich auf Gott rückbezogen ist (5,13). Daß es sich dabei um einen Akt kultisch-religiöser Verehrung handelt, zeigt der kleine Hymnus, den die Erdbewohner dem Tier als dem sichtbaren Exponenten der Macht singen. Er ist nach alttestamentlichem Hymnenstil konstruiert und besteht aus zwei parallelen rhetorischen Fragen, die parodierend auf die Heilsmacht Gottes preisende Aussagen anspielen. Aus der rhetorischen Frage: «Wer ist unter den Göttern Jahwe gleich?» (Ps. 89,7; 113,5 u. ö.) wird die Frage: «Wer ist dem Tier gleich?». Die zweite Frage erinnert überdies an den Ruf des Engels 5,2 und die Antwort darauf 5,3 («Wer ist würdig das Buch zu öffnen …? Niemand konnte … es öffnen»). Es handelt sich hier um eine in rhetorische Frageform gekleidete Allmachtsproklamation: Die Erdbewohner schreiben dem Tier unbegrenzte Macht zu.

In V. 5–8 wird das Verhalten des Tieres beschrieben. Dabei setzt die viermal wiederholte Wendung «ihm wurde gegeben …» einen kräftigen Deutungsakzent, denn sie verweist, wenn auch indirekt und verhüllt, darauf, daß Gott es ist, der dem Tier Raum gibt. Auch der Widersacher Gottes kann nichts tun ohne Gottes Dulden und Zulassen, das irgendwann ein Ende haben wird. Er mag seine Macht noch so hemmungslos entfalten – er bleibt dabei darauf angewiesen, daß Gott ihn gewähren läßt. Und das bedeutet, daß er Gott in jeder Hinsicht unterlegen ist. Damit ist zugleich eine Grenze gegen ein dualistisches Denken aufgerichtet, das die satanischen Mächte als gleichrangige und autonome Gegenspieler Gottes verstehen möchte. Daß Gott dem Wirken des Tieres eine Grenze gesetzt hat, kommt auch in der Wiederholung der geheimnisvollen Zeitangabe «42 Monate» (= 3½ Jahre; s. zu 11,2; vgl. 12,6.14) zum Ausdruck, die die begrenzte Zeit der Bedrängnis und Bewahrung der Kirche umschreibt. Wichtigstes Organ des Tieres ist nach V. 5f. sein Maul; denn mit ihm führt es anmaßende und lästerliche Reden (vgl. Dan. 7,8.20), in denen es seinen unumschränkten Machtanspruch bekundet und seine eigene Herrschaft feiert. Das Lästerliche dieser Reden besteht nicht in der direkten Schmähung Gottes, sondern in dem faktischen Anspruch, sich an Gottes Stelle zu setzen. Indem das Tier sich selbst als göttlich feiern läßt, lästert es Gottes «Namen» – den Inbegriff seiner herrscherlichen Macht –, Gottes «Wohnung»,

den Himmel, und Gottes dienstbare Kräfte, die Engel (vgl. Mt. 5,34). **V. 7:**
Die sich selbst vergötternde Macht kann die Menschen nicht dulden, die sich
der Herrschaft Gottes und Jesu Christi unterstellt haben. So ist es nur konsequent, wenn das Tier gegen die Glieder der Heilsgemeinde Krieg führt, zumal
der Satan seine Kreatur, das Tier, zu diesem Zweck geschaffen hat (12,17).
Dieser Krieg endet mit dem Sieg. Innerhalb der gegenwärtigen Weltgeschichte haben die Glieder der Kirche keine Chance, sich zu behaupten und zu ret-
ten; der geballte Angriff der widergöttlichen politischen Macht muß sie zer-
malmen. Es bleibt Gottes Geheimnis, wie er trotzdem dafür sorgen wird, daß
die Kirche auf seine Zukunft hin bewahrt werden wird (12,14–16). Die Macht
des Tieres wirkt sammelnd und integrierend: Menschen aus allen Völkern und
Nationen werden zu einer neuen, weltumgreifenden Einheit zusammengge-
fügt. Dem Römischen Weltreich, dessen Selbstverständnis hier umschrieben
ist, ist also innerweltlich etwas «gegeben» und ermöglicht, was der Wirkung
des Heilswerkes Jesu täuschend ähnlich sieht, nämlich das Zusammenführen
von Menschen unterschiedlicher Sprache und Herkunft zu einem neuen Volk,
das zur Herrschaft bestimmt ist (1,6; 5,10). **V. 8** ist in der Form einer prophetischen Ankündigung formuliert: Dieser Machtanspruch wird sich universal
durchsetzen lassen; alle Erdbewohner werden der Faszination des Tieres verfallen und ihm die beanspruchte göttliche Verehrung erweisen – mit Ausnahme derer, die im Lebensbuch des geschlachteten Lammes stehen (s. zu 3,5),
d. h. der standhaft und treu zu ihrem Herrn stehenden Glieder der Kirche (vgl.
14,4f.). Sie allein verweigern die Anerkennung dieses Reiches der Lästerung
und selbstherrlichen Gewalt. Damit stellen sie sich außerhalb des Konsenses
der weltweiten menschlichen Gesellschaft und ziehen sich deren Haß zu.
Ein prophetischer Weckruf **(V. 9)** markiert den Punkt, an dem aus der Erzählung eine unmittelbar das Handeln und Verhalten der kleinasiatischen Christen betreffende Weisung hervorwächst (s. zu 2,7). Die Weisung selbst **(V. 10)**
ergeht in der Gestalt eines in zwei parallelen Zeilen gegliederten prophetischen Orakelspruches. Er scheint in engem Anschluß an Jer. 15,2 formuliert
zu sein: «Wer der Pest verfallen ist, zur Pest! Wer dem Schwert, zum Schwert!
Wer dem Hunger, zum Hunger! Wer der Gefangenschaft, zur Gefangenschaft!» (Die textliche Überlieferung ist allerdings sehr unsicher. Einige
Handschriften, denen die Zürcher Bibel und ältere Auflagen der Lutherbibel
folgen, verstehen den Satz, wohl unter dem Einfluß von Mt. 26,52, als Warnung an die Christen, selbst zu Mitteln der Gewalt zu greifen: «Wenn jemand
in Gefangenschaft führt, geht er selbst in Gefangenschaft; wenn jemand mit
dem Schwert töten wird, muß er selbst mit dem Schwert getötet werden».
Aber abgesehen von der textlichen Fragwürdigkeit dieser Fassung wäre sie angesichts der tatsächlichen Machtlosigkeit der kleinsaiatischen Christen ein
Anachronismus). Der Spruch weist einerseits auf das große Risiko hin, dem
sich die aussetzen, die sich dem Anspruch des Tieres auf Anbetung und göttliche Verehrung widersetzen, und er deutet andererseits die Unvermeidlichkeit
solchen Widerstandes an. Jetzt steht für die kleinasiatischen Christen eine Situation vor der Tür, in der ihr Herr von ihnen erwartet, daß sie standhalten
und damit Anteil haben an seinem leidenden Zeugnis (vgl. 11,3–10). Jetzt gilt
es, Glaubenstreue zu bewähren.

13,11–18   c. Das Tier von der Erde

11 Und ich sah, wie ein anderes Tier von der Erde heraufstieg, und es hatte zwei Hörner wie ein Lamm und redete wie ein Drache. 12 Und alle Gewalt des ersten Tieres übt es vor dessen Augen aus, und es bringt die Erde und ihre Bewohner dazu, das erste Tier anzubeten, dessen Todeswunde geheilt war. 13 Und es vollbringt große Zeichen, so daß es auch Feuer vom Himmel vor den Augen der Menschen auf die Erde herabfallen läßt. 14 Und es verführt die Bewohner der Erde durch die Zeichen, die zu vollbringen vor den Augen des Tieres ihm gegeben ist, indem es den Bewohnern der Erde sagt, sie sollten ein Standbild errichten für das Tier, das die Schwertwunde hat und (wieder) lebendig wurde.
15 Und es wurde ihm gegeben, dem Standbild des Tieres (Lebens-)Geist zu geben, so daß das Standbild des Tieres auch sprechen konnte, und zu veranlassen, daß die getötet wurden, die das Standbild des Tieres nicht anbeteten. 16 Und es bewirkt, daß alle, Kleine und Große, Reiche und Arme, Freie und Sklaven, sich auf ihre rechte Hand und auf ihre Stirn ein Zeichen machen, 17 und daß keiner kaufen oder verkaufen kann, es sei denn, er hat das Zeichen, den Namen des Tieres oder die Zahl seines Namens. 18 Hier braucht man Weisheit. Wer Verstand hat, berechne die Zahl des Tieres; sie ist nämlich die Zahl eines Menschen, und seine Zahl ist sechshundertsechsundsechzig.

Diese Vision schließt unmittelbar an die vorige an und ist inhaltlich unmittelbar mit ihr verklammert. Das in ihr verwendete Bildmaterial ist jedoch nicht aus Dan. 7 entnommen, und auch sonst bieten weder das Alte Testament noch die außerkanonische jüdische Literatur Entsprechungen zu ihrem Inhalt. Eine entfernte Ähnlichkeit besteht allenfalls zu Hi. 40f., wo zwei mythische Tiere geschildert werden, der im Meer hausende Leviathan und der am Lande wohnende Behemoth, ein nilpferdartiges Ungeheuer. Da aber jeder Anklang an diese Stelle fehlt, kommt sie als Herkunftsort für das Bild des zweiten Tieres schwerlich in Frage. Alles spricht vielmehr dafür, daß Johannes dieses Bild selbständig geschaffen hat. Was den sachlich-theologischen Gehalt der Szene anlangt, so ist deutlich, daß hinter ihm eine frühchristlich-apokalyptische Tradition steht, nämlich die Erwartung, daß in der Endzeit falsche Propheten auftreten werden. Nach Mk. 13,22 par Mt. 24,24 werden diese die Auserwählten nicht nur durch ihre Verkündigung, sondern auch durch Zeichen und Wunder verwirren und zum Abfall verführen (vgl. auch Mt. 7,15). Dieser Überlieferung folgt Johannes, wenn er das Auftreten des Antichrist mit dem des falschen Propheten verbindet und wenn er dessen Wirken gekennzeichnet sein läßt durch eine das «erste Tier» verherrlichende propagandistische Verkündigung sowie durch die Menschen verwirrende Zeichen und Wunder. Im weiteren Fortgang des Buches wird das zweite Tier denn auch ganz offen als «der falsche Prophet» bezeichnet (16,13; 19,20; 20,10).
Deutlich ist ferner, daß der Drache und die beiden Tiere ganz unmittelbar zusammengehören. Vielfach hat man, eine Formulierung von Johann Heinrich Jung-Stilling (1740–1817) aufnehmend, von einer «satanischen Trinität» ge-

sprochen. Damit ist insofern Richtiges gesehen, als auch die Darstellung des zweiten Tieres weithin durch das Parodieverfahren bestimmt wird: Es ist für Johannes, nicht anders als der Drache und das erste Tier, verzerrtes Gegenbild zu einer Größe aus dem Heilsbereich Gottes. Diese Größe ist jedoch nicht der Heilige Geist. Eher wird man an die gemeindliche Prophetie zu denken haben. Manches von dem, was das zweite Tier tut, entspricht ja Zügen des Wirkens christlicher Propheten, wie sie in 11,5f. dargestellt sind. Aber einiges deutet darauf hin, daß sich das positive Gegenbild, das der Verfasser vor Augen hatte, nicht auf die Träger des Prophetenamtes im engen Sinne eingrenzen läßt, sondern daß es ganz allgemein den Dienst der Boten und Zeugen, durch den die Herrschaft Christi verkündigt und auf Erden seine Gemeinde gesammelt wird, umfaßt. Ziel dieser Verkündigung und Grundlegung der Kirche ist die Taufe, und eben auf sie wird in V. 15f. deutlich angespielt.

Von da her kommen wir auch der Beantwortung der schwierigen Fragen näher, wer konkret mit dem zweiten Tier gemeint ist. Daß es in einem direkten Zusammenhang mit der religiösen Verehrung des Kaisers steht, ist deutlich. Aber verbirgt sich hinter ihm eine Einzelgestalt, etwa ein mit besonderen staatlichen Vollmachten ausgestatteter Priester, der mit propagandistischen Tricks den Kaiserkult in der Provinz Asien durchzusetzen trachtete und gegen dessen Verweigerer mit brutalen Machtmitteln vorging? Oder soll man hinter ihm allgemeiner die Priesterschaft an den offiziellen Reichsheiligtümern suchen? Der Umstand, daß es sich hier um ein Gegenbild zum Dienst der Boten und Zeugen Jesu Christi handelt, legt ein noch weiter gefaßtes Verständnis nahe: Johannes will in einer auf das Typische abhebenden Weise alle jene Institutionen, Menschen und Kräfte charakterisieren, die die im Kaiserkult gipfelnde religiöse Verehrung des Imperiums und seiner Macht fördern.

V. 11 steht sachlich parallel zu V. 1: Wie das erste, so ist auch das zweite Tier eine Kreatur des Drachen, von ihm geschaffen als Werkzeug in seinem Kampf gegen die Heilsgemeinde. Das zweite Tier kommt «von der Erde», d. h. vom Festland her. Ist dabei konkret an das kleinasiatische Festland zu denken? Das ist nicht ganz auszuschließen, wahrscheinlicher ist jedoch der Rückbezug auf 12,12 («Wehe der Erde und dem Meer, denn hinabgestiegen ist der Teufel zu euch»): Seine Macht über Erde und Meer sichert der Drache dadurch, daß er aus jedem dieser Bereiche eine seiner dienstbaren Kreaturen hervorkommen läßt. Gleich mit der Schilderung der Erscheinung des zweiten Tieres wird seine zwielichtige Stellung anschaulich gemacht: Es hat zwei Hörner als Zeichen seiner Macht, sieht aus «wie ein Lamm», redet jedoch «wie ein Drache». Der Anklang an die Warnung vor falschen Propheten in Schafskleidern, die inwendig reißende Wölfe sind (Mt. 7,15) mag zufällig sein – fest steht jedoch, daß es auch hier um falsche Propheten geht, die etwas anderes zu sein vorgeben als sie in Wahrheit sind, allerdings in einer sehr zugespitzten Weise: Es geht nicht um Propheten, die sich fälschlich auf Jesus berufen, sondern um Funktionäre des Drachen, deren Tun das Tun der Zeugen Jesu imitiert. Eindeutig ist nur das Reden des Tieres, in dem es sich als ein Sprachrohr des Drachen erweist. Das zweite Tier hat keine eigene Gewalt, sondern es übt die Gewalt aus, die ihm das erste Tier übertragen hat **(V. 12)** – ganz analog zu den Zeugen und Boten

Jesu Christi, die ebenfalls nur aufgrund der ihnen übertragenen Macht ihres Herrn handeln können (Mt. 28,18–20). Und so wie diese aller Welt den Gekreuzigten verkündigen, hat das zweite Tier den Auftrag, die Bewohner des ganzen Erdkreises zur Anbetung des ersten Tieres mit der geheilten Todeswunde zu bringen. Letzteres ist ein Hinweis auf den Kaiserkult, zu dessen Kernland Kleinasien im 1. Jahrh. n. Chr. geworden war. Die ideologisch-kultische Überhöhung der Macht des Imperiums, personifiziert im jeweiligen Kaiser, traf dort auf einen besonders günstigen Nährboden in Gestalt lokaler Kulte von ähnlicher Ausrichtung. Nachdem der Kaiserkult unter Caligula einen ersten Höhepunkt erreicht hattte, kam es unter Domitian zu einer erneuten Steigerung. Diese wird schon äußerlich dokumentiert durch die imponierenden Maße des Kultbildes des Kaisers in seinem ephesinischen Tempel: Der erhalten gebliebene Kopf ist 118 cm hoch, die Gesamtstatue dürfte 7 m hoch gewesen sein! Domitian war auch der erste Kaiser, der sich den religiösen Titel *dominus ac deus* (Herr und Gott) zulegte (Sueton, Domitian, 13,2). Eben diese Entwicklung, die nicht ohne einen großen Aufwand an staatlich gelenkter religiöser Propaganda denkbar ist, dürfte hier vorausgesetzt sein. Dagegen spricht auch der Umstand letztlich nicht, daß der Hinweis auf die geheilte Todeswunde strenggenommen Nero und nicht Domitian meint. Denn für die Apk. ist nicht der jeweilige Caesar, sondern das Imperium selbst Urheber und Gegenstand des Kaiserkultes. Dieses Imperium aber in seinem grenzenlosen Machtanspruch, seiner Feindschaft gegen die christliche Gemeinde und seiner Unzerstörbarkeit durch Menschen sieht sie symbolisiert in der düsteren, geheimnisumwitterten Gestalt des wiederkommenden Christenverfolgers Nero. Wie die Zeugen und Boten Jesu Vollmacht zu Zeichen haben (Mk. 13,22; 2. Kor. 12,2; Hebr. 2,4), so tun auch die Funktionäre des Tieres Zeichen (**V. 13**). Diese sind freilich nicht Hinweise auf die heilvolle Nähe der frei machenden Herrschaft Gottes, sondern Schauwunder mit propagandistischem Effekt, dazu bestimmt, die Menschen zu blenden und unter die Macht zu versklaven. Hier wie dort mag zwar äußerlich das gleiche geschehen, und doch ist es dem Ziel nach fundamental voneinander unterschieden. Äußerlich gesehen mag das zweite Tier, wenn es «vor den Augen der Menschen» Feuer vom Himmel regnen läßt, dasselbe tun wie die zwei Zeugen (11,5), doch der Sache nach handelt es sich dabei um das genaue Gegenteil. Denn es will damit eine Macht aufrichten und stabilisieren, die von Gott her schon entmachtet ist und keine Zukunft mehr hat. Im übrigen ist nicht sicher, ob und inwieweit hier auf konkrete Vorgänge angespielt ist; denn die Darstellung ist bestimmt durch den traditionellen Topos von der dämonischen Nachahmung der von den Dienern Gottes gewirkten Zeichen (vgl. 2. Mose 7,11). **V. 14** beschreibt den Erfolg des Gaukelspiels: Die Erdbewohner – d. h. alle Menschen mit Ausnahme der Heilsgemeinde – lassen sich zur Anbetung der imperialen Macht überreden. Sie errichten ihre Kultbilder, die äußerlich mit den wechselnden Zügen der jeweiligen Kaiser ausgestattet sein mögen, die sich jedoch einer die Hintergründe aufdeckenden theologischen Tiefenschau als dämonische Zerrbilder des Bildes des Gekreuzigten und von Gott zum Leben erweckten Herrn der Kirche zu erkennen geben.

V. 15 scheint konkreter auf zeitgenössische priesterliche Praktiken anzuspielen. Volkstümlicher Glaube schrieb Priestern die Fähigkeit zu, Götterstatuen zu Bewegungen und zum Sprechen zu veranlassen. So berichtet Lukian (De dea syr. 10), die Statuen des Tempels von Hierapolis könnten sich bewegen, Orakelsprüche von sich geben, und man könne des nachts, während der Tempel geschlossen ist, eine Stimme im Allerheiligsten reden hören. Ob hier Suggestion am Werke war oder ob man mit technischen Tricks derartige Effekte zu erzeugen wußte, wissen wir nicht. Aus späterer Zeit (4. Jahrh. n. Chr.) gibt es jedenfalls Zeugnisse dafür, daß heidnische Priester solche Schauwirkungen mit raffinierten technischen Mitteln zu inszenieren wußten. – Die zum Reden gebrachte Kultstatue gibt einen Orakelspruch von sich: Jeder, der ihr die Anbetung verweigert, ist dem Tode verfallen. Damit wiederholt sich für die Gemeinde in verschärfter Form die Situation aus der Zeit des Königs Nebukadnezar, der allen Untertanen seines Reiches bei Androhung der Todesstrafe geboten hatte, sein Kultbild anzubeten (Dan. 3,6.11.15). Die konkreten Vorgänge, auf die hier angespielt ist, lassen sich aus einem Brief rekonstruieren, den der römische Statthalter Plinius d. J. ca. 112 n. Chr. – also knapp 20 Jahre nach der Entstehung der Apk. – an den Kaiser Trajan schrieb. Er berichtet darin, daß er die als Christen Verdächtigten genötigt habe, die heidnischen Götter anzurufen und vor einem Kaiserstandbild Weihrauch und Wein zu opfern (Plin. epist. 96; vgl. auch Mart. Polyk. 8). Nichts spricht gegen die Annahme, daß ein solches Verfahren schon zur Zeit Domitians geübt wurde. Ob es damals bereits zu Todesurteilen gegen Christen, die den Kaiserkult verweigerten, gekommen ist, ist nicht sicher. Neueren Forschungen zufolge wird kaum mehr von einer systematisch durchgeführten Christenverfolgung in Kleinasien unter Domitian die Rede sein können. Es gab jedoch genügend Anzeichen in den letzten Regierungsjahren Domitians, aus denen Johannes auf eine unmittelbar bevorstehende größere Verfolgung schließen konnte, zu der es dann freilich infolge des plötzlichen Todes des Kaisers zunächst nicht kam. Bemerkenswert ist der Hinweis auf den Abfall einzelner Personen vom Christentum zur Zeit Domitians, der sich ebenfalls im Brief des Plinius (epist. 96,6) findet.

Jedenfalls läßt **V. 16f.** erkennen, daß es schon zur Entstehungszeit der Apk. massive Pressionen gegen Christen gab, die auf einen faktischen Ausschluß aus der heidnischen Gesellschaft hinausliefen. Alle Teilnehmer am offiziellen Kult werden durch ein «Zeichen» auf der rechten Hand und auf der Stirn kenntlich gemacht, und allein dieses Zeichen berechtigt zur Teilnahme an Handel und Wandel und damit am öffentlichen Leben. Und zwar besteht dieses Zeichen aus dem «Namen des Tieres» bzw. aus einem verschlüsselten (Zahlen-)Symbol seines Namens. Was ist mit diesem Zeichen gemeint? Es gibt eine Fülle von Antworten auf diese Frage, von denen keine ganz befriedigt. Man hat an kaiserliche Münzen gedacht: Sie verweisen in Bild und Aufschrift auf die göttliche Würde des Imperators – aber man trägt sie nicht auf der Stirn! Oder sollten hier Vorgänge im heidnischen Kult gemeint sein? Verehrer von Gottheiten ließen sich häufig mit einer Tätowierung oder einem Brandmal kennzeichnen, um sich als Eigentum der Gottheit zu erkennen zu geben, ganz so, wie auch der Sklave das Eigentumszeichen seines Herrn trug. So wurde dem Dionysosverehrer ein Efeublatt eingebrannt (3. Makk. 2,29f.). Aber daß das Einritzen solcher Malzeichen für alle Teilnehmer am Kaiserkult verbindliche Praxis gewesen sein sollte, ist schwer denkbar. Ein Stück weiter könnte die Beobachtung führen, daß das von uns mit «Zeichen» übersetzte griechische Wort *(charagma)* den offiziellen Kaiserstempel bezeichnet, mit dem amtliche Schriftstücke und Dokumente versehen wurden, um sie rechtskräftig zu machen. Denn es geht hier ohne Zweifel um die Bestätigung, daß Menschen sich der vom Kaiser gesetzten religiös-rechtlichen Ordnung unterstellt haben. Freilich läßt sich auch von da her die Anbringung dieses Zeichens auf Stirn und Hand nicht erklären. So drängt alles zu dem Schluß, daß hier nicht ein einzelner konkreter Vorgang abgebildet, sondern verschiedene Phänomene, die Johannes weder genau abbilden konnte noch wollte, zu einem Gesamtbild zusammengeschaut werden, das wiederum in erster Linie als Gegenbild zu einer Gegebenheit im Bereich der Heilsgemeinde konzipiert ist – nämlich als Gegenbild zur Taufe! In dieser werden Menschen durch ein sichtbares Zeichen dem Namen Jesu Christi unterstellt (Mt. 28,19; Apg. 2,38; 10,48 u. ö.) und damit seiner Herrschaft eingegliedert; sie kann bildlich als das Siegel gedeutet werden, das die auf der Stirn tragen, die Gottes Eigentum sind (vgl. 7,3f.; 9,4); wer sie empfangen hat, ist vollgültiges Glied der Heilsgemeinde und damit an allen ihren Lebensvollzügen beteiligt. In ganz analoger Weise – so will Johannes andeuten – unterstellen sich Menschen da, wo sie der totalitären Forderung des Kaiserkults nachgeben, dem Namen des Kaisers und werden seiner Herrschaft, die letztlich Herrschaft der widergöttlichen Macht ist, eingegliedert; sie lassen sich damit wie Sklaven ein Eigentumszeichen aufbrennen, und sie erkaufen damit, daß sie als vollgültige Glieder der Gesellschaft des Imperiums anerkannt werden. Umgekehrt wird jeder, der sich der totalitären Forderung widersetzt, geächtet und von der Teilnahme an den Lebensvollzügen der Gesellschaft ausgeschlossen. Johannes will den Gliedern der angeschriebenen Gemeinden klar machen: Im Konfliktfall bleibt für sie nichts anderes, als solchen Verlust der bürgerlichen Ehrenrechte auf sich zu nehmen. Denn das Eigentumszeichen Jesu Christi ist mit jenem des Tieres unvereinbar, weil mit jedem von ihnen auf je diametral verschiedene Weise ein rechtlich verbindliches Verhältnis begründet wird.

Wie die vorhergegangene Vision (V. 9f.), so endet auch diese mit einer direkten Wendung an die Leser **(V. 18)**. Johannes appelliert an ihre Weisheit, durch deren Verleihung sie Gott in Stand gesetzt hat, seine geheimen Wege in den Endzeitereignissen zu erkennen (vgl. Dan. 1,17; 5,12;·10,14), und er stellt ihnen damit zugleich eine Aufgabe: Sie sollen die Zahl des (ersten) Tieres ausrechnen, wobei freilich zugleich das Ergebnis genannt wird, nämlich die Zahl 666. Eine weitere Verstehenshilfe wird in dem Hinweis gegeben, es handle sich dabei um die Zahl eines Menschen. Nun macht es der bedeutungsvolle Unterton, mit dem die Aufgabe gestellt wird, unwahrscheinlich, daß es hier lediglich darum geht, einen bestimmten Menschen mit dem Tier auf dem Wege der Namensberechnung zu identifizieren, zumal – wie sich zeigen wird – solche Berechnung nur dem möglich ist, der das Ergebnis im Vorhinein kennt. Der Akzent scheint nicht auf der Feststellung des Namens, sondern auf der Würdigung der besonderen und geheimnisvollen Zahl mit ihrer Gleichheit von Hunderten, Zehnern und Einern zu liegen. Mit anderen Worten: Die Leser sollen darüber nachdenken, daß der ihnen bereits vorab bekannte ominöse Name einen so geheimnisvoll-tiefsinnigen Zahlenwert hat, und sie sollen daraus auf dem Wege von Zahlenspekulationen, wie sie für antike Menschen nahe genug lagen, Folgerungen hinsichtlich der Geheimnisse des Heilsplanes Gottes ziehen.

Exkurs: Die geheimnisvolle Zahl 666

Kein anderes Problem der Apk. hat zu so vielen Spekulationen Anlaß gegeben wie das der Bedeutung dieser Zahl. Es gibt auch kaum eine umstrittene Gestalt der Weltgeschichte, die man nicht hinter ihr gesucht hätte. Eine seriöse Lösung hat zur Vorbedingung, daß es gelingt, das vom Verfasser vorausgesetzte Verschlüsselungs- und Deutungssystem zu identifizieren. Drei Möglichkeiten stehen dabei zur Debatte.

1. *Arithmetische Deutung.* Diese geht davon aus, daß 666 eine sogenannte Dreieckszahl mit dem Grundwert 8 ist: Die Zahlen von 1 bis 8 ergeben addiert 36; die Zahlen von 1 bis 36 wiederum ergeben addiert 666. Nach antiker Zahlenspekulation liegt in jeder Dreieckszahl der gleiche Sinn wie im letzten Glied der ersten Reihe, d. h. in unserem Fall in der Zahl 8. Dafür aber, daß diese Zahl gemeint sein könnte, hat man sich auf den Hinweis in 17,11 berufen, wonach das Tier «das war und nicht ist» das achte ist. Doch diese Deutung scheitert daran, daß es sich nach V. 18 um «die Zahl eines Menschen» handelt. Die Lösung müßte demnach eindeutig ein Name sein.

2. *Deutung als Gematrie,* d. h. als Zahlenrätsel. Sowohl nach dem hebräischen wie nach dem griechischen Alphabet hatte jeder Buchstabe zugleich einen Zahlenwert (z. B. a = 1; b = 2; i = 10; k = 20; r = 100). Die Namenszahl kommt dadurch zustande, daß man die Zahlenwerte der einzelnen im Namen enthaltenen Buchstaben addierte. Eine Entschlüsselung dieser Zahl auf den gemeinten Namen hin war freilich so gut wie unmöglich, weil jede Zahl sich aus den verschiedensten Kombinationen von Zahlbuchstaben zusammensetzen konnte. In Pompeji entdeckte man eine Wandkritzelei: «Ich liebe die, deren Zahl 545 ist». Ihr Urheber konnte sicher sein, daß nur die Geliebte selbst und einige Eingeweihte wußten, welcher Name sich hinter der Zahl verbarg!

Die Formulierung von V. 18 deutet darauf hin, daß auch hier ein solches gematrisches Zahlenrätsel vorliegt. Unklar ist jedoch, ob dabei das griechische oder das hebräische Alphabet zu Grunde lag. Manches spricht für die zweite Möglichkeit. So nimmt der Verfasser in 9,11 und 16,16 Bezug auf hebräische Wörter. Hinzu kommt, daß das hebräische Alphabet für solche geheimnisvolle Verschlüsselung besonders geeignet erscheinen mußte. Dies hätte allerdings zur Voraussetzung, daß auch in den angeschriebenen kleinasiatischen Gemeinden Judenchristen waren, die diese Kunst beherrschten und von ihr her bereits eine entsprechende Namensdeutung entwickelt hatten. Nun bietet sich in der Tat auf Grund des hebräischen Alphabets eine überzeugende Lösungsmöglichkeit, die den Vorteil hat, daß sie sich in den Kontext von Kap. 13 einfügt: Die Summe der Zahlenwerte der Worte *Neron Quesar* (= der Kaiser Nero) ist 666 (n = 50; r = 200; o = 6; n = 50; k = 100; s = 60; r = 200). Diese Lösung wurde überraschend bestätigt durch die Funde von Muraba'at, in denen genau die hier vorausgesetzte Schreibweise auftaucht. Sie hat ferner den Vorteil, daß sich von ihr aus auch eine wichtige Textvariante erklären läßt: Eine Reihe von Handschriften lesen nämlich statt 666 die Zahl 616. Bei lateinischer Aussprache des Namens las man nicht mehr *Neron*, sondern *Nero*, weshalb man die Namenszahl um den Wert des Buchstabens n (= 50) verringern mußte. Hinzu kommt eine weitere überraschende Beobachtung: Der Zahlenwert des in hebräischen Lettern geschriebenen griechischen Wortes *thērion* (= das Tier) ergibt, ebenfalls 666. Von hier aus kann also die Aussage von V. 18, daß die Zahl des *Tieres* (= 666) die Zahl eines Menschen sei, zusätzliches symbolisches Gewicht in dem oben angedeuteten Sinn erhalten. Versuche, das griechische Alphabet zu Grunde zu legen, haben demgegenüber zu keinen überzeugenden Ergebnissen geführt. Es ist nicht gelungen, auf diese Weise aus der Zahl den Namen eines Kaisers jener Epoche, der ernstlich in Frage kommen könnte, abzuleiten.

3. *Symbolisch-theologische Deutung*. Sie begegnet uns in sehr gewichtiger Weise bei Irenäus (adv. haer. 5,28,2). Ihrzufolge ist die Zahl 666 mit ihren sechs Hunderten, sechs Zehnern und sechs Einern die Rekapitulation des gesamten Abfalls von Gott, der von Anfang der Welt an stattgefunden hat, und zwar am Anfang, in den mittleren Zeiten und am Ende. Dahinter steht die Auffassung, daß die Zahl 6 das Zurückbleiben hinter der 7, der Zahl der göttlichen Vollkommenheit, bedeute.

Insgesamt wird man urteilen müssen, daß die gematrische Deutung der Zahl auf den Kaiser Nero den Schlüssel zur Lösung des Rätsels liefert. Es ist dies zudem eine Lösung, die sich nahtlos in den Kontext (V. 3.12f.) einfügt. Keineswegs ausgeschlossen ist jedoch damit, daß Johannes seine Leser zugleich auch auf eine symbolische Deutung der Zahl im zuletzt erwähnten Sinne verweisen wollte.

Exkurs: Die Christen und der Staat nach Apk. 13

Man kann den innerhalb des Neuen Testaments einzigartigen Aussagen über das Verhältnis der Christen zu Staat und staatlicher Macht nur gerecht werden, wenn man ihren konkreten zeitgeschichtlichen Hintergrund mit im Auge hat: Das Römische Weltreich auf dem Höhepunkt seiner äußeren und inneren Macht schickt sich an, die Einwohner aller seiner Provinzen durch ein kultisch-religiöses Einheitsband noch stärker als bisher an sich zu binden. Allenthalben, vorab in Kleinasien, wird mit den Mitteln einschüchternder Prachtentfaltung und massiver Propaganda staatlicher Stellen der Kaiserkult als sichtbarer Ausdruck der offiziellen Reichsideologie durchgesetzt. Die Christen, die die Anbetung des Kaisers verweigern, sehen sich allen Arten gesellschaftlicher und staatlicher Repression ausgesetzt; hier und dort kommt es bereits zu Ausschreitungen gegen die Gemeinden, und einzelne ihrer Glieder haben ihre Standfestigkeit bereits mit dem Tode bezahlen müssen (2,13; 6,9). Größere Bedrängnisse und Schikanen, bis hin zur staatlich angeordneten Verfolgung, scheinen sich anzukündigen. Es gibt zwar kein staatliches Verbot der Ausübung des christlichen Glaubens; wohl aber gibt es die Forderung des Staates, daß alle seine Bürger aktiv am offiziellen Reichskult teilnehmen. Damit hat sich dieser Staat als weltanschau-lich-totalitärer Staat erwiesen, der das für sich beansprucht, was allein Gott und Jesus Christus gehört. Nach dem Urteil des Sehers ist er das irdische Abbild und Ebenbild des Satans (V. 1f.), die Verkörperung der widergöttli-chen Macht schlechthin. Darum gibt es für die Christen nur eines, nämlich den Widerstand bis zum Äußersten. Schon ihre ohnmächtige äußere Lage erlaubt den Christen freilich nichts anderes als bloßen passiven Widerstand. Die Möglichkeit, die dämonische Herrschaft mit Gewalt abzuschütteln, steht nicht entfernt zur Debatte. Ja, die Glaubenden müssen sich darauf ein-richten, daß sie von der staatlichen Machtmaschinerie zermalmt werden. Jo-hannes stellt ihnen keine innerweltliche Rettung in Aussicht (V. 9f.). Was ihnen bleibt, ist einerseits die Gewißheit, daß Gott selbst durch sein macht-volles Eingreifen die ihm widerstreitende Macht vernichten wird, anderer-seits die Hoffnung auf die Teilhabe an der von Gott zugesagten zukünftigen Vollendung.

So situationsbezogen die Aussagen über den Staat in Apk. 13 sind, so wenig lassen sie sich auf die damalige Situation des Verhältnisses der Christen zum römischen Imperium eingrenzen. Hier liegt vielmehr eine prophetische Schau vor, die im Bild des das Römerreich verkörpernden Tieres bestimmte Wesenszüge und Entartungserscheinungen staatlicher Macht in scharfen Konturen herausstellt. Nicht umsonst ist ja das Tier aus dem Meer in V. 1–3 als die Zusammenfassung aller bisherigen Weltreiche (Dan. 7) dargestellt. Es ist für Johannes das Bild des hybriden, seine Macht totalitär als Selbst-zweck feiernden Staates schlechthin. Die negative Wertung läßt sich näm-lich nicht auf den Kaiserkult und seine unmittelbaren Begleiterscheinungen eingrenzen; dieser ist vielmehr nur ein besonders ausgeprägtes Symptom für das Selbstverständnis der den römischen Staat tragenden Gesellschaft, und zwar aller ihrer Schichten (V. 3f.). Indem sich in ihm das Imperium selbst als göttlich zum Gegenstand der Anbetung macht, wird er zum Ausdruck eines gesellschaftlichen Machtbewußtseins, das keine Grenzen mehr anerkennt und sich durch nichts in Frage stellen läßt.

Dieser dämonische, totalitäre Staat erscheint als ein verzerrtes Gegenbild zum Bereich Gottes und zur Kirche. Damit kommt zum Ausdruck, daß seit dem Herrschaftsantritt Jesu im Himmel überall da, wo Menschen, Staaten und Gesellschaften absolute Machtansprüche erheben, versucht wird, etwas zu okkupieren und zu mißbrauchen, was eigentlich nur Gott und Christus zugehört. Mehr noch: Seit dem Herrschaftsantritt Christi wird die Geschich-te der Welt, ob offen oder verborgen, von der Auseinandersetzung mit ihm bestimmt. Aber noch in ihrem entschlossensten Nein zu Gott und seiner Herrschaft bleiben Völker und Machtsysteme in einer geheimnisvollen Wei-se von ihm abhängig: Die Gewalt, die sie ausüben, beruht auf Gottes Zulas-sen, und selbst die Rituale und äußeren Formen, mit denen sie sich ihrer un-begrenzten Macht versichern, sind nichts Eigenes, sondern schlechte Nach-bildungen dessen, was in Gottes Heilsbereich geschieht.

Wie aber verhält sich dieses extrem gezeichnete Bild staatlicher Macht zu dem scheinbar ganz anderen, das Paulus in Röm. 13 entwirft? Man wird bei-de nicht gegeneinander ausspielen dürfen, auch nicht in der Weise, daß man in Röm. 13 die «normale» urchristliche Sicht des Staates sucht und Apk. 13 zum Grenzfall erklärt. Eher verhält es sich so, daß Paulus in Röm. 13 den Staat so zeichnet, wie ihn sich der Christ im günstigsten Fall erhoffen und wünschen kann: Es ist ein Staat, der sachlich und korrekt in seinen Organen handelt, friedliche und gute Möglichkeiten für das Zusammenleben von Menschen schafft und Bedrohungen abwehrt. Einem solchen Staat können und sollen die Christen gehorchen, weil sie in ihm ein Werkzeug des gnädigen Erhaltungswillens Gottes für seine gefallene Schöpfung sehen können. Die Apk. dagegen entwirft ein Bild faktischer staatlicher Wirklichkeit in ihrer schlimmsten denkbaren Form: Es ist ein Staat, der zum Werkzeug des organisierten Widerstandes der gottfeindlichen Menschheit gegen den Schöpfer geworden ist. Für den Christen gibt es ihm gegenüber nur eines: entschlossenen Widerstand. Die faktische staatliche und gesellschaftliche Wirklichkeit, mit der es Christen zu tun bekommen, wird zumeist irgendwo zwischen diesen beiden neutestamentlich markierten Grenzpunkten liegen. Apk. 13 wird darum zu einem Appell an die Christen, sich nicht kritiklos mit jeder staatlichen und gesellschaftlichen Ordnung abzufinden, sondern da kritisch und warnend ihre Stimmen zu erheben, wo Staat und Gesellschaft totalitäre Züge entwickeln und der stets gegenwärtigen Versuchung eines Kults der Macht nachgeben.

14,1–5   d. Das Lamm und die Hundertvierundvierzigtausend auf dem Zion

1 Und ich sah, und siehe, das Lamm stand auf dem Berg Zion, und mit ihm (waren) hundertvierundvierzigtausend, die seinen Namen und den Namen seines Vaters geschrieben auf ihren Stirnen trugen. 2 Und ich hörte eine Stimme vom Himmel wie das Rauschen vieler Wasser und wie das Rollen eines gewaltigen Donners, und die Stimme, die ich hörte, klang, wie wenn Harfenspieler ihre Harfen schlagen. 3 Und sie singen ein neues Lied vor dem Thron und den vier Wesen und den Ältesten, und niemand konnte das Lied lernen außer den Hundertvierundvierzigtausend, die von der Erde losgekauft worden waren. 4 Sie sind es, die sich mit Frauen nicht befleckt haben, denn sie sind jungfräulich. Sie sind es, die dem Lamm nachfolgen, wohin es auch geht. Diese sind losgekauft aus den Menschen als Erstlingsgabe für Gott und das Lamm, 5 und in ihrem Mund fand sich keine Lüge, sie sind makellos.

Den düsteren Visionen von Kap. 13, die von der ungehemmten Machtentfaltung des Widersachers Gottes und seiner Kreaturen handelten, folgt nun ein Gegenbild, das die Frage nach Weg und Geschick der Heilsgemeinde in dieser für sie so bedrohlichen Situation beantwortet. Dieses knüpft unmittelbar an die Vision von der Versiegelung der Hundervierundvierzigtausend in 7,1–8 an, die überdies in den Zusammenhang der Sieben-Siegel-Visionen ganz analog als Gegenbild eingeblendet ist. War es dort darum gegangen, zu zeigen, daß die Glieder der Gemeinde in den kommenden Schrecknissen des Gerichts bewahrt bleiben, weil sie das Eigentumssiegel Gottes tragen, das ihnen in der

Taufe aufgeprägt worden ist, so wird hier nun deutlich gemacht, daß solche Zugehörigkeit zu Gott die Glaubenden dazu fähig macht, in den auf sie zukommenden Drangsalen standfest zu bleiben und gehorsam Zeugnis für ihren Herrn abzulegen. Erkennt man die enge Beziehung zwischen beiden Abschnitten, dann ist die häufig erörterte Frage, ob es sich in 14,1–5 um ein Bild der gegenwärtigen oder der zukünftigen Situation handelt, ob es um die kämpfende oder die vollendete Kirche geht, eindeutig im ersten Sinn beantwortet: Die Hundertvierundvierzigtausend sind nicht die vollendeten Märtyrer, sondern die Glieder der irdischen Gemeinde. Sie sind in ihrem Kampf gegen die durch das Tier verkörperte totalitäre Macht des Weltreiches nicht auf sich selbst gestellt, sondern scharen sich um das «Lamm» als den wahren Herrscher der Welt, dem die Zukunft gehört. In gewissem Sinne ist diese Vision so auch als eine notwendige Weiterführung und Präzisierung von 12,17 zu verstehen: Die Nachkommen der himmlischen Frau, die Glieder der Kirche also, sind zwar auf Erden den rücksichtslosen Angriffen des Widersachers ausgeliefert, aber sie sind dabei nicht alleingelassen. Denn wenn auch der Ort, an dem ihr Herr in der gegenwärtigen Weltzeit seine Herrschaft ausübt, der Himmel ist, so ist er doch jetzt schon auf geheimnisvolle Weise in ihrer Mitte.

Auf dem Zionsberg, dem heiligen Berg des Tempels in Jerusalem, schaut der Seher das «Lamm», umringt von der großen Schar derer, die ihm zugehören (**V. 1**). Dieses Bild ist Erfüllung prophetischer Verheißung: Nach Jo. 3,5 ist der Zion der Ort des endzeitlichen Heils, an dem der Messias zur Rettung und Sammlung seines Volkes erscheinen wird (vgl. Jo. 2,27). Die heilige Stadt Jerusalem und der Zionsberg sind hier, wie durchweg in der Apk. (s. zu 3,12; 21,2), Bilder für die Heilsgemeinde. Damit wird eine alte judenchristliche Tradition (vgl. Hebr. 12,22; Gal. 4,25f.) aufgenommen und weitergeführt. Zwar wird das neue Jerusalem erst in der Endzeit vom Himmel auf die neue Erde herabkommen, um dann zum sichtbaren Sammlungsort der Glaubenden zu werden, doch bedeutet das nicht, daß es in der Apk. ausschließlich als himmlische bzw. zukünftige Größe gesehen wäre. Vielmehr gehören die Glaubenden jetzt schon dem neuen Jerusalem zu, ja sie sind in gewisser Weise bereits auf Erden Gottes Stadt, das von ihm beherrschte Gemeinwesen, das der vom Tier beherrschten satanischen Stadt gegenübersteht (vgl. 11,8). Hier nun ist mit Zion speziell der von Gott gegebene Bereich der endzeitlichen Sammlung und Bewahrung seines Volkes umschrieben. Die Symbolzahl 144 000 (s. zu 7,4) macht die Versammelten kenntlich als das neue Heilsvolk, an dem sich Gottes Verheißungen für Israel erfüllen. Das Siegel, das sie tragen, wird hier deutlicher als in 7,2 (s. dort) bestimmt: Es sind die Namen Gottes und des Lammes, die sie auf der Stirn tragen und durch die sie als Gottes Eigentum gekennzeichnet sind. Damit ist der unüberbrückbare Gegensatz zwischen den Gliedern der Kirche und den Menschen markiert, die den Namen des Tieres als Zeichen auf ihren Stirnen tragen und damit als Eigentum des Widersachers Gottes ausgewiesen sind (13,16f.).

Eine himmlische Stimme, deren Gewalt und Majestät durch eine Reihe von Vergleichen (vgl. 1,15; 4,5; 8,5; 19,6) hervorgehoben wird, begleitet die Vision (**V. 2f.**). Und zwar ist es der in Kap. 5 beschriebene himmlische Gottesdienst, der hörbar wird: Der Klang der Kitharen (5,8) mischt sich mit dem Gesang, den die vierundzwanzig Ältesten vor dem Thron Gottes anstimmen (5,9) und den die ganze Schar der himmlischen Wesen respondierend aufnimmt (5,11). Sie stimmen das «neue Lied», dessen Wortlaut wir in 5,9 erfahren haben, an. Sein Inhalt ist der Lobpreis des Lammes, das würdig ist, die Herrschaft zu übernehmen und den Geschichtsplan Gottes auf das Ende hin zu vollstrecken. Hörbar wird dieses Lied auf Erden nur für die Schar um das Lamm; sie allein kann es «lernen» und sich zu eigen machen, und das hat seinen guten Grund: Ist sie doch das priesterliche Volk, das sich das Lamm durch sein Sterben aus allen Weltvölkern erworben hat (5,9f.). Allen anderen Erdbewohnern ist dieses neue Lied verborgen, denn sie kennen nur das garstige «alte Lied», das die Macht des selbstherrlichen Menschen preist (13,4). Gewiß hat die irdische Gemeinde noch nicht teil am himmlischen Gottesdienst; die Grenze zwischen Himmel und Erde wird nicht aufgehoben. Wohl aber lebt sie davon, daß sie an ihrem geschichtlichen Ort das himmlische Lied, das den Sieg des Lammes preist, kennt, und daß sie es in ihrem Gottesdienst, den sie im Angesicht der sie tödlich bedrohenden Mächte feiert, anstimmen darf. Was sie dazu ermächtigt, ist die Gewißheit, daß sie ihren erhöhten Herrn in geheimnisvoller Weise schon jetzt in ihrer Mitte hat. Weil die Christen das Eigentumszeichen Gottes und des Lammes tragen, darum können sie als die bezeichnet werden, die von der Erde «losgekauft» sind (vgl. 5,9b): Die Erde als der Bereich der widergöttlichen Mächte hat keine letzte Verfügungsgewalt mehr über sie.

V. 4f. ist nicht mehr Teil der Vision, sondern ein erläuternder Zusatz, mit dem sich der Verfasser direkt an die Leser wendet, um ihnen einige für ihn wesentliche Merkmale der von der Erde erkauften, dem Lamm zugehörigen Menschen vor Augen zu führen. An erster Stelle nennt er Ehelosigkeit und Jungfräulichkeit. Die Deutung dieser Aussage ist schwierig. Für ein übertragen-bildliches Verständnis könnte zunächst zweierlei sprechen: Erstens die Überlegung, daß Johannes in den Gemeinden, an die er schrieb, keineswegs Ehelosigkeit als eine allgemein bindende Verhaltensnorm voraussetzen konnte, so sehr auch mit der Möglichkeit zu rechnen ist, daß es in ihnen Gruppen und Kreise gab, die noch am paulinischen Ideal eines Eheverzichts festhielten (1. Kor. 7,1.8.26ff.). Nichts deutet jedenfalls darauf hin, daß er der ehelich lebenden Mehrheit der Gemeindeglieder das Christsein absprechen wollte. Zweitens ist Ehebruch bzw. Unzucht bereits im Alten Testament eine geläufige Metapher für den Abfall von Gott und die Hinwendung zum Götzendienst (Hos. 2,4–21; Jer. 2,2–6), deren Übernahme sich für Johannes auf Grund des von ihm bevorzugten Vergleichs der Kirche mit einer reinen, unbefleckten Braut (22,17; vgl. 2. Kor. 11,2) nahelegen mußte. Dem entspricht umgekehrt, daß er als Gegenbild der Kirche die Hure Babylon zeichnet, die der Unzucht des Götzendienstes verfallen ist (14,8; 17,2.4; 18,3.9; 19,2). Obwohl ein solches übertragen-bildliches Verständnis in der Aussage über Ehelosigkeit und Jungfräulichkeit mitschwingt, ist sie jedoch damit wohl kaum voll erfaßt. Darauf deutet ihre enge Verbindung mit dem zweiten genannten Merkmal, der bedingungslosen Nachfolge des Lammes, hin. Eheverzicht und Preisgabe familiärer Bindungen erscheint nämlich in alten palästinischen Traditionen als Bedingung der Nachfolge, d. h. der radikalen Dienst- und Schicksalsgemein-

schaft mit Jesus um der Gottesherrschaft willen (z. B. Mt. 19,10–12; 10,37f.
par. Lk. 14,26f.). In den Kreisen prophetischer Wandermissionare Syrien-Pa-
lästinas, in denen Johannes seine Wurzeln hatte, wurde solche asketische Lebensweise weiter geübt als Zeichen der ungeteilten Hingabe an die nahe Gottesherrschaft. Von ihr ist auch sein Selbstverständnis geprägt. Zwar kann Johannes nicht hoffen, die Adressaten zu dieser Lebensform der Ehelosigkeit
bzw. der Preisgabe bestehender Ehen zu überreden, aber er führt ihnen immerhin die Ehelosigkeit als Bild und Modell jener totalen Hingabe vor Augen,
die jetzt von ihnen gefordert ist (vgl. 1. Kor. 7,7). Es gilt nämlich, dem Lamm
nachzufolgen, «wohin es auch geht», das heißt, notfalls auch in den Tod
(vgl. Mk. 8,34). Dazu wird nur der fähig sein, der sich von weltlichen Rück-
sichten und Bindungen völlig löst und sich zu totalem Gehorsam entschließt.
Hier klingt jener Ton rigoristischer Unbedingtheit auf, der für die Ethik der
Apk. kennzeichnend ist. Allerdings wird man keine grundsätzliche Abwertung des Sexuellen herauslesen dürfen; die Bindung an Frau und Familie wird
lediglich als Gefährdung der Forderung zu totalem Gehorsam gesehen. Die
Totalität des Anspruches, dem die Christen unterliegen, kommt auch in ihrer
Bezeichnung als «Erstlingsgabe für Gott und das Lamm» zum Ausdruck: Die
Erstlingsgabe ist jener Teil der Ernte, auf den Gott Anspruch hat und der ihm
darum als Opfer darzubringen ist (Ez. 45,1; 48,9). Eben in dieser Weise beanspruchen Gott und das Lamm die Glieder der Heilsgemeinde; niemand darf
sich ihrer Verfügungsgewalt entziehen. – Als letzte Kennzeichen der Auserwählten nennt **V. 5** deren Wahrhaftigkeit und Makellosigkeit. Damit ist mehr
als nur der Verzicht auf Lüge gemeint, nämlich die Einheitlichkeit und Ganzheit der Lebenshaltung (vgl. 21,27): Die Glaubenden erweisen sich in ihrem
gesamten Verhalten als die ungeteilt Gott Zugehörigen. Gleich Opfertieren,
die makellos und ohne Fehler sind (2. Mose 12,5; 3. Mose 23,12f.), hat Gott sie
sich als sein Eigentum ausersehen und geheiligt (Eph. 1,4; Phil. 2,15; Kol.
1,22).

14,6–20   e. Ausblick auf das Gericht

**6 Und ich sah einen anderen Engel hoch am Himmel fliegen, der hatte eine
ewige Botschaft, um sie den Bewohnern der Erde zu verkünden, allen Nationen, Stämmen, Sprachen und Völkern. 7 Er rief mit lauter Stimme: Fürchtet
Gott und gebt ihm die Ehre, denn gekommen ist die Stunde seines Gerichts!
Und betet den an, der den Himmel und die Erde, das Meer und die Wasserquellen geschaffen hat!
8 Und ein anderer, zweiter Engel folgte ihm und rief: Gefallen, gefallen ist Babylon, die Große, die mit dem Zorneswein ihrer Hurerei alle Völker trunken
gemacht hat.
9 Und ein weiterer, dritter Engel folgte ihnen und rief mit lauter Stimme:
Wenn einer das Tier und sein Standbild anbetet und das Zeichen auf seine
Stirn oder auf seine Hand empfängt, 10 der muß auch vom Zorneswein Gottes
trinken, der ungemischt dargereicht wird im Becher seines Zorns, und er wird
gepeinigt werden mit Feuer und Schwefel vor den heiligen Engeln und dem**

Lamm. **11 Und der Rauch ihrer Peinigung steigt auf in alle Ewigkeit, und sie haben keine Ruhe bei Tag und Nacht, die das Tier und sein Standbild anbeten, und wenn einer das Zeichen seines Namens empfängt. 12 Hier ist Standhaftigkeit der Heiligen** (gefordert), **die die Gebote Gottes und die Treue zu Jesus festhalten. 13 Und ich hörte eine Stimme vom Himmel sprechen: Schreibe! Selig sind die Toten, die im Herrn sterben von nun an. Ja, spricht der Geist, sie sollen ausruhen von ihren Mühen; denn ihre Werke folgen ihnen nach.**

14 Und ich sah, und siehe, eine weiße Wolke, und auf der Wolke saß einer gleich einem Menschensohn, der hatte auf seinem Haupt einen goldenen Kranz und in seiner Hand eine scharfe Sichel.

15 Und ein anderer Engel kam aus dem Tempel heraus und rief mit lauter Stimme dem zu, der auf der Wolke saß: Sende deine Sichel aus und ernte! Denn gekommen ist die Stunde zu ernten, denn die Ernte der Erde ist reif geworden. 16 Da warf der, der auf der Wolke saß, seine Sichel auf die Erde, und die Erde wurde abgeerntet.

17 Und ein anderer Engel kam aus dem Tempel im Himmel heraus, der hatte ebenfalls eine scharfe Sichel.

18 Und ein anderer Engel kam her vom Brandopferaltar; er hatte Gewalt über das Feuer und rief mit lauter Stimme dem, der die scharfe Sichel hatte, zu: Sende deine scharfe Sichel aus und schneide die Trauben des Weinstocks der Erde, denn seine Trauben sind reif geworden! 19 Und es warf der Engel seine Sichel auf die Erde und schnitt den Weinstock der Erde und warf (die Trauben) **in die große Zorneskelter Gottes. 20 Und die Kelter wurde getreten außerhalb der Stadt, und es floß Blut aus der Kelter bis an die Zügel der Pferde, eintausendsechshundert Stadien weit.**

Diese Szene ist das negative Gegenstück zu der vorhergehenden: Auf die Zusage unverbrüchlicher Gottesgemeinschaft für die Heilsgemeinde folgt der Ausblick auf das Gericht, das Gott an der übrigen Menschheit vollziehen wird. Mit ihm wird der mit 12,1 begonnene Darstellungszusammenhang zu einem ersten, vorläufigen Abschluß gebracht. Die Herrschaft des Satans und seiner Kreaturen über die Erde wird in der Tat nur kurze Zeit dauern (12,12), denn Gott hat ihr Ende schon vorbereitet. Allerdings kommt das Endgericht hier lediglich in der Form eines zukünftiges Geschehen in andeutenden Bildern vorwegnehmenden, d. h. proleptischen Ausblicks zu Gesicht. Ähnlich wie 8,1; 11,15–19 stößt die Darstellung bis zum Endgeschehen vor, ohne dieses jedoch erzählerisch voll zu entfalten. Erst in 19,1–8 wird es zu einer direkteren Schilderung des Gerichtes des Menschensohnes kommen. Zu ihr verhält sich 14,6–20 gleichsam wie eine Skizze zum voll ausgeführten Bild. Trotz dieses andeutenden, skizzenhaften Charakters ist die Szene jedoch sehr kunstvoll komponiert. Sie ist in sieben Teile gegliedert: eingerahmt von drei Engeln, die das Gericht ankündigen und drei Engeln, die es vollziehen, erscheint in der Bildmitte der Menschensohn-Ähnliche, der die Vollmacht hat, das Gericht in Gang zu setzen.

V. 6: Eine neue Vision hebt an. Der Seher schaut einen Engel hoch im Zenit des Himmels. Indem er ihn als einen «anderen Engel» kennzeichnet, bekundet er erneut sein betontes Desinteresse an jeder Engelsspekulation (vgl. 8,3). Nicht ob dieser und die folgenden Engel identisch sind mit bereits bekannten Engelsgestalten ist wichtig, sondern allein das, was diese Boten Gottes ihrem Auftrag gemäß tun. Und zwar besteht der Auftrag dieses ersten Engels darin, als Herold das Handeln Gottes anzukündigen. Das von uns mit «Botschaft» übersetzte griechische Wort *euangelion* darf nicht so verstanden werden, als habe der Engel die Heilsbotschaft von Christus, das Evangelium, aller Welt zu verkündigen. Der Gedanke einer Weltmission vor dem Ende (vgl. Mk. 13,10) ist der Apk. fremd und würde überdies den Zusammenhang des Abschnitts sprengen. Hier dürfte vielmehr ein alter palästinisch-judenchristlicher Sprachgebrauch vorliegen, der hinter das paulinische Verständnis von *euangelion* (= Heilsbotschaft von Christus) zurückgreift und unmittelbar an Jes. 52,7 anknüpft. Nach ihm ist *euangelion* die Botschaft von Gottes Kommen zu Gericht und Heil, die Ankündigung des Herolds, daß Gott sich anschickt, seine Welt für sich wieder in Besitz zu nehmen (vgl. 10,7). Indem der Engel sie den Erdbewohnern aus allen Völkern und Nationen zuruft, kündigt er ihnen an, daß die Herrschaft der widergöttlichen Mächte auf der Erde, der sie sich unterstellt haben (13,3f.14), bald ein Ende haben werde. Die kurze Frist, die dem Drachen gegeben war (12,12) ist abgelaufen! «Ewig» ist diese Botschaft, weil sie dem vor aller Zeit bestehenden Heilsratschluß Gottes entspricht. Die Worte des Engels (**V. 7**) bestätigen, daß es sich um eine Gerichtsankündigung handelt. Noch haben die Erdbewohner eine letzte Möglichkeit zur Umkehr; noch können sie ihren Götzendienst der satanischen Macht (13,14) aufgeben, um sich hinzuwenden zu dem einen wahren Gott, der als Schöpfer der Welt zugleich der Herr der Geschichte ist (vgl. 1,8; 4,8.11). Aber werden sie von dieser Möglichkeit Gebrauch machen?

V. 8: Ein zweiter Engel folgt unmittelbar dem ersten, um ebenfalls von der Höhe des Himmels her das kommende Gericht anzukündigen: Gott hat das Ende jener Stadt beschlossen, die das Zentrum der Feindschaft gegen ihn auf Erden ist. Was Gott in seinem Ratschluß festgemacht hat, das ist unabänderliche Wirklichkeit, auch wenn der äußere Vollzug noch aussteht – darum kann der Engel vom Fall der großen Stadt in der Vergangenheitsform reden. Und zwar nimmt er fast wörtlich die prophetische Ankündigung des Falls der Stadt Babylon (Jes. 21,9; Jer. 51,7f.; Dan. 4,27) auf. Babylon ist dabei natürlich als Deckname für Rom gebraucht – und zwar nicht etwa, um das wirklich Gemeinte zu verschleiern, sondern, im Gegenteil, um dessen wahres Wesen aufzudecken. Die Hauptstadt des neubabylonischen Reichs, Babylon, galt nämlich seit der Exilszeit als Inbegriff der gottfeindlichen Weltmacht (Jes. 13,1ff. u. ö.). Dem nachbiblischen Judentum (Sib. 5,143.159; syr. Bar. 67,7) wie auch dem frühen Christentum (1. Petr. 5,13) war die Bezeichnung Roms als Babylon geläufig (vgl. Bill. III,816). Der den Ratschluß Gottes begründende Nachsatz vermischt kühn zwei verschiedene Bilder: 1. Babylon hat seine Hurerei, d. h. seinen Götzendienst und die daraus resultierende sittenlose Lebensart, nicht für sich behalten, sondern damit, wie mit einem berauschenden Trank, alle Völker der Erde trunken gemacht (vgl. 17,4). – 2. Der Becher, den es in verführerischer Weise andern darreichte, war aber zugleich der Zornesbecher Gottes, den er den Ungehorsamen zu trinken gibt und dessen Inhalt sein richtender Zorn ist (Ps. 75,9; Jes. 51,17; 25,15–38; 4 QpHab. 11,14f. u. ö.). Babylon ist demnach also, ohne es selbst zu wissen, Werkzeug in der Hand Gottes: Indem es die Völker mit verführerischer Propaganda der Faszination seiner Macht unterwirft, tritt bereits Gottes endzeitliche Zornesmacht in Erscheinung (vgl. 13,5–7).

Die Botschaft des dritten Engels (V. 9–11) ist eine Warnung an alle Menschen, auch an die Christen. Sie nimmt inhaltlich konkret auf Kap. 13 Bezug. Jeder, der sich zur Teilnahme am Kaiserkult verführen läßt, sei es durch propagandistische Überredung, sei es durch äußeren Druck, wird ohne Ausnahme dem göttlichen Zornesgericht verfallen. Dieses ist wieder, wie schon in V. 8, im Bild des Zornesbechers dargestellt. Der Trank, den er enthält, ist ungemischt, er ist nicht mit Wasser verdünnt: In voller Konzentration wird also Gottes Zorn die treffen, die sich zu Dienern und Handlangern der widergöttlichen Macht haben machen lassen. Für die Gerichtsankündigung werden zwei traditionelle Bilder herangezogen: Das eine ist dem Bericht über den Untergang der gottlosen Städte Sodom und Gomorrha in einem Regen von Feuer und Schwefel entnommen (1. Mose 19,24; 5. Mose 29,22; Lk. 17,29), während das andere auf die alte Vorstellung zurückgeht, wonach sich im Hinnomtal (hebr. *ge-hinnom*), südwestlich von Jerusalem, beim Endgericht ein feuriger Abgrund, die *Gehenna*, auftun werde, in dem die verstorbenen Gottlosen ewige Qual leiden werden (äth. Hen. 90,26f.; syr. Bar. 85,13ff.; 4. Esr. 7,36; Mt. 5,22 u. ö.; vgl. Bill. IV,1096f.). Die Ungehorsamen und Gottlosen werden – das ist der Sinn dieser Aussagen – einer Bestrafung ohne Ende und ohne die Möglichkeit einer Vergebung zugeführt; und zwar wird diese vor den Augen der Angesichtsengel Gottes, d. h. vor Gott selbst, und vor den Augen des Lammes vollzogen. Was ist der Sinn dieser für heutige Leser besonders befremdlichen Aussage? Man wird sie von dem für die Apk. zentralen Gedanken der Selbstdurchsetzung Gottes gegen die seine Herrschaft bestreitenden Mächte her sehen müssen. Nicht darum geht es, daß Gott sich an den Qualen seiner Widersacher weiden will, sondern darum, daß er sie auf immer ausschaltet und daß sie in ihrem Vernichtetwerden seiner Herrschaft, die sie nicht anerkennen wollten, gewahr werden müssen. Trotzdem bleibt hier freilich ein Rest, der nicht aufgeht.

Indem Johannes sich in V. 12 direkt an die Leser wendet, unterstreicht er, daß sie nicht Zuschauer, sondern unmittelbar Betroffene sind. Alles kommt darauf an, daß sie in der auf sie zukommenden Stunde der Bewährung nicht schwach werden, sondern standhaft und treu bleiben. Was auch immer die Folgen sein werden – jetzt gilt es, kompromißlos an den Geboten Gottes festzuhalten (vgl. 2,13). Das Gewicht dieser Mahnung wird unterstrichen durch eine Seligpreisung – die zweite innerhalb der Apk. (s. zu 1,3) –, die der Seher auf das Diktat einer himmlischen Stimme hin niedergeschrieben hat (V. 13). «Die im Herrn sterben» ist eine vorgeprägte Wendung. Sie meint diejenigen, die im Glauben an Christus und im Gehorsam gegen ihn gestorben sind (1. Kor. 15,12; 1. Thess. 4,16). Und zwar gilt diese Seligpreisung speziell jenen Christen, die «von jetzt an», d. h. in der besonderen Bedrängnis, die Johannes auf die Gemeinden zukommen sieht, im Herrn sterben. Mit anderen Worten: sie gehört sachlich unmittelbar mit dem Prophetenspruch 13,9f. zusammen,

der denen, die sich dem Kult des Tieres versagen, Gefangenschaft und Tod in
Aussicht stellt. Das dort negativ Gesagte erhält hier eine positive Weiterführung: Nicht das ist das Letzte, daß Gott die Seinen wehrlos preisgibt an die
feindlichen Gewalten, sondern daß er ihnen sein Heil schenkt. Der prophetische Geist, als dessen Sprecher sich Johannes weiß, fügt der Seligpreisung eine
sie deutende Begründung an: Denjenigen Christen, die jetzt das Leben verlieren, wird weitere Not erspart bleiben; sie dürfen eingehen in die ewige Ruhe
Gottes (vgl. Hebr. 4,3.9f.); ihre Werke begleiten sie, um für sie Zeugnis abzulegen (s. zu 20,13). Die Apk. steht jenseits der paulinischen Rechtfertigungs-
problematik mit ihrem betonten Gegeneinander von Werken des Gesetzes
und Glauben. Für sie sind «Werke» lediglich der Ausdruck der Hingabe an
Christus in totalem Gehorsam, die sich in Standhaftigkeit und Leiden bewährt
(vgl. 2,13; 3,8; 3,15). Durch ihre Werke erweisen die Glaubenden, daß sie ihrem Herrn bedingungslos nachgefolgt sind, wohin er sie auch führte (14,4),
und daß sie so bis zum Ende in seiner Gemeinschaft geblieben sind. Der Tod
kann das ewige Leben, dessen Zeichen sie in Gestalt dieser Werke sichtbar tragen, nicht mehr in Frage stellen.

V. 14 bildet die bestimmende Mitte der Szene: Der Seher schaut den Menschensohn-Ähnlichen auf einer Wolke. Mit seiner Erscheinung, auf deren Gewicht mit einem die besondere Aufmerksamkeit der Leser provozierenden
«siehe» hingewiesen wird (s. zu 4,1), geht die Ankündigung des Gerichts in
dessen Vollzug über. Wie in der Beauftragungsvision (1,13) wird auch hier der
titulare Gebrauch der Bezeichnung «Menschensohn» vermieden; es bleibt bei
einem annähernden Vergleich unter Anspielung auf Dan. 7,13: Dem Leser
wird es überlassen, in der geheimnisvollen Gestalt des «Menschensohn-Ähnlichen» den zum Gericht wiederkommenden Jesus zu erkennen. Als Identifika-
tionshilfen dienen der goldene Kranz, der die herrscherliche Stellung des Erscheinenden hervorheben soll, sowie die Wolke, die in frühchristlicher Tradition festes Requisit der Parusie ist (1,7; vgl. Mk. 13,26; 14,62; Apg. 1,9.11). In
seiner Hand hält der Erscheinende als beredtes Zeichen für das, was nunmehr
geschehen soll, eine Sichel: Die Ernte soll beginnen – die Zeit des Gerichts ist
gekommen. Die Ernte war ein traditionelles Bild für das Weltgericht
(vgl. Mt. 3,12; 9,37; 13,30 u. ö.). Das Symbol der Sichel ist aus Jo. 4,13 übernommen: «Schwingt die Sichel; denn die Ernte ist reif. Kommt, tretet die Kelter; denn sie ist voll, die Tröge fließen über». Dieser Text mit seinem Nebeneinander von Getreide- und Weinernte hat auch das Bildmaterial für das Folgende geliefert.

Höchst auffällig ist der Umstand, daß der Menschensohn-Ähnliche hier innerhalb einer Reihe von Engeln erscheint. So muß er nach **V. 15** mit dem Beginn
des Gerichts warten, bis ihm ein «anderer Engel» den Befehl dazu erteilt. Gewiß ist der Urheber dieses Befehls Gott selbst, der seinen Thron im Allerheiligsten des himmlischen Tempels (6,9; 8,3; 11,19) hat. Trotzdem will dieser
Zug nicht so recht zu der von der Apk. sonst durchweg betonten Unmittelbar-
keit Jesu zu Gott passen. So ist mit der Möglichkeit zu rechnen, daß hier eine
alte judenchristliche Tradition verarbeitet ist, die, anknüpfend an die ursprüngliche Sicht der Menschensohngestalt in Dan. 7,13f., den «Menschensohn» Jesus als eine besonders hervorgehobene Engelsgestalt verstand. – Wie

dem auch sei: Indem der Engel den Befehl Gottes überbringt, wird deutlich, daß nunmehr der Zeitpunkt gekommen ist, den Gott in seinem Geschichtsplan für das Gericht gesetzt hat (vgl. Mk. 4,29). **V. 16** deutet in einem symbolischen Bild den Beginn des Gerichtes an: Der Menschensohn-Ähnliche wirft die Sichel, das Werkzeug der Getreideernte, auf die Erde. Wer die Ernte ausführt, wird nicht gesagt. Wahrscheinlich ist die Vorstellung die, daß die Engel die Schnitter sind (Mt. 13,39).

Auf die Getreideernte folgt, als zweiter Teil des Gerichts, in **V. 17–20** die Traubenlese (vgl. Jo. 4,13). Sie wird durch das Auftreten eines weiteren (fünften) Engels eingeleitet. Er tritt aus dem himmlischen Heiligtum heraus und hat, wie der Menschensohn-Ähnliche, eine Sichel in der Hand, die er auf den Befehl des sechsten Engels hin auf die Erde hinabwirft. Der Vorgang ist also weitgehend parallel zu dem in V. 14f. berichteten – und das ist ein weiteres Indiz für die hier obwaltende Tendenz, den Menschensohn-Ähnlichen an die Engel anzunähern. Beachtung verdient die Angabe über die Funktion des sechsten Engels: Er ist dem himmlischen Rauchopferaltar (vgl. 6,9) zugeordnet und hat «Gewalt über das Feuer». Demnach ist er identisch mit jenem Engel im Vorspiel zu den Posaunenvisionen, der die Gebete der irdischen Gemeinde vor Gott brachte und das Feuer vom Altar auf die Erde warf, um so zeichenhaft die endzeitlichen Erweise der Macht Gottes in Gang zu setzen (8,3–5). Das jetzt beginnende Zornesgericht ist – so macht diese Beziehung deutlich – einerseits Folge der Tatsache, daß die Menschen sich jenen Erweisen der Macht Gottes verschlossen haben, andererseits aber Gottes abschließende Antwort auf die Gebete seines Volkes um die Durchsetzung seiner Macht. Anscheinend ist es der fünfte Engel selbst, der die Weinernte vollzieht, indem er die Trauben schneidet, in die Kelter wirft und mit seinen Füßen zerstampft. Hier nun, im Treten der Kelter, liegt die eigentliche Spitze des Bildes von der Weinernte: Der ausfließende Saft der (roten) Trauben symbolisiert das Blut der Feinde, die Gott in seinem Zorn vernichtet. In Jes. 63,1–3 erscheint Gott in blutbespritztem Mantel, nachdem er die Völker voll Zorn in der Kelter zertreten hat; dementsprechend wird bei der ausführlicheren Schilderung des hier nur angedeuteten Gerichts in 19,15 der Weltrichter selbst als der eingeführt, der die Kelter tritt und so das Urteil an den Feinden Gottes vollstreckt. Das Bild der Traubenernte vermischt sich, ähnlich wie schon in Jo. 4,14, mit dem der endzeitlichen Entscheidungsschlacht, in der Gott die gegen Jerusalem heranrückenden Weltvölker nach apokalyptischer Erwartung vor der Stadt vernichten wird (Jo. 4,2.12; äth. Hen. 53,1). Das Strafgericht wird so gewaltige Ausmaße haben, daß das Blut der Getöteten bis an die Zügel der Pferde reicht (vgl. äth. Hen. 100,3). Schwer zu deuten ist die Maßangabe, mit der die äußere Dimension des Blutbades umschrieben wird. Man hat bei den 1600 Stadien (zu je ca. 200 m) an die nord-südliche Ausdehnung Palästinas gedacht. Wahrscheinlicher ist jedoch, wie bei den übrigen Zahlenangaben der Apk., die Annahme einer symbolischen Bedeutung: 1600 ist die mit Hundert multiplizierte Quadratzahl von 4, der die Ganzheit der Welt umschreibenden Zahl (vgl. 7,1). Der Sinn wäre demnach, daß die Vernichtung die ganze Welt in allen ihren Bereichen umfaßt. Wichtiger für die Erfassung der Botschaft des Abschnitts dürfte jedoch der betonte Hinweis darauf sein, daß sich das Strafgericht «außerhalb der Stadt» vollzogen habe. Damit wird ein aus Jo. 4,16 übernommenes Motiv theologisch zur Deutung des Geschehens ausgewertet: Die Heilsgemeinde, die sich auf dem Zion versammelt (14,1), ist Gottes Stadt, das endzeitliche Jerusalem. Sie allein bleibt bewahrt und hat Zukunft (21,2), während die Stadt des gottfeindlichen Widerstandes (11,8) der Vernichtung anheimfallen muß.

15,1–16,21   2. Die Sieben-Schalen-Visionen

Die Visionen der Apk. wollen nicht die lineare zeitliche Abfolge der Endzeit-ereignisse nachzeichnen, sondern diese unter verschiedenen Aspekten durch-leuchten. War in 14,6–20 ein summarischer Ausblick auf das kommende Ge-richt gegeben worden, so führt der Abschnitt 15,1–16,21 zeitlich wieder da-hinter zurück. In ihm geht es um die dem Ende vorausgehenden Erweise des strafenden Zornes Gottes über seine Widersacher.

15,1–8   a. Vorbereitung

1 Und ich sah ein anderes Zeichen am Himmel, groß und wunderbar: sieben Engel mit sieben Plagen, (und zwar) den letzten, denn in ihnen kommt Gottes Zorn zu seinem Ende.
2 Und ich sah (etwas) wie ein gläsernes Meer, mit Feuer vermengt, und (ich sah) die Sieger über das Tier und über sein Standbild und über die Zahl seines Namens an dem gläsernen Meer stehen mit Harfen Gottes. 3 Und sie singen das Lied des Mose, des Knechtes Gottes, und das Lied des Lammes:
> **Groß und wunderbar sind deine Werke,**
> **Herr, Gott, Allherrscher!**
> **Gerecht und wahrhaftig sind deine Wege,**
> **König der Völker!**
4 Wer wird dich nicht fürchten, Herr,
> **und deinen Namen (nicht) preisen?**
> **Denn du allein bist heilig,**
> **Denn alle Völker werden kommen**
> **und werden vor dir anbeten,**
> **denn deine gerechten Taten sind offenbar geworden.**
5 Und danach sah ich: Der Tempel des Zeltes des Zeugnisses im Himmel wur-de geöffnet, 6 und die sieben Engel, die die sieben Plagen haben, traten heraus aus dem Tempel, gekleidet in reine, glänzende Leinwand und gegürtet um die Brust mit goldenen Gürteln. 7 Und eines der vier Wesen gab den sieben En-geln sieben goldene Schalen, angefüllt mit dem Zorn Gottes, der in alle Ewig-keit lebt. 8 Da füllte sich der Tempel mit Rauch von der Herrlichkeit Gottes und seiner Macht, und niemand konnte den Tempel betreten, bis die sieben Plagen der sieben Engel vollendet waren.

Den Schalenvisionen ist, ähnlich wie schon den Posaunenvisionen (vgl. 8,2–5), ein himmlisches Vorspiel vorangestellt, das den Deuteschlüssel für das Folgende liefern soll. Dieses Vorspiel besteht aus zwei Szenen: Die erste, die die Vorbereitungen für die Ausgießung der Zornesschalen schildert (V. 1.5–8), legt sich wie ein Rahmen um die zweite, die vom Lobgesang der Überwinder im Himmel handelt. Die ungelenken Übergänge zwischen V. 1 und 2 und zwischen V. 4 und 5 geben Anlaß zu der Vermutung, daß Johannes diese zweite Szene in ein vorgegebenes Überlieferungsstück, das die erste bereits enthielt, eingearbeitet hat. Seine Absicht war dabei, zweierlei zu verdeutlichen: 1. Das Zornesgericht, das Gott sich nun zu vollziehen anschickt, ist nichts anderes als die dunkle Kehrseite seines Heilshandelns und gehört mit ihm untrennbar zusammen. Auch der Aufstand der widergöttlichen Mächte muß dazu dienen, seine Herrlichkeit zu erweisen; denn indem Gott diesen Aufstand niederringt, zeigt er sich als der Herr der Welt, dessen Werke groß und wunderbar sind, weil sie dem Leben und der Gerechtigkeit Raum schaffen (V. 3f.). 2. So ist denn auch das letzte Ziel, das Gott bei seinem Zornesgericht im Auge hat, das Heil der Seinen: Er verschafft der Heilsgemeinde Recht gegenüber ihren Gegnern, und er errettet sie in gleicher Weise, wie er einst sein Volk aus der Drangsal in Ägypten errettet hatte.

V. 1 dient gleichsam als Überschrift für alles Folgende. Der Seher schaut im Himmel sieben Engel, die sich anschicken, die sieben letzten Plagen zu vollstrecken. Wenn er diese Engel ein «Zeichen» nennt, so will er damit eine Verbindung zu 12,1 und 3 herstellen. Das ist insofern nicht ganz schlüssig, als es sich dort nicht, wie hier, um eine visionäre Schau eines Geschehens im Himmel, sondern um die Deutung einer allgemein sichtbaren Erscheinung am Himmel handelte (s. zu 12,1). Man wird die Aussage indessen nicht pressen dürfen. Johannes will mit ihr lediglich darauf hinweisen, daß das Zornesgericht den Abschluß jener Geschichte der Auflehnung und des Widerstandes bringt, die mit dem Erscheinen des Drachen und seinem Kampf gegen die Himmelsfrau und ihr messianisches Kind begonnen hatte. Ausdrücklich wird gesagt, daß es sich um die letzten Plagen Gottes handelt: In ihnen erreicht der Zorn Gottes in einer letzten Steigerung sein Ziel, die Vernichtung der Feinde. Danach, wenn Gottes Gegner geschlagen sind, wird auch sein Zorn enden. – Das Bild der sieben Zornesplagen geht zurück auf 3. Mose 26,18.28. Dort wird dem ungehorsamen Volk siebenfache Züchtigung für seine Sünden angekündigt.

Mit **V. 2** beginnt die eingeschobene Zwischenszene, die bis V. 4 reicht. Der Seher schaut die Schar der Überwinder im Himmel. Und zwar steht sie am gläsernen Meer, das sich rings um den Thron Gottes erstreckt (s. zu 4,6). Dieses gläserne Meer ist die nach antiker Vorstellung durchsichtig gedachte Kuppel des Himmelsgewölbes, der Himmelsozean. Warum ist es mit Feuer vermengt? Man hat diese merkwürdige Aussage von der Vorstellung her erklären wollen, wonach der Blitz, das aus dem Himmel hervorgehende Feuer, als mit dem Wasser des Himmelsozeans vermischt zu denken sei (sl. Hen. 29,2). Das mag in der Tat im Hintergrund stehen. Aufgenommen wurde diese Aussage jedoch, weil der Verfasser eine typologische Entsprechung zum Exodus schaffen wollte: So wie Israel damals bei seinem Zug durch das Schilfmeer gerettet wurde, während die Ägypter darin umkamen, so sind auch jetzt die Überwin-

der durch das Meer gezogen, das für ihre Feinde zum Bereich des Gerichts
wurde! Mit anderen Worten: das gläserne Meer dürfte Bild der Welt sein, aus
der die Überwinder errettet wurden, während das Feuer Symbol jenes Zornesgerichtes ist, das in der Welt über die Gegner Gottes ergehen wird. Aber wer
sind die Überwinder? Zweifellos jene Glieder der Kirche, die in der Gegenwart (2,13) und in der vor den Augen des Sehers liegenden unmittelbaren Zukunft standhaft gegenüber dem religiösen Machtanspruch des Imperiums bleiben und die Teilnahme am Kaiserkult verweigern, ungeachtet der daraus er-
wachsenden Konsequenzen für ihr persönliches Schicksal (vgl. 13,8; 14,4f.13).
Die Überwinder sind zwar nicht notwendig durchweg Blutzeugen, aber auf jeden Fall jene Christen, die den Gehorsam gegen Gott und Christus vor die Sor-
ge um ihr eigenes Leben gestellt haben (vgl. 12,11). Sie werden bereits unmittelbar nach dem Sterben der himmlischen Herrlichkeit und der Gemeinschaft
mit Gott teilhaftig – eine Vorstellung, die auch sonst im Neuen Testament ihren Niederschlag gefunden hat (Phil. 1,23; Apg. 7,56). Die Vorzugsstellung
der Überwinder zeigt sich auch darin, daß sie Harfen Gottes empfangen, jene
Instrumente also, die den himmlischen Ältesten vorbehalten sind (vgl. 5,8).
Der Hymnus, den sie zur Harfenbegleitung singen, wird in **V. 3a** vorweg gekennzeichnet: Er ist «das Lied des Mose, des Knechtes Gottes, und das Lied
des Lammes». Der Hinweis auf Mose will sicherlich an die Schilfmeertradition
2. Mose 15 erinnern. Damals, nach dem Auszug aus Ägypten, hat Mose angesichts der wunderbaren Rettung Israels vor seinen Feinden zusammen mit dem
Volk ein Loblied (2. Mose 15,1–21) angestimmt. Da der Hymnus inhaltlich
vom Schilfmeerlied stark abweicht, kann es nicht Absicht des Verfassers sein,
ihn als dessen Wiederholung auszugeben. Die Beziehung zwischen dem Lobgesang der Überwinder und dem des Mose liegt vielmehr auf der heilsge-
schichtlich-typologischen Ebene: So wie damals beim Exodus Israel durch
Mose Rettung vor den Ägyptern zuteil wurde, so wird jetzt dem Heilsvolk der
Endzeit Rettung zuteil vor den sie bedrängenden widergöttlichen Mächten –
und zwar durch Jesus, das Lamm, das die Seinen durch sein Blut freigekauft
hat (vgl. 5,9f.). Dem Rettungsgeschehen der Urzeit entspricht in gesteigerter
Form gegenbildlich das der Endzeit. Der Gedanke, daß der Exodus Urbild des
endzeitlichen Erlösungshandelns Gottes an seinem Volk sei, war auch in jüdischer Überlieferung lebendig. So erwartete man, daß Mose als Auferstande-
ner mit der auferstandenen Gemeinde dereinst das Lied vom Schilfmeer wieder singen werde (Mekh. Ex. 15,1). Mose und Jesus sind hier einander gegenübergestellt als die Repräsentanten des rettenden Handelns Gottes in Urzeit
und Endzeit, das den Geretteten Anlaß zum Lobpreis wird, wobei die Bezeichnung Jesu als Lamm die Typologie zusätzlich vertieft: Die sühnewirkende Kraft der beim Auszug aus Ägypten geschlachteten Passalämmer ist Typos
für die Erlösung der Gemeinde durch das Blut Jesu, des endzeitlichen Passa-
lammes (s. zu 5,6).
Der Hymnus der Überwinder **(V. 3b–4)** besteht fast durchweg aus alttestamentlichen, zumeist den Psalmen entnommenen Wendungen, die sich zu einem neuen Ganzen zusammenfügen, nämlich zu einem Lobpreis des heilvollen Handelns Gottes in der Geschichte. Er setzt ein mit einer Beschreibung der
Größe der Werke Gottes (vgl. Ps. 98,1; 111,2; 139,14) und der Zuverlässigkeit

seiner Wege (vgl. Ps. 145,17; 5. Mose 32,4). Beides – Gottes Schöpfertum und seine Geschichtsmächtigkeit – findet seinen übergreifenden Ausdruck in den Prädikaten «Allherrscher» (s. zu 1,8) und «König der Völker» (vgl. Jer. 10,7). Es folgen zwei rhetorische Fragen, die Jer. 10,7 und Ps. 86,9 entnommen sind. Sie laden ein, dem zuzustimmen, was die Sänger des Liedes bereits erkannt haben: Gott handelt so in der Geschichte, daß alle, auch die ihm Widerstrebenden, ihm zuletzt die Ehre geben und seine Herrschaft anerkennen müssen! Die letzten vier Zeilen geben dafür eine nähere Begründung: Weil Gott der einzig heilige Gott ist, der einzige, der rechtmäßig herrscht, im Unterschied zu allen Mächten, die sich Herrschaft über die Welt anmaßen wollen (vgl. 13,4f.), darum wird sich diese seine Herrschaft auch am Ende durchsetzen. Mit dem Bild der endzeitlichen Völkerwallfahrt zum Zion (Jes. 2,2; Jer. 16,19) wird die Unterwerfung aller Völker und Mächte, die das Ziel seines Handelns ist, umschrieben. Alle werden dann, so sehr sie sich jetzt auch noch dagegen sträuben mögen, Gottes «gerechte Taten» sehen, d. h. sie werden erkennen, daß sein Handeln von Anfang an darauf ausgerichtet war, Heil zu schaffen und dem Leben Raum zu geben.

So wird mit diesem Hymnus das Vorzeichen gesetzt, unter dem die Glieder der Heilsgemeinde die nun folgende Reihe von furchtbaren Katastrophen verstehen sollen. Unheil und Verderben sind nur die Außenseite des Heilshandelns Gottes, das darauf abzielt, sein Volk aus der Bedrohung herauszuführen und ihm heilvolles Leben im Rahmen einer erneuerten Schöpfung zu schenken.

V. 5 lenkt zu V. 1 zurück, und damit zu der himmlischen Vorbereitung der Schalenplagen. Die Pforten des himmlischen Heiligtums öffnen sich, und das in ihm enthaltene himmlische Urbild des «Zeltes des Zeugnisses» wird sichtbar: Gemeint ist damit die Stiftshütte, die Stätte des Wohnens Gottes inmitten seines Volkes in der Zeit der Wüstenwanderung (2. Mose 25,9.40; Hebr. 8,5). Auch in dieser alttestamentlichen Anspielung deutet sich die den Schalenzyklus beherrschende Exodus-Typologie an. In feierlicher Prozession treten die sieben Plagenengel aus dem Heiligtum heraus **(V. 6)**. Ihre Kleidung weist hin auf Gewicht und Bedeutung ihres Auftrags als eines der Verherrlichung Gottes dienenden Werks. Wie Priester sind sie in Gewänder aus weißer Leinwand gehüllt; diese werden festgehalten durch goldene Brustgürtel, wie sie vornehme Personen zu tragen pflegten (vgl. 1,13). Von einem der vier Wesen, die unmittelbar vor dem Thron Gottes stehen (vgl. 4,6), empfangen sie die Schalen, die angefüllt sind mit dem Zorn Gottes (vgl. Ez. 10,7). Alle Glieder des himmlischen Hofstaates bis hin zu den höchsten sind also an der Vollstreckung des nun kommenden Gerichts beteiligt **(V. 7)**. Ja, Gott selbst steht mit dem vollen Gewicht seiner Heiligkeit hinter diesem Geschehen, wie **V. 8** andeutet. Denn in Wolken und Rauch manifestiert sich die Gegenwart Gottes (2. Mose 19,18; Jes. 6,4). Mose konnte das Zelt des Zeugnisses nicht betreten, so lange die Gottes Gegenwart anzeigende Wolke darauf lagerte (2. Mose 40,34f. vgl. 1. Kön. 8,10f.). Nun wird sich Gottes Majestät und Heiligkeit im Gericht erweisen; niemand, nicht einmal die himmlischen Wesen dürfen sich ihm nahen, ehe er nicht das Werk seines Zornes vollendet hat.

16,1–21   b. Die Ausgießung der sieben Schalen

1 Und ich hörte eine laute Stimme aus dem Tempel, die sprach zu den sieben Engeln: Geht und gießt die sieben Schalen des Zornes Gottes aus über die Erde!

2 Da ging der erste und goß seine Schale aus über das Land. Da entstand ein böses und schlimmes Geschwür an den Menschen, die das Zeichen des Tieres trugen und sein Standbild anbeteten.

3 Und der zweite goß seine Schale aus über das Meer. Da wurde es zu Blut wie von einem Leichnam, und alle Lebewesen im Meer starben.

4 Und der dritte goß seine Schale aus über die Flüsse und die Wasserquellen. Da wurde es zu Blut. 5 Und ich hörte, wie der Engel der Gewässer sprach:

  Gerecht bist du, der du bist und warst, du Heiliger,
  daß du so gerichtet hast.

6 Denn das Blut der Heiligen und Propheten haben sie vergossen,
  und Blut hast du ihnen zu trinken gegeben.
  Sie haben es verdient.

7 Und ich hörte den Altar sprechen:
  Ja, Herr, Gott, Allherrscher,
  wahrhaftig und gerecht sind deine Gerichte.

8 Und der vierte goß seine Schale aus über die Sonne, und ihr wurde gegeben, die Menschen mit Feuer zu verbrennen. 9 Da verbrannten die Menschen in der großen Glut. Trotzdem lästerten sie den Namen Gottes, der die Macht hat über diese Plagen, und sie kehrten nicht um, um ihm die Ehre zu geben.

10 Und der fünfte goß seine Schale aus über den Thron des Tieres. Da wurde sein Reich verfinstert, und sie zerbissen ihre Zungen vor Pein. 11 Trotzdem lästerten sie den Gott des Himmels wegen ihrer Schmerzen und ihrer Geschwüre und kehrten nicht um von ihren Werken.

12 Und der sechste goß seine Schale aus über den großen Fluß Euphrat. Da trocknete sein Wasser aus, damit der Weg bereitet würde für die Könige vom Aufgang der Sonne. 13 Und ich sah aus dem Maul des Drachen und aus dem Maul des Tieres und aus dem Maul des falschen Propheten drei unreine Geister gleich Fröschen (hervorgehen). 14 Es sind Dämonengeister, die Zeichen tun, die ausziehen zu den Königen des ganzen Erdkreises, um sie zu versammeln für den Krieg am großen Tag Gottes, des Allherrschers.

15 Siehe, ich komme wie ein Dieb. Selig, wer wacht und seine Kleider festhält, daß er nicht nackt gehen muß und man seine Blöße sieht!

16 Und sie (= die Geister) führten sie zusammen an der Stätte, die auf hebräisch Harmagedon heißt.

17 Und der siebte goß seine Schale aus über die Luft. Da ging eine laute Stimme vom Tempel, vom Thron, aus, die sprach: Es ist geschehen! 18 Und es geschahen Blitze, Stimmen und Donner, und es geschah ein großes Erdbeben, wie noch keines gewesen war, seit es Menschen auf der Erde gab, ein so großes, gewaltiges Erdbeben. 19 Da zerfiel die große Stadt in drei Teile, und die Städte der Heiden stürzten ein. Und Babylon, der großen, wurde vor Gott gedacht, ihr den Becher mit dem Zornwein seines Grimms zu geben. 20 Und alle

Inseln flohen, und Berge waren nicht (mehr) **zu finden. 21 Und gewaltiger Hagel, zentnerschwer, fiel vom Himmel auf die Menschen nieder. Trotzdem lästerten die Menschen Gott wegen der Hagelplage, denn gar gewaltig ist diese Plage.**

Wie bereits oben (s. den Exkurs zu 8,2) begründet, stehen hinter den Schalenvisionen und dem Posaunenzyklus, zwei unterschiedliche Varianten eines traditionellen Plagenschemas. Und zwar enthält möglicherweise V. 19 einen Hinweis auf Herkunft und ursprüngliche Blickrichtung der hier verwendeten Variante: Wenn dort die «große Stadt» den «Städten der Heiden» gegenübergestellt wird, so paßt dies eigentlich nicht auf Rom, sondern auf Jerusalem (vgl. 11,8). Die hier verarbeitete Variante des Plagenschemas könnte demnach ursprünglich in judenchristlich-prophetischen Kreisen als Ankündigung der über das ungläubige und feindselige Jerusalem kommenden Plagen – Seuchen, Krieg und Erdbeben – entwickelt worden sein.
Wenn dieser Zyklus den heutigen Leser besonders bizarr anmutet angesichts der in ihm enthaltenen Ungereimtheiten und inhaltlichen Spannungen (z. B. V. 13.16.19), so liegt das schwerlich daran, daß des Verfassers «Phantasie ermüdet» (W. Bousset). Der Grund dafür dürfte vielmehr sein, daß er ziemlich gewaltsam die vorgegebene Tradition in den Dienst seiner theologischen Aussageintentionen stellt, indem er eine Reihe ihr ursprünglich fremder Motive in sie einsprengt. Es geht ihm (1.) darum, den Bezug zum Kontext herzustellen. Die Visionenreihe soll als Bindeglied zwischen Kap. 12–14 einerseits und Kap. 17–18 andererseits dienen. Deshalb läßt er mehrfach die Repräsentanten der widergöttlichen Macht – das Tier (V. 10), samt seinen Anbetern (V. 2), den Lügenpropheten (V. 13) und die große Stadt Babylon (V. 19) – in Erscheinung treten. Damit steht (2.) das offenkundige Bemühen in Zusammenhang, die Plagen, die in der Vorlage vorwiegend als kosmische Katastrophen gezeichnet waren, stärker zu vergeschichtlichen: Es werden vorab geschichtliche Ereignisse sein, die das römische Weltreich vernichten – seien es aus den Ländern des Ostens heranbrandende Reiterheere (V. 12), seien es die aus seiner eigenen Mitte kommenden Impulse hemmungsloser kriegerischer Expansion (V. 14) –, aber in eben diesen Ereignissen vollzieht Gott, der Herr der Geschichte, sein Strafgericht. Diesen Gerichtscharakter des Geschehens herauszustellen, ist das 3. Anliegen des Johannes. Vor allem der in der Mitte der Plagenreihe eingefügte kleine Hymnus V. 5f. trägt ihm Rechnung, indem er zeigt, wie sich die Geschichtsmächtigkeit Gottes zugleich in Gericht und Heil erweist.

V. 1: Eine aus dem Innern des himmlischen Tempels, dem Ort Gottes, ertönende Stimme gibt den bereitstehenden sieben Engeln (vgl. 15,1.5–8) den Befehl, ihr Vernichtungswerk zu beginnen. Damit wird nochmals unterstrichen, daß Gott selbst es ist, dessen heiliger Wille in dem nun Folgenden vollstreckt werden soll. Das Bild des Ausgießens der Zornesschalen knüpft an die alttestamentliche Vorstellung an, wonach der Zorn Gottes etwas ist, das ausgegossen wird (Ps. 69,25; Jer. 10,25; 42,18; 44,6; Zeph. 3,8). Mit «Erde» ist hier das Ganze der geschaffenen Welt im Gegenüber zum Himmel als dem Ort Gottes gemeint. Ihre Teilbereiche – Festland, Meer, Gewässer, Gestirne – sollen nun vom Zorn Gottes getroffen werden. Anders als in den ersten vier Posaunenplagen (8,6–13) geht es nicht nur um eine Beeinträchtigung bzw. Beschädigung dieser Teilbereiche, sondern um Katastrophen, die die Menschen unmittelbar betreffen. Eine weitere Steigerung besteht darin, daß das Unheil nicht nur auf ein Drittel der jeweiligen Bereiche beschränkt bleibt, sondern total ist. **V. 2:** Die Ausgießung der ersten Schale über dem Festland entspricht in ihren Folgen der sechsten ägyptischen Plage (2. Mose 9,10f.): die Menschen werden von bösartigen Geschwüren befallen – und zwar jene, die das Malzeichen des Tieres angenommen und sich damit dem Herrscherkult angeschlossen haben. Das Prinzip der Bestrafung durch Gleiches scheint hier vorausgesetzt zu sein (vgl. 2,22): Mit Pestbeulen als leiblichen Zeichen werden die Träger des Zeichens des Tieres bestraft. **V. 3:** Die zweite Plage trifft das Meer. Sie entspricht inhaltlich der ersten ägyptischen (2. Mose 7,20f.): Wasser wird zu Blut – wobei eine unheimliche Steigerung darin besteht, daß dieses Blut wie das von Leichen ist; ein tödlicher Geruch von Verwesung geht von ihm aus, mit der Folge, daß alle Lebewesen im Meer zugrunde gehen müssen. **V. 4:** Die den Süßwassern geltende dritte Plage ist der zweiten inhaltsgleich: Auch die Quellen und Flüsse werden zu Blut und damit für die Menschen zu einer unheimlichen Bedrohung. In **V. 5f.** wird ein kleiner Hymnus eingeschoben, mit dem der die Gewässer vergiftende Engel sein Tun und – darüber hinaus – das gesamte Plagengeschehen kommentiert: Es ist Gottes Gericht, das sich jetzt vollzieht. Dieses Gericht ist gerecht, denn mit ihm antwortet Gott auf die Freveltaten seiner Gegner, und zwar in der Weise, daß die von ihm verhängte Strafe dem Vergehen entspricht: Weil «sie», nämlich die Anbeter und Parteigänger des Tieres, das Blut der Glieder der Heilsgemeinde vergossen haben, darum wird ihnen das lebensnotwendige Wasser genommen und durch todbringendes Blut ersetzt. Wieder also (vgl. V. 2) wird hier der Grundsatz der Bestrafung durch Gleiches eingeführt (vgl. Jes. 49,26; Röm. 1,22–32; Apg. 7,42). Die große Verfolgung, die Johannes erst für die nahe Zukunft erwartet (vgl. 13,7–10), wird in den Worten des Engels als schon geschehen dargestellt, was mit der proleptischen Darstellungsweise des ganzen Zyklus zusammenhängt. Die bestätigende Abschlußwendung «sie haben es verdient» ist eine wohl bewußte Umkehrung der Worte, mit denen die Heilszusage an die Gemeinde zu Sardes (3,4) schließt.

Dem Hymnus antwortet in **V. 7** eine Antiphon, die vom himmlischen Brandopferaltar her erklingt. Der Altar erscheint hier personifiziert, und zwar macht er sich zum Sprecher der zerschlagenen Blutzeugen, deren Seelen zu seinen Füßen liegen (6,9). Die Bitte der Märtyrer, daß Gott durch sein Gericht ihnen Recht verschaffen sollte, ist nunmehr erfüllt. Mit ihrem Lobgesang anerkennen sie, daß Gott sich als Allherrscher erwiesen und seine Macht über die Geschichte durchgesetzt hat. Zugleich bringen sie zum Ausdruck, daß Gottes Zorn im Dienst seiner Wahrhaftigkeit und Gerechtigkeit steht (vgl. 15,3f.). Wie all sein Handeln, so ist auch sein Zornesgericht dazu bestimmt, seinem heilvollen Willen Raum zu schaffen und denen ihr Recht zu geben, die sich auf seine Güte und Treue verlassen haben.

Die vierte Plage **(V. 8f.)** betrifft den Bereich des Himmelsgewölbes und der an diesem befestigten Gestirne. Das entspricht der vierten Posaunenplage (8,12), doch während dort die Wirkung eine Verfinsterung der Himmelskörper ist, erhält hier die Sonne eine tödliche, vernichtende Kraft. Mit ihrer ins Unermeßliche gesteigerten Glut verbrennt sie die ihr schutzlos preisgegebenen Menschen. Diese sind so tief in ihrer Feindschaft gegen Gott verstrickt, daß sie auch jetzt, angesichts der Vernichtung, nicht bereit sind, umzukehren und ihm die Ehre zu geben (vgl. 9,20). Sie bleiben vielmehr bei ihrem Kult der widergöttlichen, dämonischen Macht und damit bei der Lästerung des wahren Gottes (s. zu 13,5).

Die fünfte Plage **(V. 10f.)** müßte nach dem zugrundeliegenden Schema eigentlich den Bereich der Unterwelt betreffen (vgl. 9,20f.). Wenn Johannes sie gegen den Thron des Tieres gerichtet sein läßt, so ist das theologisch höchst konsequent: Denn der Herkunftsort des Tieres ist ja das Meer, der Bereich des Dämonischen (13,1); es ist Statthalter und Repräsentant der satanischen Macht. Die Wirkung der Plage ist Verfinsterung, was der neunten ägyptischen Plage (2. Mose 10,22) und der vierten Posaunenplage (8,12) entspricht. Würde man das wörtlich verstehen, so hätte man an eine Sonnenfinsternis über der Stadt Rom, dem Sitz der kaiserlichen Macht, zu denken. Das aber wäre eine kaum verständliche Abschwächung gegenüber den vorhergegangenen Plagen. So legt sich ein symbolisch-übertragenes Verständnis nahe: In biblischer Sprache ist Finsternis Gottes Strafe über die Frevler, die sich auswirkt in Orientierungslosigkeit, Verzweiflung und Furcht (Weish. 17). In eben dieser Weise verfällt das stolze Imperium, der Herrschaftsbereich des Tieres, der Finsternis als der Folge seiner Gottferne. Mit diesem Bild der Finsternis, soll wohl die Situation der Feinde Gottes, wie sie sich aufgrund der fünf ersten Plagen ergibt, zusammenfassend charakterisiert werden, denn die Erwähnung der heftigen Schmerzen kann sich nur auf die von der ersten Plage ausgelösten Geschwüre beziehen. Kehrreimartig wird auch hier wieder auf die Verstocktheit und Unbußfertigkeit der Menschen hingewiesen.

Die Ausgangssituation der sechsten Schalenplage **(V. 12)** entspricht weitgehend jener der sechsten Posaunenplage: Vom Osten, aus den fernen Gebieten jenseits des Euphratstromes, nahen feindliche Heere, die Tod und Vernichtung bringen (vgl. 9,13–16). Aber während es sich dort um dämonische Mischwesen handelte, die von satanischen Engeln geführt werden, ist die Situation hier stärker vergeschichtlicht: Der Euphrat, sonst eine natürliche Schranke bildend, vertrocknet, so daß die Könige der großen Reiche im Osten ungehindert ihre Heerscharen nach Westen in Bewegung setzen können. Das Wunder, das Israel beim Exodus erfuhr, als es trockenen Fußes das Schilfmeer durchqueren durfte, wiederholt sich nun unter negativen Vorzeichen in der Endzeit (Jes. 11,15; Jer. 51,36; Sach. 10,11). Konkret mag hier an Parther und Meder gedacht sein, die die Menschen des östlichen Mittelmeerraumes seit alters als immer von neuem bedrohliche Feinde kannten (vgl. äth. Hen. 56,5–8). Mit **V. 13** erfährt das Geschehen jedoch eine Brechung. Man würde erwarten, daß die Könige des Ostens vernichtend über das Reich des Tieres herfallen. Statt Objekt des Plagengeschehens zu sein, schalten sich jedoch die widergöttlichen Mächte als (Mit-)Verursacher in dieses ein. Dabei taucht nun als weiteres Motiv aus den ägyptischen Plagen das der Frösche auf (2. Mose 8,2).

Es ist nicht von der Hand zu weisen, daß die Vorlage ursprünglich von einem aus dem Osten kommenden Heer dämonischer Frösche analog dem dämonischen Heuschreckenheer von 9,1–11 (vgl. 9,17–19) handelte. Jedenfalls hat Johannes dieses Motiv nicht anders als das ebenfalls den ägyptischen Plagen entstammende der Finsternis (V. 10) im uneigentlich-übertragenen Sinn gebraucht: Er vergleicht die verführerischen Reden, die aus dem Munde der satanischen Dreiheit – Drache, Tier und falscher Prophet (s. zu13,11–14) – ausgehen, mit Fröschen. Vermutlich wegen ihrer Ähnlichkeit mit Drachen und Schlangen (vgl. 12,9) lag es nahe, die Frösche zur bildhaften Charakterisierung der unreinen, dämonischen Geister, die der Sphäre der gottfeindlichen Mächte zugehören, heranzuziehen. Welche Vorgänge konkret gemeint sind, geht aus **V. 14** hervor: Es geht um kriegerische Agitation, um propagandistische Machenschaften, begleitet und beglaubigt durch «Zeichen», d. h. durch pseudoreligiöse, die Unüberwindlichkeit des Imperiums beglaubigende Machtdemonstrationen (vgl. 13,13f.). Dadurch gelingt es dem Imperium, die Könige des ganzen von ihm dominierten Erdkreises zu einer gewaltigen kriegerischen Aktion zu mobilisieren. Ihre Heeresmassen ziehen von allen Seiten heran, und es kommt zwischen ihnen und den Heeren aus dem Osten zu einer Vernichtungsschlacht. Dabei werden die Könige und Mächte samt ihren Scharen ohne ihr Wissen und Wollen zu Vollstreckern des Gerichtes Gottes: Mit der Entscheidungsschlacht ist der große Tag Gottes, des Allherrschers, gekommen.

Wohl veranlaßt durch die Erwähnung des großen Tages Gottes, unterbricht Johannes in **V. 15** die Weissagung, um in prophetischer Rede einer Weisung des erhöhten Herrn an seine Gemeinde Raum zu geben. Jesus selbst ruft die Seinen auf, sich in Wachsamkeit auf sein unverhofftes Kommen zum Gericht einzustellen. Wie in 3,3 wird hier das Bildmaterial synoptischer Wachsamkeitsgleichnisse aufgenommen und in einer spezifischen Prägung weiterentwickelt. Die folgende Seligpreisung – die dritte des Buches (s. zu 1,3) – erinnert an die Warnung des Herrn an die Gemeinde von Laodicea, sich weiße, reine Gewänder zu beschaffen, um am Gerichtstag nicht nackt dazustehen (3,18). Angesichts der Ankündigung des nahen Gerichtes über die widergöttlichen Mächte steht den Christen nicht die Haltung unbeteiligter und unbetroffener Zuschauer an! Der Tag des Herrn, dessen Kommen sich nicht berechnen läßt, wird vielmehr von ihnen Rechenschaft darüber fordern, ob sie in dem ihnen befohlenen Gehorsam geblieben sind. Alles wird dann darauf ankommen, ob sie die ihnen zuteilgewordenen Heilsgaben recht bewahrt haben (vgl. 7,14). Nicht nur den widergöttlichen Mächten, auch den Christen droht im Falle verfehlten Handelns das Gericht (vgl. 20,11–15).

V. 16 setzt unmittelbar V. 14 fort. Die dämonischen Geister führen die von ihnen aufgebotenen Heere an den Ort, den Gott für die Vernichtungsschlacht vorgesehen hat. Sein geheimnisvoller hebräischer Name wird mitgeteilt: Harmagedon = Berg von Megiddo. Das in der Jesreel-Ebene, dem natürlichen Durchgang von der Küstenebene zum Jordangraben, gelegene Megiddo war in Israels Frühzeit Schauplatz der Niederlage der kanaanäischen Könige gewesen (Ri. 4,6ff.; 5,19). Die hier zugrundeliegende apokalyptische Tradition verlegte dorthin anscheinend auch den endzeitlichen Entscheidungskampf, der das Schicksal Jerusalems besiegeln sollte. Schwer zu erklären ist allerdings die Lokalisierung dieses Kampfes am Berg von Megiddo. Sollte damit der 15 km von Megiddo entfernte Karmel gemeint sein? Denkbar ist, daß hier die Tradition mit eingewirkt hat, wonach die gottfeindlichen Mächte bei ihrem Versuch, den Berg Gottes zu erstürmen, vernichtet werden (Jes. 14,13). Die Schilderung bricht abrupt vor dem Beginn des Kampfes ab. Vielleicht hat der Verfasser ihn ausgespart, um noch Raum für eine Steigerung in der letzten Plagenszene zu haben.

V. 17: Die siebte Schale wird über die (als Weltelement vorgestellte) Luft ausgegossen; die Auswirkungen sind darum auch zunächst atmosphärischer Art: Blitze, Donner **(V. 18)** und vor allem **(V. 21)** vernichtender Hagelschlag von noch nie dagewesenem Ausmaß – eine deutliche Reminiszenz an die siebte ägyptische Plage (2. Mose 9,22ff.). Zugleich enthält diese Plage, wie die siebte Posaunenplage (11,19), Elemente, die traditionell dem Umkreis der Epiphanie, der Gotteserscheinung, zugehören. Zu diesen ist neben Donnern und Erdbeben auch die in **V. 20** erwähnte Erschütterung des Kosmos zu rechnen, die zugleich das unmittelbar nahe Ende anzeigt (vgl. 6,12–17; 11,19). Vor allem aber gehört in diesen motivlichen Zusammenhang das Erschallen jener Stimme aus dem himmlischen Heiligtum **(V. 18)**, die entweder die Stimme Gottes selbst ist oder doch zumindest Gottes Willen öffentlich vor aller Welt kundgibt. Die Botschaft der Stimme knüpft an 15,1 an: Mit dieser letzten Plage ist das Gericht Gottes über seine Widersacher vollzogen; Gott hat seine Herrschaft durchgesetzt und seine Macht endgültig erwiesen. Und zwar wird dieses Gericht an der «großen Stadt» vollstreckt, die das Zentrum der Feindschaft gegen Gott war **(V. 19)**. Unter der Macht der kosmischen Katastrophen zerbricht sie, und mit ihr zusammen gehen jene Städte unter, die sich von ihr für ihre gottfeindlichen Ziele haben mißbrauchen lassen. Der beziehungsreiche Deckname Babylon (s. zu 14,8) verdeutlicht, daß es sich bei der großen Stadt um Rom handelt, das in prototypischer Weise zum Zentrum der vom Satan gesteuerten Feindschaft gegen Gott und seine Heilsgemeinde geworden ist. Rom/Babylon muß den Becher mit dem Wein des Zornes Gottes trinken (vgl. 14,10). Aber auch unter den letzten, schwersten Schlägen des Gerichts ändert sich die Haltung der Feinde Gottes nicht; sie verweigern die Umkehr und bleiben bei ihrem Nein zu Gott (vgl. 9,20f.).

17,1–19,10   3. Der Vollzug des Gerichts an der gottfeindlichen großen Stadt

Dieser Abschnitt bringt gegenüber den vorhergegangenen Schalenvisionen keinen eigentlichen Handlungsfortschritt. Er verhält sich zu ihnen eher wie die Großaufnahme zur Totale. In Kap. 16 war in einer den Himmel und die Erde, die Heilsgemeinde wie die Widersacher Gottes umfassenden Gesamtschau das Wesen des Gerichtes Gottes aufgezeigt worden. Nun wird ein Teilausschnitt noch einmal in ausführlicher Breite behandelt: das Gericht an der großen Stadt Babylon, dem Zentrum des gottfeindlichen Widerstandes. Strenggenommen ist 17,1–19,10 nichts weiter als eine Entfaltung des bereits in 16,19

Gesagten. Auffällig ist in diesem Abschnitt die Veränderung des Bildmaterials: War bisher das gottlose Weltreich vorwiegend in dem Bild des Tieres dargestellt worden, so tritt nunmehr das bislang mit weit weniger Nachdruck gebrauchte Bild der «großen Stadt» (vgl. 11,8.13; 14,20; 16,19), verbunden mit der Babylon-Metaphorik (vgl. 14,8; 16,19), beherrschend in den Vordergrund. Dazu kommt das völlig neu eingeführte Bild der Hure (vgl. dazu allerdings 9,21; 14,8). Hinter der betonten Verwendung beider Bilder dürfte wenigstens ein Stück weit eine kompositorische Absicht des Verfassers stehen. Denn es ist deutlich, daß eine Beziehung zwischen ihnen und den die letzten Kapitel der Apk. beherrschenden ekklesiologischen Bildern der endzeitlichen Gottesstadt (21,2 u. ö.) und der Braut des Lammes (21,2.9; 22,17) hergestellt werden soll.

17,1–18   a. Die Hure Babylon und das Tier

1 Und es kam einer der sieben Engel, die die sieben Schalen hatten, zu mir und sprach zu mir so: Auf! Ich will dir das Gericht über die große Hure zeigen, die an vielen Wassern sitzt! 2 Mit ihr haben die Könige der Erde gehurt, und vom Wein ihrer Hurerei sind die Bewohner der Erde betrunken geworden. 3 Und er entrückte mich im Geist in die Wüste.
Und ich sah eine Frau sitzen auf einem scharlachfarbenen Tier, das über und über bedeckt war mit Lästernamen und sieben Häupter und zehn Hörner hatte. 4 Und die Frau war gekleidet in Purpur und Scharlach, und sie war reich geschmückt mit Gold, Edelsteinen und Perlen. In der Hand hatte sie einen goldenen Becher, der voll war mit Greueln und der Unreinheit ihrer Hurerei. 5 Und auf ihrer Stirn war ihr Name geschrieben, ein Geheimnis: Babylon, die Große, die Mutter der Huren und der Greuel der Erde. 6 Und ich sah, daß die Frau betrunken war vom Blut der Heiligen und vom Blut der Zeugen Jesu. Und als ich sie sah, staunte ich mit großem Entsetzen.
7 Da sprach der Engel zu mir: Warum bist du erstaunt? Ich will dir das Geheimnis der Frau und des Tieres, das sie trägt und sieben Häupter und zehn Hörner hat, erklären.
(I)   **8 Das Tier, das du siehst, war und ist nicht, und es wird aus dem Abgrund heraufkommen und ins Verderben gehen. Und staunen werden die Erdbewohner, deren Name nicht im Buch des Lebens geschrieben steht vom Anfang der Welt an, wenn sie das Tier sehen; denn es war und ist nicht und wird wiederkommen. 9 Hier braucht man Verstand, der Weisheit hat.**
(II)   **Die sieben Häupter sind sieben Berge, auf welchen die Frau sitzt. Und sie sind auch sieben Könige. 10 Fünf** (von ihnen) **sind gefallen, einer ist** (jetzt da), **einer ist noch nicht gekommen; wenn er aber kommt, darf er** (nur) **kurze Zeit bleiben. 11 Und das Tier, das war und nicht ist – es ist selbst der achte, und** (zwar) **ist es einer der sieben, und es geht ins Verderben.**
(III)   **12 Und die zehn Hörner, die du siehst, sind zehn Könige, die die Herrschaft noch nicht empfangen haben; sie erhalten jedoch Gewalt wie Könige für eine Stunde zusammen mit dem Tier. 13 Sie sind eines Sinnes,**

und ihre Macht und Gewalt geben sie dem Tier. 14 Diese werden mit dem Lamm Krieg führen, aber das Lamm wird sie besiegen, denn es ist der Herr der Herren und der König der Könige, und die Seinen sind Berufene, Auserwählte und Getreue.

(IV) **15 Und er spricht zu mir: Die Wasser, die du sahst, wo die Hure sitzt, sind Völker, Scharen, Nationen und Sprachen.**

(V) **16 Und die zehn Hörner, die du sahst, und das Tier – diese werden die Hure hassen und werden sie wüst und nackt machen, und ihr Fleisch werden sie fressen und sie mit Feuer verbrennen. 17 Denn Gott hat es ihnen ins Herz gegeben, seine Absicht auszuführen und eines Sinnes zu sein und ihre Herrschaft dem Tier zu geben, bis die Worte Gottes vollendet sein werden.**

(VI) **18 Und die Frau, die du sahst, ist die große Stadt, die die Herrschaft hat über die Könige der Erde.**

Die Szene ist zweigeteilt: der eigentlichen Vision (V. 1–6) schließt sich deren Deutung aus Engelsmund an (V. 7–18). Wir haben hier den einzigen Fall innerhalb der Apk. vor uns, in dem das klassische apokalyptische Zweitaktschema von Vision und Deutung konsequent durchgeführt wird (vgl. 7,13). Allerdings zeigt es sich sehr schnell, daß dieses Schema von der Sache her eigentlich nicht erforderlich ist. Johannes scheint es lediglich eingeführt zu haben, weil es ihm die Möglichkeit gab, unterschiedliches Material, das im Zusammenhang mit der Thematik der Vision stand, mit einzubringen. Während die klassischen apokalyptischen Visionen (z. B. Dan. 7; 4. Esr. 13) aus geheimnisvoll-dunklen Bildern bestehen, die ohne die anschließende Entschlüsselung durch den Deuteengel unverständlich bleiben müßten, ist die hier vorliegende Vision schon aufgrund des zum größten Teil schon vorher eingeführten Bildmaterials relativ durchsichtig. Sie wirkt trotz des Eindrucks unmittelbarer Spontaneität theologisch exakt durchkonstruiert, so daß man sie nahezu als eine in Metaphern umgesetzte und so in Erzählform gebrachte theologische Darlegung bezeichnen könnte. Für eine bewußte Gestaltung spricht auch, daß die thematisch ihr Gegenstück bildende Vision von der Braut des Lammes (21,9–14) weitgehend parallel aufgebaut ist.

So klar die Vision ist, so dunkel und rätselhaft ist dagegen die nachfolgende Deutung, zumal viele ihrer Einzelheiten – z. B. die verschiedenen Erklärungen des Tieres und seiner Häupter – in sich widersprüchlich und auch mit der Vision selbst nicht kongruent sind. Im einzelnen besteht die Deutung aus sechs relativ unverbunden nebeneinandergestellten Deuteworten, die an verschiedenen Zügen der Vision anknüpfen: I. das Tier (V. 8.9a); II. die sieben Häupter (V. 9b–11); III. die zehn Hörner (V. 12–14); IV. die Wasser (V. 15); V. die zehn Hörner (V. 16f.); VI. die Frau (V. 18). Nur zum geringeren Teil dürften diese Deutungen von Johannes selbst stammen. Überwiegend wird es sich um Rätselsprüche handeln, die bereits im palästinischen Judenchristentum als Deutung der zeitgeschichtlichen Ereignisse entstanden waren und in denen sich Elemente aus Dan. 7 mit volkstümlichen Sagenmotiven vermischten.

Die Einleitung zur Vision in **V. 1** ist ungewöhnlich: Es wird ausdrücklich mitgeteilt, daß einer der sieben Schalenengel dem Seher die Schauung ermöglicht habe. Damit wird der thematische Zusammenhang mit dem Vorherigen hergestellt: Die Vision ist Ausschnitt aus dem Gerichtsgeschehen der Schalenplagen. Eine Entsprechung dazu findet sich nur in 21,9. Die Aufforderung des Engels bezieht sich freilich nicht nur auf die folgende Vision, die ja noch nicht vom Gericht an Babylon handelt, sondern ist Überschrift für alles Folgende bis 19,10. Das Bild der Hure ist keineswegs überraschend, sondern knüpft an die geläufige alttestamentliche Bezeichnung von Götzendienst und Abfall als Hurerei an (s. zu 14,4f.). Die Propheten bezeichnen häufig gottlose und gottfeindliche Städte als Prostituierte (Jes. 1,21; 23,16f.; Ez. 16,15f.; 23,1f.; Nah. 3,4). Der Hinweis auf die vielen Wasser klärt alsbald die Identität *dieser* Hure – allerdings nicht im Sinne einer realen, sondern einer geistlichen Topographie: Das alte Babylon lag an vielen Kanälen, in die der Euphrat sich verzweigte (Jer. 51,13); mit dem bösen, gottfeindlichen Wesen sind aber auch die Merkmale dieser Stadt auf Rom, das Zentrum des jetzt die Welt beherrschenden Imperiums, übergegangen (vgl. V. 15). **V. 2:** Mit seiner Weltherrschaft hat Rom/Babylon auch seine Auflehnung gegen Gott, den Herrn der Geschichte, über den ganzen Erdkreis ausgebreitet und alle Völker in seinen Götzendienst, den Kult der Macht des selbstherrlichen Menschen, hineingezogen (vgl. 14,8). **V. 3:** In durch den Geist gewirkter Ekstase wird der Seher in die Wüste entrückt. Die Wüste bildet gleichsam den Deutungsrahmen für das folgende Geschehen, analog zu dem Berg, der in 21,10 das theologische Vorzeichen für die Erscheinung der endzeitlichen Gottesstadt bildet. Die Wüste ist der Ort der Dämonen; nach prophetischer Ankündigung soll Babylon zur Wüste werden (Jes. 13,21; 14,23; Jer. 51,26.29.43) – eben dieses Geschick ist auch dem Imperium und seiner mächtigen Kapitale bestimmt.

Die Erscheinung einer Frau, die auf einem Ungeheuer reitet, nimmt ein aus zahlreichen biblischen Darstellungen belegtes altorientalisches Motiv auf: die auf einem Tier reitende Göttin. Mit diesem Tier hat es freilich eine besondere Bewandtnis: Es ist die Kreatur des Satans (vgl. 13,1–3), die Verkörperung der widergöttlichen Macht, deren Wesen die Lästerung Gottes ist (13,5). Zwei Züge kennzeichnen die Erscheinung: luxuriöse Üppigkeit und übermütig-selbstgewisse Laszivität. Auf den Luxus weist bereits die Scharlachfarbe des Tieres hin. Scharlach war ein ungemein teurer Farbstoff, mit dem man kostbare Textilien zu färben pflegte. So hat man hier wohl an eine das Tier bedeckende erlesene Schabracke zu denken. Noch erlesener sind die Gewänder der Frau selbst **(V. 4)**. Zum Scharlach gesellt sich hier das nicht minder teure Purpurrot (vgl. 18,12). Diese luxuriösen Rottöne in ihrem aufdringlichen Prunk sind, zusammen mit der Fülle des kostbaren Schmucks, Ausdruck von Anmaßung und Geltungssucht (vgl. Jes. 1,18; Jer. 4,30). Einen eindrucksvollen Gegensatz dazu bildet das Weiß der Gewänder der himmlischen Scharen des wiederkommenden Herrn (19,14) und der treu gebliebenen Glieder der Heilsgemeinde (3,18; 6,11; 7,9) – es ist die Farbe der Reinheit und des Gehorsams. In trunkenem Taumel schwingt die Frau in ihrer Hand den Becher, aus dem sie sich selbst berauscht hat (vgl. V. 6) und den sie den Völkern der Erde als Rauschtrank darbietet (vgl. V. 2). Sein Inhalt ist ihre «Hurerei», d. h. ihre

Gottlosigkeit und Sünde. Das römische Imperium ist nicht nur selbst dem Kaiserkult, der letztlich die Verherrlichung des sich an Gottes Stelle setzenden, unumschränkte Macht beanspruchenden Menschen ist, verfallen, sondern es hat den ganzen Erdkreis in diesen Kult wie in einen wilden Taumel hineingezogen. Auf der Stirn der Frau kann der Seher ihren Namen erkennen (V. 5). Dieser Zug entspricht ganz der sonstigen Erwähnung von Namen bzw. Zeichen, die auf Menschen und Gegenständen geschrieben stehen, um deren Wesen kundzugeben (3,12; 7,3; 9,4; 14,1; 19,12; 22,4). Schwerlich wird Johannes hier darauf anspielen, daß die Prostituierten in Rom ein Schildchen mit ihrem Namen tragen mußten! Ein «Geheimnis» ist der Name nicht deshalb, weil er zum Raten Anlaß gibt, sondern – im Gegenteil – weil er das Wesen, das die Erscheinung in der Sicht Gottes und seines endzeitlichen Heilsplanes hat, aufdeckt: Es handelt sich um jene große Stadt, in der die ehedem in Babylon manifest gewordene Feindschaft gegen Gott ihre letzte Zuspitzung erfährt – also um Rom (vgl. 14,8). Denn diese Stadt hat den Kaiserkult, die extremste Form der Abgötterei, über den ganzen Erdkreis ausgebreitet. Ja, sie hat veranlaßt, daß die Menschen, die sich dieser Abgötterei widersetzten, nämlich die Glieder der christlichen Gemeinde, die für ihren Herrn unerschrocken Zeugnis ablegten, hingemordet wurden. Äußerlich erfährt das Bild eine Brechung: Denn nach **V. 6a** ist das, was die Trunkenheit verursacht, nicht mehr der Greuel der Hurerei, sondern das Blut der Heiligen. Die sachliche Logik ist jedoch konsequent: Der Mord an den Zeugen Jesu wird für das Imperium zum letzten gesteigerten Triumph seiner Gottlosigkeit.

Mit **V. 6b–7** erfolgt ein etwas ungelenker Übergang von der Vision zu den Deutungen. Das entsetzte Staunen des Sehers gibt dem Engel Anlaß, den Sinn des geschauten Bildes durch die allegorische Entschlüsselung seiner Einzelheiten zu verdeutlichen.

I. *Das Tier* wird in einem ersten Rätselspruch (**V. 8–9a**) gedeutet, der weithin an Aussagen von Kap. 13 anknüpft und darum vom Verfasser der Apk. selbst gebildet zu sein scheint. Während Gott ist, war und kommen wird (1,8), gilt von dem Tier, daß es war, nicht ist und sein wird. Allerdings wird seine zukünftige Existenz auch nur eine kurze Episode sein: Es wird aus dem Abgrund heraufkommen, um ins Verderben zu gehen. Die Lösung dieses Rätsels liefert die Sage vom wiederkommenden Nero, auf die bereits die Hinweise auf die Todeswunde des Tieres (13,3.12) wie auch die Namenszahl 666 (13,18) angespielt hatten. Wenn die «Erdbewohner» – alle Menschen mit Ausnahme der Christen – in ehrfürchtigem Staunen das Wiedererscheinen Neros sehen werden, so wird dieser Vorgang zugleich letzte Steigerung der religiösen Aura des Imperiums und Zerrbild der Wirkung der Parusie Jesu sein. Freilich – um dies alles zu verstehen, bedarf es vom Geist gewirkter Einsicht und Weisheit (vgl. 13,18).

II. Für die *sieben Häupter* des Tieres werden zwei ganz unterschiedliche Deutungen gegeben (**V. 9b–11**). Die erste setzt die Häupter mit sieben Bergen gleich und verweist damit auf Rom, die auf den berühmten sieben Hügeln gelegene Hauptstadt. Das Sitzen der Hure auf den Hügeln ist ein sinnfälliges Bild dafür, daß die Stadt Rom Mitte und Kraftzentrum des Imperiums ist. Die zweite Deutung setzt die Häupter mit «Königen» gleich. Damit können nur

Kaiser gemeint sein, denn im Osten des Reiches war «König» die gängige Bezeichnung des Kaisers (vgl. 1. Petr. 2,13–17; 1. Tim. 2,2). In einem geheimnisvollen Rätselspruch ist von acht Kaisern die Rede: Fünf von ihnen sind bereits «gefallen», d. h. gestorben, einer ist gegenwärtig an der Herrschaft, ein weiterer wird noch zur Herrschaft kommen, wenn auch nur für kurze Zeit. Dann aber wird der achte in Erscheinung treten. Mit ihm hat es eine seltsame Bewandtnis: er ist einerseits identisch mit einem der sieben Kaiser vor ihm, andererseits aber ist er identisch mit dem Tier, das war, nicht ist und aus dem Abgrund kommen wird, um ins Verderben zu gehen (V. 8). Dieser achte Herrscher ist also zweifellos die Sagengestalt des wiederkehrenden Nero. Wer aber sind die geschichtlich-realen Kaiser vor ihm, auf die hier Bezug genommen wird? Eine befriedigende Antwort auf diese Frage ist kaum möglich, weil ihr drei Unsicherheitsfaktoren im Wege stehen: 1. Mit welchem Kaiser setzt die Zählung ein? 2. Welche Kaiser werden bei der Zählung berücksichtigt? 3. Wer ist mit dem sechsten, d. h. dem gegenwärtigen Kaiser gemeint? Die Reihe der Kaiser bis Domitian umfaßt folgende Namen:

Augustus 27 v. – 14 n. Chr.	Claudius 41–54	Vespasian 69–79
Tiberius 14–37	Nero 54–68	Titus 79–81
Caligula 37–41	(Galba-Otho-Vitellius 68)	Domitian 81–96

Von der Datierung der Apk. her läge es nahe, in Domitian den sechsten Kaiser zu sehen. Aber nach der Zählung, die mit Augustus, dem ersten Kaiser, einsetzt und die drei Soldatenkaiser des Interregnums 68 v. Chr. unberücksichtigt läßt, wäre Domitian nicht der sechste, sondern der achte! Ein bestechender Lösungsvorschlag läßt die Zählung erst mit Caligula beginnen, dem ersten Kaiser, der nach der heilsgeschichtlichen Wende von Jesu Tod und Erhöhung zur Herrschaft kam. Seine Schwierigkeit besteht darin, daß das Verständnis des Christusgeschehen als Zeitenwende und Beginn einer neuen Ära des Imperiums weder hier noch sonst in der Apk. angedeutet ist, ganz abgesehen davon, daß von der Voraussetzung aus, Domitian sei der sechste Herrscher, die Ankündigung eines weiteren, wenn auch nur kurze Zeit herrschenden Kaisers vor der Wiederkehr Neros kaum verständlich, weil mit der akuten Naherwartung des Buches unvereinbar wäre. Nun paßt allerdings diese Ankündigung überraschend gut auf Titus, der nur zwei Jahre lang als Kaiser regiert hat – und Titus ist überdies in einer mit Augustus einsetzenden, die Soldatenkaiser übergehenden Zählung der siebte Herrscher! Auf dieser Beobachtung basiert ein weiterer Lösungsvorschlag: Johannes habe an dieser Stelle den Anschein erwecken wollen, bereits unter Vespasian sein Buch verfaßt zu haben, um so durch das Stilmittel der fiktiven Vorzeitigkeit (s. Einleitung S. 12) die Voraussage Domitians als des achten Herrschers und *Nero redivivus* und so wirkungsvoller gestalten zu können. Aber eine solche Identifikation Domitians mit einer mythischen Gestalt ist unwahrscheinlich, und gar die Vorspiegelung einer früheren Abfassungszeit ist bei einem in direkter Kommunikation mit seinen Lesern stehenden und ihnen bekannten Autor vollends unmöglich. Sehr wohl denkbar ist jedoch, daß Johannes hier einen älteren judenchristlichen Rätselspruch, der tatsächlich aus der Zeit Vespasians, kurz vor dem Herrschaftsantritt des damals schon schwerkranken Titus, stammte, in sein Buch aufgenommen hat, weil er ihm zum Thema zu passen schien. Das, worauf es ihm ankam, war wohl nur, daß dieser Spruch die Erwartung der Wiederkehr Neros ausdrücklich bekräftigte. Ihn im übrigen durch eine veränderte Zählung der Kaiser mit der inzwischen veränderten Situation in Einklang zu bringen, dürfte weder Johannes noch seinen Lesern schwer gefallen sein. – Für moderne Logik liegt sicher ein Widerspruch darin, daß das Tier einmal mit der Stadt Rom (V. 9b) bzw. mit dem Imperium (V. 9c.10), das andere Mal mit dem Schreckenskaiser der Endzeit identifiziert wird. Johannes denkt nicht deduzierend, sondern assoziativ. Er umschreibt das von ihm Gemeinte mit Bildern, deren Gehalt einer erheblichen Variationsbreite unterliegt. So wird man der Aussage von **V. 11**, daß das Tier «war und nicht ist», nicht entnehmen können, daß das Imperium in der Gegenwart des Verfassers für die Christen keinerlei Bedrohung darstelle – das würde völlig der Sicht von Kap. 12–13 widersprechen. Die Bildaussage kreist hier ganz um den wiederkommenden Nero: In ihm wird das gottfeindliche Wesen des Weltreiches, unter dem die Heilsgemeinde bereits in der Gegenwart zu leiden hat, seine klarste und eindeutigste Ausprägung erhalten.

III. *Die zehn Hörner* werden im Anschluß an Dan. 7,24 gedeutet auf zehn Könige **(V. 12–14)**. Dabei handelt es sich nicht, wie bei der Deutung der Häupter (V. 9c), um römische Kaiser, sondern um Vasallenkönige, genauer gesagt: um politische Anführer und Machthaber, die zunächst noch keine Königswürde haben, diese jedoch zusammen mit dem Tier, d. h. dem *Nero redivivus*, erhalten, weil sie ihn unterstützen und ihm ihre Macht und ihren Einfluß zur Verfügung stellen. Wir haben es hier mit einer Variante der Vorstellung von 16,14 zu tun, wonach das Tier durch dämonische Verführungskunst die Könige des Erdkreises als Mitstreiter für seine Ziele gewinnt. Nur sind hier diese Ziele anders als dort definiert: Es geht um einen Vernichtungskrieg gegen das «Lamm», d. h. gegen seine Heilsgemeinde auf Erden, die Schar der Auserwählten und Treuen (vgl. 14,1–5). Freilich: die Helfer des Tieres werden die Gewalt nur «für eine Stunde», d. h. nur für ganz kurze Zeit erhalten, denn Jesus wird sie besiegen und wird damit erweisen, daß er allein Herr aller Herren und König aller Könige ist (vgl. 19,16). Der Titel «König der Könige» war ursprünglich den babylonischen Großkönigen eigen (Ez. 26,7; Dan. 2,37). Das Alte Testament (5. Mose 10,17; Dan. 2,47), wie auch das Urchristentum (1. Tim. 6,15) wandten ihn auf Gott an. Wenn ihn die Apk. auf Jesus überträgt, so entspricht das ihrer durchgehenden Tendenz, Jesus ganz auf die Seite Gottes zu stellen.

IV. *Die Wasser*, an denen die Hure sitzt, werden unter Aufnahme eines alttestamentlichen Bildes, das Völker und Kriegsheere mit Wasserfluten vergleicht (Jes. 8,7; Jer. 46,7f.; 47,2f.), auf die von Rom unterjochten Völker gedeutet **(V. 15)**. Der Bezug dieser Deutung auf die Vision ist ungenau und künstlich: In dieser wurde nämlich nur das Sitzen der Hure auf dem Tier und seinen sieben Häuptern geschaut, ihr Sitzen an den Wassern wurde lediglich in der Visionseinleitung durch den Engel (V. 1) erwähnt. Im Zusammenhang ist diese Deutung jedoch nötig, weil sie die Voraussetzung für die folgende nochmalige Deutung der *Hörner* (V.) bildet **(V. 16f.)**. Diese stimmt mit der ersten (V. 12–

14) darin überein, daß sie in den Hörnern Vasallenkönige symbolisiert sieht, die das Tier, den *Nero redivivus*, unterstützen und ihm mit ihren Völkerscharen zu Hilfe kommen. Aber nunmehr ist von einem völlig anderen Geschehen als in V. 12–14 die Rede: Es geht nicht mehr um den gemeinsamen Kampf des Tieres und seiner Vasallen gegen das Lamm, sondern um ihren Aufstand gegen die Metropole Rom! Das ist eine Sicht, die deutlich von der Vision (V. 1–6) mit ihrer engen Verbindung von Hure und Tier abweicht und ganz allgemein mit der sonstigen Intention des Verfassers, das Tier mit dem Imperium weitgehend zusammenzuschauen, nicht in Einklang zu bringen ist. Selbst in V. 9c–11, wo das Tier bereits mit *Nero redivivus* identifiziert war, war seine Verbindung mit dem Imperium noch gewahrt – es konnte als letzte Zuspitzung des inneren Wesens des Reiches gelten. Nun jedoch hat das Tier mit dem Reich nichts mehr zu tun; es ist zu der es vernichtenden Kraft geworden. Wörtliche Anklänge an V. 12–14 lassen vermuten, daß es sich hier um eine Variante derselben Tradition wie dort handelt. Diese ist geprägt von der damals im Volk lebendigen Erwartung, wonach der wiederkommende Nero sich mit den gefürchteten Heerscharen der Parther verbünden und an ihrer Spitze gegen Westen ziehen werde, um das Reich zu vernichten (Tacitus, hist. 1,2; Sib. 4,119ff.; 137ff.; 5,361ff.). Johannes konnte diesen seltsamen Rätselspruch übernehmen, weil er geeignet war, den für ihn zentralen Gesichtspunkt zu unterstreichen, daß Herrscher, Weltreiche und gesellschaftliche Kräfte in ihrem rücksichtslosen Kampf um die Macht ohne ihr Wollen und Wissen dazu ausersehen sind, Gottes Geschichtsplan auf das Ende hin zu vollstrecken. Das grausige Bild vom Fressen des Fleisches der Hure hat den Sinn der totalen physischen Vernichtung (vgl. Ps. 27,2; Mi. 3,3). Diese Vernichtung wird gnadenlos sein. Erst dann wird sie zu ihrem Ende kommen, wenn die Worte, in denen Gott seinen Ratschluß vorab verkündet hat, ihre Erfüllung finden. Damit ist zugleich angedeutet, daß zuletzt das Tier und seine Gefolgschaft ebenfalls dem Gericht Gottes verfallen werden (vgl. 19,17–21).

VI. Mit dem letzten Deutespruch **(V. 18)**, den sicher Johannes selbst gebildet hat, wird der Blick zum zentralen Inhalt der Vision zurückgelenkt und deren Bedeutung noch einmal herausgestellt: *Die Frau* ist die Verkörperung Roms und seines Imperiums; sie ist die große Stadt, die die ganze Welt beherrscht, das Gemeinwesen, in dem der überallhin ausstrahlende gotteslästerliche Kult von Macht und Gewalt sein Zentrum hat.

18,1–24   b. Das Gericht über die große Stadt

1 Danach sah ich einen anderen Engel aus dem Himmel herabsteigen, der hatte große Gewalt, und die Erde wurde von seinem Glanz erhellt. 2 Und er rief mit gewaltiger Stimme so: Gefallen, gefallen ist Babylon, die Große, und geworden ist sie zur Wohnung von Dämonen, zur Behausung aller unreinen Geister und zum Unterschlupf aller unreinen und verhaßten Vögel. 3 Denn vom Zorneswein ihrer Hurerei haben alle Völker getrunken, und die Könige der Erde haben mit ihr gehurt, und die Kaufleute der Erde sind reich geworden von der machtvollen Fülle ihres Luxus.

4 Und ich hörte eine andere Stimme aus dem Himmel sprechen: Verlaßt sie, mein Volk, damit ihr nicht Gemeinschaft habt an ihren Sünden und damit ihr nicht von ihren Plagen getroffen werdet! **5** Denn ihre Sünden haben sich bis zum Himmel aufgetürmt, und Gott hat ihrer unrechten Taten gedacht. **6** Vergeltet ihr, wie auch sie vergolten hat, und zahlt ihr das Doppelte heim nach ihren Werken, mischt ihr dem Becher, in dem sie gemischt hat, das Doppelte! **7** Gebt ihr in dem Maße, wie sie prunkte und in Luxus schwelgte, Qual und Leid! Denn sie spricht in ihrem Herzen: Ich throne als Königin, ich bin keine Witwe, und Trauer werde ich nicht sehen. **8** Deshalb werden an einem einzigen Tage ihre Plagen kommen, Tod, Trauer und Hunger, und mit Feuer wird sie verbrannt werden. Denn stark ist der Herr, Gott, der sie gerichtet hat.
9 Und weinen und klagen werden um sie die Könige der Erde, die mit ihr gehurt und in Luxus geschwelgt haben, wenn sie den Rauch ihres Brandes sehen. **10** Sie bleiben fernab stehen, weil sie sich fürchten vor ihrer Qual, und sagen:

Wehe, wehe, du große Stadt,
Babylon, du mächtige Stadt,
denn in einer Stunde ist dein Gericht gekommen!

11 Und die Kaufleute der Erde weinen und trauern um sie, weil niemand mehr ihre Fracht kauft:
12 Fracht von Gold und Silber, Edelsteinen und Perlen,
Byssusstoff, Purpur, Seide und Scharlach,
und all das Thuyaholz,
und alle die Geräte aus Elfenbein,
und alle die Geräte aus Edelholz, Bronze, Eisen und Marmor,
13 und Zimt und Amomum, Räucherwerk, Salböl und Weihrauch,
und Wein und Öl, Feinmehl und Weizen,
und Rinder und Schafe, Pferde und Wagen,
und Menschenleiber und Menschenleben.
14 Und das Obst, an dem deine Seele Lust hatte, ist dir genommen,
und alle Köstlichkeiten und glänzenden Dinge hast du verloren,
und nimmermehr wird man sie finden.
15 Die Kaufleute, die mit diesen Dingen Handel treiben, die an ihr reich geworden sind, werden fernab stehen bleiben aus Furcht vor ihrer Qual; weinend und klagend **16** werden sie sagen:

Wehe, wehe, du große Stadt,
die gekleidet war in Byssusstoff, Purpur und Scharlach,
die geschmückt war mit Gold, Edelsteinen und Perlen,

17 denn in einer Stunde ist solcher Reichtum verwüstet worden!
Und alle Steuerleute und alle Küstenschiffer, Matrosen und Seeleute standen fernab **18** und riefen, als sie den Rauch ihres Brandes sahen: Wer war der großen Stadt gleich? **19** Und sie warfen sich Staub auf den Kopf und schrieen weinend und klagend und sprachen:

Wehe, wehe, du große Stadt,
in der alle, die Schiffe auf dem Meer haben, reich geworden sind von ihren Köstlichkeiten,
denn in einer Stunde ist sie verwüstet worden!

20 Freue dich über sie, Himmel,

und ihr Heiligen, Apostel und Propheten,
denn Gott hat euer Gericht an ihr vollzogen!
21 Und ein starker Engel hob einen Stein auf, so groß wie ein Mühlstein, und
warf ihn ins Meer und sprach:
So wird mit einem Schwung Babylon, die große Stadt, geworfen,
und man wird sie nicht mehr finden!
22 Und kein Ton von Harfenspielern und Sängern,
von Flötenspielern und Trompetern
wird mehr in dir gehört werden,
und kein Handwerker irgendeines Gewerbes
wird mehr in dir gefunden werden,
und das Geräusch des Mühlsteins
wird man in dir nicht mehr hören,
23 und das Licht der Lampe
wird in dir nicht mehr scheinen,
und die Stimme von Bräutigam und Braut
wird in dir nicht mehr gehört werden.
Denn deine Kaufleute waren die Großen der Erde,
denn durch deine Zauberei wurden alle Völker verführt,
24 und in ihr wurde das Blut von Propheten und Heiligen gefunden,
und von allen, die auf der Erde dahingeschlachtet worden sind.

Gott vollzieht sein Gericht an der großen Stadt – aber die Apk. verzichtet auf
die Schilderung dieses Gerichtes. Sie beschränkt sich darauf, gleichsam den
äußeren Rand des mächtigen Kraters, der durch Gottes Vernichtungshandeln
aufgerissen worden ist, abzuschreiten, indem sie das Geschehen ankündigen,
kommentieren und seinen Vollzug symbolisch andeuten läßt. Sie wählt dafür
das aus antiken Tragödien bekannte Stilmittel der sogenannten Mauerschau:
Beteiligte und Betroffene teilen ihre Beobachtungen und Empfindungen angesichts eines sich vor ihren Augen abspielenden, den Zuschauern jedoch verborgenen Geschehens mit. Der kunstvoll aufgebaute Abschnitt gliedert sich in
vier Teile: 1. Eine zweifache Engelsbotschaft kündigt den Vollzug des Gerichts an (V. 1–8). 2. Drei Gruppen von Menschen, die vom Ende der Stadt
besonders betroffen sind – die Könige der Erde, die Kaufleute und die Seefahrer – stimmen Klagelieder an (V. 9–19), die in ihrem Kern (V. 10b.16.19b.)
streng parallel zueinander aufgebaut sind. Das Klagelied der Kaufleute hat
freilich noch einen ausführlichen Vorspann (V. 11–14), der die ehemals der
Stadt zugeführten Luxusgüter in ausladender Breite aufzählt. 3. In jähem
Kontrast zu diesen Klagen steht der Kommentar des Verfassers der Apk.
selbst (V. 20), der den Angelpunkt des Abschnitts bildet. Er hat die Gestalt eines an die himmlische Welt und an die Heilsgemeinde ergehenden Aufrufs
zum Jubel darüber, daß Gott sein Recht endlich sichtbar durchgesetzt hat.
4. Den Abschluß bildet eine die Vernichtung Babylons symbolisierende Zeichenhandlung eines Engels, verbunden mit einer Schilderung ihrer Folgen
(V. 21–24).
Der ganze Abschnitt ist dicht mit alttestamentlichen Zitaten und Anspielungen durchsetzt. Für die drei Klagelieder haben zweifellos die Worte Ezechiels

über die Stadt Tyrus (Ez. 26–27) das Modell geliefert. Die Übereinstimmung besteht nicht nur hinsichtlich des Motivs der Totenklage über die dem Gericht Gottes anheimgefallene Stadt (Ez. 26,17f.; 27,2ff.), sondern auch in zahlreichen Einzelheiten. So ist die Schilderung der Luxuswaren von Ez. 27,11–24 abhängig, und auch die drei vom Untergang der Stadt betroffenen Menschengruppen finden sich dort: Könige (Ez. 26,16; 27,33), Kaufleute (Ez. 27,15) und Seefahrer (Ez. 27,28–31). Aber auch die Weissagung Jeremias über Babylon (Jer. 50–51) wird mehrfach aufgenommen.

V. 1: Eine neue Schauung beginnt. Sie wird eingeleitet durch eine Engelserscheinung, die gegenüber den bisherigen eine Steigerung bedeutet: Ein Engel, den jener Lichtglanz umgibt, der sonst nur der Erscheinung Gottes selbst eignet (Ez. 43,2f.), steigt zur Erde hinab. Er wiederholt die Ankündigung des Falls von Babylon, die 14,8 bereits durch einen Engel vom Himmel her ergangen war (**V. 2**). Die Vergangenheitsform besagt: Vor Gott ist die Stadt bereits in dem Augenblick seines Urteilspruchs vernichtet, auch wenn dessen Realisierung auf der Ebene irdischer Zeit noch aussteht. In den Trümmern der Stadt werden nur noch Dämonen und unreine Vögel hausen können (vgl. Jes. 13,21f.; 34,11–15; Jer. 50,39; Zeph. 2,14). **V. 3** nennt die Schuld, aufgrund derer Gott sein Vernichtungsurteil sprach. In bereits bekannten Bildern (vgl. 14,8; 17,2) werden Machtkult, selbstherrliche Anmaßung und Götzendienst umschrieben, in die die große Stadt alle Völker der Erde verstrickt hat. Als ein weiterer Faktor, der in dem üppig-schwelgerischen Bild der Hure in 17,3–6 bereits angedeutet war, erscheint der grenzenlose Luxus ihrer Lebenshaltung. Damit ist eine das Folgende beherrschende Note angeschlagen. Der Zusammenbruch einer Wohlstandsgesellschaft wird geschildert, deren unersättliche Gier nach kostbaren Gütern Folge und Symptom ihrer Vergötzung menschlicher Macht und Möglichkeiten ist.
Vom Himmel her hört der Seher die Stimme eines weiteren Engels, der dem Volk Gottes Weisung gibt, aus der Stadt auszuziehen, um nicht in ihre Sünden verstrickt und von ihrer Strafe getroffen zu werden (**V. 4**). Dahinter steht neben dem alttestamentlichen Motiv des Auszugs der Gerechten aus Sodom (1. Mose 19,12ff.) und Babylon (Jer. 50,8; 51,6) die urchristlich-apokalyptische Tradition, die zur Flucht aus Jerusalem und Judäa angesichts der Zeichen des Endes auffordert (Mk. 13,14). Die Weisung kann hier freilich nicht wörtlich gemeint sein, etwa im Sinne einer Aufforderung an die Christen, die Stadt Rom zu verlassen. Es geht in ihr vielmehr darum, daß die Christen als Bürger und Angehörige der Stadt Gottes (vgl. 21,2.10) sich von der Lebensweise der gottfeindlichen Stadt trennen und, gegen alle Verlockungen des Konformismus mit ihr, allein ihrem Herrn gehorsam bleiben (vgl. 14,4f.). **V. 5** gebraucht ein alttestamentliches Bild: Die Sünden der Stadt bilden einen bis zum Himmel reichenden Berg (1. Mose 18,20; Jer. 51,9); darum ist die Grenze der göttlichen Langmut endgültig überschritten (vgl. 16,19). Mit **V. 6–8** vollzieht sich ein Adressatenwechsel: Nunmehr werden die mit dem Vollzug des göttlichen Zornesgerichtes Beauftragten angeredet, und zwar entweder die Strafengel Gottes, oder aber – was vom Zusammenhang her wahrscheinlicher ist – jene innerweltlichen Mächte und Gruppen, die Gott sich als Vollzugsorgane seines

Gerichtes über Babylon ausersehen hat (vgl. 16,12–16; 17,15–17). Das Bild des Kelches erscheint in seiner doppelten Bedeutung: einerseits als Symbol des Götzendienstes und der aus ihm resultierenden rauschhaften gottlosen Überheblichkeit, mit der die Stadt den ganzen Erdkreis verführt hat (vgl. 14,8; 18,3), andererseits als Symbol des Zornesgerichtes Gottes (vgl. 14,10). An Stelle ihrer gottlosen Überheblichkeit soll Babylon nun das doppelte Maß an Qual und Leid erdulden müssen, gemäß dem göttlichen Rechtsgrundsatz, daß die Sünde doppelt heimgesucht werden soll (Jer. 16,18; Jes. 40,2). Sünde und Strafe entsprechen sich auch darin, daß für Babylon der verderbliche Zornestrank in demselben Becher gemischt werden soll, aus dem sie andere zu trinken genötigt hatte. Die Beschreibung des hybriden Größenwahns des sich seiner Machtfülle brüstenden Imperiums in V. 7b wie auch die Ankündigung seines Sturzes an *einem* Tage in V. 8 sind der Weissagung des Sturzes Babylon Jes. 47,8f. entnommen (vgl. auch Jer. 50,31). Anstelle üppigen Wohllebens werden Tod, Trauer und Hungersnot über die Stadt hereinbrechen, und eine furchtbare Feuersbrunst wird sie in Schutt und Asche legen. Die Vorstellung vom Vollzug des Strafgerichts in der Apk. ist ambivalent: einmal sind es durch ein unmittelbares Eingreifen Gottes ausgelöste kosmische Katastrophen (11,13; 16,18), dann wieder, wie hier, ist es ein von unwissend als Gottes Werkzeuge handelnden Menschen herbeigeführtes kriegerisches Inferno (vgl. auch 16,14.16; 17,16f.). Hinter beiden Vorstellungen stehen gleichermaßen apokalyptische Klischees, so daß für Johannes hier an sich kein Widerspruch vorlag. Vielleicht wird man aber doch mit einem gewissen Recht sagen können, daß die zweite seinem eigenen Denken näher stand (s. zu 16,11–16).

V. 9f.: Die Reihe der den Untergang der Stadt von ferne beobachtenden klagenden Zuschauer wird eröffnet von den Königen der Erde. Einen Widerspruch zu früheren Aussagen, wonach die Könige des Erdkreises an der Katastrophe selbst beteiligt waren (16,14.16) bzw. sie sogar herbeigeführt haben (17,16f.), sieht Johannes hier nicht. Die Könige sind für ihn nicht real identifizierbare Größen, sondern Typen. Sie repräsentieren eine der Menschengruppen, die von der gottlosen Stadt profitiert haben. Und ganz aus der Perspektive dieses geschädigten Eigeninteresses ist auch ihr Klagelied formuliert. Wie die beiden noch folgenden (V. 16f.19) besteht es aus drei Gliedern: *Klageruf – Rückblick auf das Vernichtete – Konstatierung der Plötzlichkeit der Vernichtung.* Der Rückblick benennt jeweils das, was den Klagenden speziellen Anlaß zur Trauer gibt: Im Falle der Könige ist es die dahingeschwundene Macht Babylons, in deren Windschatten sie ihre eigene Macht etabliert hatten und die zugleich die bisher für sie geltenden Normen repräsentiert und garantiert hatte.

Ihrem Klagechor antwortet der der Kaufleute. In beredten Worte zählen sie die Luxusgüter auf, deren Abnehmerin bisher die große Stadt gewesen war und für die ihnen nunmehr der gewohnte Markt fehlen wird **(V. 11–13)**. Genannt werden zuerst Schmuckgegenstände, sodann kostbare Stoffe, das für die Innenausstattung reicher Häuser besonders beliebte Thuyaholz, das von einem afrikanischen Zitrusbaum stammte, Luxusgegenstände aus Elfenbein und anderen edlen Materialien, Gewürze und Parfümeriewaren – darunter Amomum, ein aus einer asiatischen Staude gewonnener Haarbalsam –, Genußmittel und erlesene Leckerbissen. Zuletzt werden auch Menschenleiber und Menschenleben genannt: Damit ist auf den Sklavenhandel angespielt, der in der antiken Wirtschaft eine bedeutende Rolle spielte. Der aufwendige Lebensstil der römischen Reichen war wesentlich dadurch ermöglicht, daß in ihren Häusern Scharen von Sklaven als billige Arbeitskräfte zur Verfügung standen. Nicht von ungefähr schließt die Warenliste mit diesem Hinweis auf den Sklavenhandel: Die Sünde einer Gesellschaft, die ihren Machtanspruch über die Welt im uneingeschränkten Verfügenwollen über alle Dinge auslebt, erreicht darin, daß sie auch lebendige Menschen wie Waren behandelt, ihren Gipfel. Der **V. 14** fügt sich nicht nur formal wegen des unvermittelten Übergangs in die direkte Anrede an Babylon schlecht in den Zusammenhang; auch inhaltlich scheint er nicht recht hierherzupassen – Obst gehört schwerlich unter die vorher genannten überseeischen Luxusgüter. Sollte, wie manche Ausleger vermuten, der ursprüngliche Platz des Verses zwischen V. 21 und V. 22 gewesen sein? Mehr könnte dafür sprechen, daß die Randglosse eines frühen Abschreibers in den Text gerutscht ist. In **V. 15–17a** wird die Klage der Kaufleute zu einem wirkungsvollen Abschluß gebracht mit einer Klagestrophe, die der der Könige (V. 10) genau entspricht. Was den Kaufleuten speziell Grund zur Trauer gibt, ist die Vernichtung des Reichtums und luxuriösen Glanzes der Metropole.

Als dritte Gruppe der Trauernden treten in **V. 17b–19** die Seefahrer auf den Plan. Was sie speziell in ihrem Lied zu beklagen haben, ist, daß die große Stadt als Zentrum von Seehandel und Reedereiwesen nun ausfällt und ihnen damit der Lebensunterhalt verloren geht. Nun war Rom zwar weder Hafenstadt noch Schiffahrtszentrum. Aber Johannes wollte hier schwerlich reale Verhältnisse genau kopieren; ihm war es vielmehr darum zu tun, die Klageszene durch eine dritte Gruppe abzurunden, und dafür benutzte er das Material, das ihm Ez. 27,29–33 an die Hand gab.

V. 20 bringt einen unerwarteten Umschlag. In die Klage derer, die das Ende der großen Stadt nur aus der Perspektive ihres eigenen Nachteils und Verlustes zu sehen vermögen, bricht eine Aufforderung zum Jubel ein. Und zwar ist es keine himmlische, sondern eine irdische Stimme, die sie ausspricht, nämlich die des Verfassers der Apk. selbst. Wir haben es hier mit einer jener ganz wenigen Stellen zu tun, an denen Johannes dem Geschauten seinen eigenen Kommentar hinzufügt (vgl. 14,4f.). Zu Beginn des zweiten Visionenteils war im Himmel ein Aufruf zum Jubel erschallt, der den Sturz des Drachen aus dem Himmel begleitet hatte (12,12). Er galt aber nur den himmlischen Wesen, während über die Erde als den Bereich, in dem der Drache noch seine Macht austoben konnte, ein Wehe gerufen wurde. Nun aber hat sich durch das Ende der gottfeindlichen Stadt eine Wende vollzogen: Johannes kann in prophetischer Vollmacht nicht nur den Himmel, sondern auch die Glieder der Heilsgemeinde auf Erden dazu auffordern, Gott dafür zu preisen, daß er seine Herrschaft nun in allen Bereichen der Welt endgültig durchgesetzt hat. Eingeschlossen in die Aufforderung werden neben den «Heiligen», d. h. den Gemeindegliedern, auch die «Apostel und Propheten». Darunter sind vermutlich nicht gegenwärtig lebende Pneumatiker und Wandermissionare gemeint (s. zu 2,2). Eher dürfte Johannes hier auf die Sicht der kleinasiatischen Gemeinden

Bezug nehmen, nach der Apostel und Propheten die grundlegenden Zeugen der dahintenliegenden Zeit der ersten Generation waren (vgl. Eph. 2,20; 4,11). Sie gehören zu den schon entschlafenen Zeugen, die ihr Leben gegen Anfeindungen aufs Spiel gesetzt haben und darum darauf warten, daß Gott ihnen Recht verschafft (vgl. 6,9; 11,18; 16,7). Eben dies aber ist nunmehr geschehen; Gott hat ihren Rechtsanspruch gegenüber ihren Peinigern zu dem seinen gemacht und ihn durch sein Gericht vollstreckt. Wieder wird deutlich, daß Gottes Gericht nur die Außenseite seines Heilshandelns ist (vgl. 15,1–8). So wird die Botschaft vom Gericht über die große Stadt durch diesen hymnischen Abschluß zur Evangeliumsverkündigung.

V. 21: Ehe die Aufforderung zum Jubel Antwort findet, vollführt ein Engel eine sinnbildliche Handlung, hinter der wie hinter einem Schleier die Konturen des Vernichtungsgerichts über die große Stadt sichtbar werden. Er schleudert einen Mühlstein ins Meer, wo er versinkt. Man wird das Modell dafür in der Weisung an Jeremia sehen dürfen, das Buch mit der Gerichtsankündigung über Babylon an einen Stein zu binden und in den Euphrat zu werfen mit den Worten «So soll Babel versinken und nicht wieder hochkommen, wegen des Unheils, das ich über die Stadt bringe» (Jer. 51,63f.). Nicht ganz auszuschließen ist, daß auch das Wort Jesu Mk. 9,42 par. Mt. 18,6; Lk. 17,1f. auf die Gestaltung dieses Bildes eingewirkt hat. Was die Bildhandlung schon hinreichend augenfällig sagt, bestätigen die begleitenden Worte des Engels: Die große Stadt wird ausgelöscht werden, und zwar so total, daß in ihr keine Spur menschlichen Lebens sein wird; Lebenslust, Festesfreude und alltägliche Arbeit werden aus ihr auf immer verbannt **(V. 22–23a)**. Abschließend **(V. 23b–24)** fällt noch einmal ein Blick auf die Schuld, die so ihr Gericht empfängt: Sie lag in Rom/Babylons hemmungsloser Machtgier – dargestellt am Teilaspekt stolz auftrumpfender wirtschaftlicher Macht –, mit der es die Völker gleichsam wie mit magischen Kräften verführt hat (vgl. Jes. 47,12; Nah. 3,4), sowie im Hinschlachten derer, die sich diesem Kult der Macht widersetzt haben, der Blutzeugen der christlichen Gemeinde (vgl. 17,6).

19,1–10   c. Hymnisches Finale

1 Danach hörte ich (etwas) **wie die laute Stimme einer gewaltigen Schar im Himmel, die sprachen:**
   Halleluja!
   Heil, Ehre und Macht sind unseres Gottes!
2 **Denn wahrhaft und gerecht sind seine Gerichte:**
   denn er hat die große Hure gerichtet,
   die die Erde mit ihrer Hurerei verdarb,
   und das Blut seiner Knechte hat er gerächt von ihrer Hand.
3 **Und zum zweitenmal sprachen sie:**
   Halleluja!
   Und ihr Rauch steigt auf in alle Ewigkeit.
4 **Und die vierundzwanzig Ältesten und die vier Wesen fielen nieder und beteten Gott, der auf dem Thron sitzt, an, und sprachen:**

Amen.
Halleluja!
5 Und eine Stimme ging vom Thron aus, die sprach:
   Lobt unsern Gott, alle seine Knechte,
   die ihr ihn fürchtet, die Kleinen und Großen.
6 Und ich hörte (etwas) **wie eine Stimme einer großen Schar und wie die Stimme vieler Wasser und wie die Stimme gewaltiger Donner, die sprachen:**
   Halleluja!
   Denn König geworden ist der Herr, unser Gott, der Allherrscher.
7 Laßt uns froh sein und jubeln und ihm die Ehre geben!
   Denn gekommen ist die Hochzeit des Lammes, und seine Frau hat sich bereitet,
8 und sie durfte das Kleid aus glänzend reinem Byssusleinen anlegen.
Denn das Byssusgewand sind die rechten Taten der Heiligen.
9 Und er spricht zu mir: Schreib! Selig sind die zum Hochzeitsmahl des Lammes Geladenen. Und er spricht zu mir: Dies sind wahrhaftige Worte Gottes.
10 Und ich fiel ihm zu Füßen, um ihn anzubeten. Er aber spricht zu mir: Nicht doch! Dein Mitknecht bin ich und einer von deinen Brüdern, die das Zeugnis Jesu haben. Gott (allein) **sollst du anbeten! Denn das Zeugnis Jesu ist der Geist der prophetischen Rede.**

Gott hat die Hure Babylon gerichtet, die entscheidende Bastion des gottfeindlichen Widerstandes auf der Erde ist damit gefallen. Nun findet die Aufforderung zum Jubel, die in 18,20 laut geworden war, ein überwältigendes Echo: Jubelnder Lobpreis des Sieges Gottes setzt im Himmel ein und pflanzt sich bei den Gliedern der irdischen Heilsgemeinde fort. Nirgends sonst in der Apk. findet sich eine solche Zusammenballung hymnischer Stücke. Und zwar sind es nicht weniger als fünf Lieder bzw. Liedelemente, die hier zu einer kunstvollen Komposition zusammengefügt worden sind: 1. Der Siegeshymnus der Vollendeten im Himmel V. 1b–2; 2. der ihn bekräftigende Lobspruch V. 3; 3. das «Amen. Halleluja!» der vierundzwanzig Ältesten und der vier Wesen V. 4b; 4. die Aufforderung zum Lobgesang durch die Stimme vom Thron her V. 5; 5. der Lobgesang der irdischen Gemeinde V. 6b–8a. Diese hymnischen Stücke entsprechen in Form und Stil sicher weithin jenen Psalmen und Hymnen, die die kleinasiatischen Gemeinden in ihrem Gottesdienst sangen. Trotzdem ist es hier noch weniger als sonst bei den hymnischen Stücken der Apk. zweifelhaft, daß Johannes sie selbst verfaßt und nicht aus dem Gemeindegottesdienst übernommen hat. Denn in großer Dichte finden sich hier Bezüge auf Vorhergegangenes, vor allem auf Aussagen und Motive des mit 12,1 beginnenden zweiten Visionenteils, der hier seinen grandiosen Abschluß findet. Wir haben es hier mit einem hymnischen Finale zu tun, in dem das bisherige Geschehen noch einmal zusammengebündelt und einer letzten Steigerung zugeführt wird. Das letzte Wort des Abschnitts hat freilich nicht der hymnische Lobpreis, sondern der Blick auf die Situation der gegenwärtigen Gemeinden. In einer überraschenden Schlußwendung (V. 9f.) werden sie angeleitet, das Gehörte bzw. Gelesene richtig zu verstehen: Es will nichts anderes sein als Hilfe und Aufforderung zum treuen Festhalten des Zeugnisses Jesu.

V. 1f: Der Seher hört vom Himmel her Stimmen einer «gewaltigen Schar». Es ist, wie aus dem Inhalt des von ihnen gesungenen Liedes hervorgeht, die Schar der Vollendeten, die in Glaubenstreue überwunden haben (vgl. 7,9f.; 15,2–5). Das Halleluja, mit dem sie einsetzen, ist eine geläufige Wendung alttestamentlicher Gebetssprache, die hier erstmals christlich belegt ist. Ihr ursprünglicher Sinn war der einer Aufforderung zum Gotteslob (hebr. *hallelu-jah* = lobt Jahwe), auf den die gottesdienstliche Gemeinde mit ihrem Lobpreis antwortete. Allmählich entwickelte sie sich jedoch im Judentum weiter zu einer selbständigen Lobpreisformel (z. B. Tob. 13,17; 3. Makk. 7,13). Hier schimmert der ursprüngliche Sinn noch durch: Die Sänger fordern sich selbst und andere durch das Halleluja auf zum Gotteslob. Im nachbiblischen Judentum wurde die Anschauung vertreten, daß dieser Jubelruf der Endzeit vorbehalten sei: «103 Abschnitte (des Psalters) hat David gesagt; aber Halleluja hat er erst gesagt, als er den Fall der Gottlosen sah» (Berakh. 9b; vgl. Bill. II,725). Dieser spezifische Endzeitbezug könnte auch hier hinter dem Halleluja stehen und ihm Gewicht geben: Diejenigen, die den Fall Babylons gesehen haben, werden aufgefordert, einzustimmen in das Lob Gottes, der den Sieg über seine Widersacher errungen hat. Der Siegesruf wird begründet durch den Rückblick auf das Geschehene: Gott hat die Wahrhaftigkeit und Gerechtigkeit seines richterlichen Handelns erwiesen (vgl. 15,3f.); indem er die Stadt vernichtete, die die ganze Erde in ihren anmaßenden Widerstand gegen ihn und seinen Herrschaftsanspruch hineinzog und so verdorben hatte (11,18; vgl. 14,8; 17,2.5), ließ er zugleich jenen treuen Zeugen ihr Recht zuteil werden, die wegen ihres Gehorsams gegen ihn ihr Leben verloren hatten (vgl. 6,9f.; 16,5f.; 18,24). **V. 3:** Die Schar der Überwinder singt noch eine zweite kurze Strophe. In ihr folgt dem einleitenden Halleluja ein kurzer Lobspruch, der die Endgültigkeit des Gerichtshandelns Gottes herausstellt: Der Rauch Babylons steigt von der Stätte des Urteils in alle Ewigkeit auf (vgl. 14,11; Jes. 34,10), zum Zeichen dafür, daß von nun an kein Raum mehr sein wird für Widerstand gegen Gott.

V. 4: Die Glieder des himmlischen Hofstaates, die vierundzwanzig Ältesten und die vier Wesen, die Tag und Nacht Gottes Herrlichkeit preisen und ihm Anbetung erweisen (vgl. 4,1–11), antworten auf den Lobpreis der Überwinder mit einem bekräftigenden Amen (s. zu 1,6f.; 5,14) und nehmen ihn so gleichsam mit hinein in die ewige Liturgie des himmlischen Gottesdienstes (vgl. 7,12). Zugleich aber stimmen sie ein Halleluja an, das hier zweifellos den Sinn eines Aufrufs zum Lobpreis hat. Damit setzen sie eine weiter ausgreifende Bewegung des Gotteslobes in Gang.

Diese setzt sich fort in dem hymnischen Ruf einer vom Thronbezirk Gottes ausgehenden himmlischen Stimme (vgl. 18,4). In ihm wird das Halleluja der Ältesten entfaltet und konkretisiert. Alle Knechte Gottes und alle, die ihn fürchten, werden aufgefordert, in das Lob mit einzustimmen **(V. 5).** Gemeint sind damit ohne Zweifel die Glieder der irdischen Gemeinde ohne Unterschied ihrer Stellung und Funktion (vgl. 1,1; 2,20; 7,3; 22,3). Das endzeitliche Gotteslob erreicht nunmehr die Erde. Daß es eine «große Schar» ist, die dort einstimmt, und daß der Chor, der nun aufklingt, laut und gewaltig anzuhören ist wie bisher nur himmlische Stimmen (vgl. 16,1; 14,2), spricht nicht dagegen, daß **V. 6a** in der Tat die irdische Gemeinde im Blick hat. Für die Apk. ist die Christenheit zwar eine gesellschaftliche Minderheit, aber zahlenmäßig keine kleine Schar mehr. In ihrer Entstehungszeit existierten bereits Gemeinden von zum Teil beachtlicher Größe in fast allen Gegenden des Weltreiches (vgl. 7,4; 14,1).

Auch das Lied der Irdischen beginnt mit dem Halleluja, das hier den Sinn einer Selbstaufforderung zum Lobpreis hat **(V. 6b)**. Es folgen zwei Aussagen, die begründen, warum jetzt auf Erden solcher Lobpreis ohne Einschränkung möglich ist. Die erste **(V. 6c)** bezieht sich auf Gott und seinen in seinem Schöpfungshandeln begründeten Herrschaftsanspruch (vgl. 4,11): Nun hat Gott endgültig seine Herrschaft gegen alle feindlichen Gewalten siegreich durchgesetzt (vgl. 11,17). Damit hat er sich auch auf Erden als der Allherrscher erwiesen und seine Geschichtsmächtigkeit bekundet. Die zweite Begründung **(V. 7–8a)** verweist dagegen auf das sich mit Jesus verbindende Endzeitgeschehen: Nun ist die Zeit der «Hochzeit des Lammes» gekommen, und die Heilsgemeinde steht dazu bereit, als seine Braut in die Hochzeitsfreude des messianischen Heilszeit einzugehen. Schon ist sie in das festliche Gewand aus kostbarem weißen Byssusleinen gehüllt, das ihr ihr Herr selbst gegeben hat. Es bedeutet die Gabe und Zusage des Heils aufgrund des sühnenden Sterbens Jesu (vgl. 3,5; 6,11; 7,9.14).

Exkurs: Das Bild der Hochzeit des Lammes

Das Bild hat im wesentlichen zwei Wurzeln in der Tradition: 1. Die alttestamentlichen Propheten verglichen Israel mit einer Frau, der sich Gott vermählt hat und die ihm darum unbedingte Treue schuldig ist (Hos. 2; Jes. 54,6; Ez. 16,7). Unglaube und Abfall des Volkes von Gott wurden von da her als Hurerei gebrandmarkt (Hos. 2,7). – 2. Ebenfalls im Alten Testament (Jes. 61,10; 62,5) war die Hochzeit als Freudenfest geläufiges Bild für die messianische Heilszeit. Hiervon ausgehend, bezeichnete Jesus die Zeit seines Wirkens als hochzeitliche Freudenzeit (Mk. 2,19f.): Durch ihn lud Gott selbst zum Hochzeitsfest ein, indem er seine Gemeinschaft anbot (Mt. 22,1–14). – Die nachösterliche Gemeinde verschmolz beide Traditionen, indem sie den endzeitlich-wiederkommenden Herrn nicht nur als den Bringer der hochzeitlichen Festesfreude, sondern zugleich auch als den Bräutigam deutete, der sich mit der Kirche, seiner auf ihn wartenden Braut, vereinigte (2. Kor. 11,2; Eph. 5,23.33). Hier geht nun die Apk. noch ein Stück weiter, indem sie nicht nur die Vollendung der Heilsgemeinde im Bild der Hochzeit des Lammes darstellt, sondern dazu aus der negativen Fassung des ersten Traditionsmotivs einen äußerst wirkungsvollen Kontrast gewinnt: Auf der einen Seite die gottfeindliche Stadt als Hure mit ihrem aufdringlichen Prunk, die mit ihrem gotteslästerlichen Ungehorsam die ganze Welt verführt (17,1–6) – auf der anderen Seite die Heilsgemeinde als Braut Jesu mit ihrem reinen weißen Gewand, die in Gehorsam auf die Vereinigung mit ihrem Herrn wartet (21,2.9).

V. 8b wird von vielen Auslegern für eine sekundär in den Text eingedrungene Glosse gehalten. Denn die Deutung des Byssusgewandes auf «die rechten Taten der Heiligen», d. h. auf den Gehorsam der Christen, scheint auf dem ersten Blick seinem sonstigen Verständnis in der Apk. als Bild der von Jesus empfangenen Heilsgabe zu widersprechen (vgl. 6,11). Nun ist allerdings zu bedenken, daß die Apk. dieses Gewand auch sonst mit dem Gehorsam der Christen in enge Verbindung bringt (vgl. 3,18). Die Christen haben es zwar als Geschenk empfangen, aber alles kommt darauf an, daß sie es weiß und rein bewahren, d. h. daß sie im Gehorsam nicht hinter das empfangene Heil zurückfallen. Eben darum aber scheint es hier zu gehen, daß die Glieder der Heilsgemeinde das ihr geschenkte Hochzeitsgewand durch ihren Gehorsam sichtbar rein bewahrt haben (vgl. 14,4f.).

V. 9: Eine Stimme, deren Herkunft zunächst nicht bezeichnet wird – erst in V. 10 erfahren wir, daß sie die eines Engels ist –, befiehlt dem Seher, eine Seligpreisung niederzuschreiben, die vierte innerhalb des Buches (s. zu 1,3). Sie klingt stark an Lk. 14,15 an: «Selig, wer Brot ißt im Reich Gottes». Mit ihr ist die Ebene der direkten Kommunikation mit den Adressaten wieder erreicht, denn sie enthält die Botschaft, die der Engel durch die Hand des Johannes den Gemeinden vermitteln will: Es gilt, als Folgerung aus dem bisher Gehörten bzw. Gelesenen, sich freudig auf die Teilnahme am Festmahl des Lammes zu rüsten! Alle Glieder der Gemeinde sind dazu eingeladen. Aber gerade deshalb hängt alles daran, daß sie sich in Gehorsam und Treue auf die Teilnahme an diesem Fest vorbereiten. – In einem weiteren Wort bestätigt der Engel dem Seher ausdrücklich die Zuverlässigkeit der an ihn ergangenen Botschaft – gemeint ist damit vermutlich der Inhalt des Kap. 12 beginnenden Visionenzyklus mit seinem erregenden, das Geschick der Gemeinde unmittelbar betreffenden Inhalt. In 22,6 wird die gleiche Wendung nochmals erscheinen, und zwar bezogen auf den Inhalt des gesamten Buches: Es handelt sich um Verheißungen Gottes, die verbindlich gelten und auf die man sich darum einlassen darf.

Die abschließende Szene zwischen dem Seher und dem Engel **(V. 10)** enthält, trotz ihres scheinbar privat-persönlichen Charakters, ebenfalls eine Botschaft an die angeschriebenen Gemeinden. Dem Seher, der dem Engel zu Füßen fällt, um ihm Anbetung zu erweisen, wird dies verwehrt. Sehr deutlich wird hier wiederum (vgl. 1,20; 2,1) die in den Adressatengemeinden lebendige Neigung zu Engelverehrung und Engelspekulation abgewiesen: Die Engel haben keinen höheren Rang als jedes Glied der Gemeinde; sie sind denen, die «das Zeugnis Jesu haben», d. h. allen Christen (s. zu 1,9), ebenbürtig. Abgewiesen wird aber darüber hinaus, wie der letzte Satz andeutet, die Spekulation über besondere, durch Engelsoffenbarungen erschlossene himmlische Geheimnisse: Das, was der Geist in prophetischer Rede zur Geltung bringen will, ist nicht mehr und nichts anderes als das Zeugnis Jesu (vgl. 1,2). Es geht um die Bekundung von Jesu Werk und Willen für die Heilsgemeinde, mit dem Ziel, ihre Glieder dazu fähig zu machen, dieses Zeugnis Jesu weiterzutragen und im Gehorsam zu bewähren. Daran, ob dieses Zeugnis Jesu laut wird, sind alle prophetischen Äußerungen zu messen. Auch Johannes selbst unterstellt sein Buch dieser letzten verbindlichen Norm.

19,11–22,5   D. Abschlußvisionen: Die Vollendung des Geschichtsplanes Gottes

Mit der Vernichtung Babylons, des Zentrums des gottfeindlichen Widerstandes, ist das Schicksal der Welt endgültig entschieden: Gott hat seine Herrschaft nun im Himmel wie auf Erden durchgesetzt, und er hat den Menschen, die sich auf seine Verheißung verließen und seinem Willen gehorsam waren, ihr Recht zuteil werden lassen. Aber damit ist der Geschichtsplan Gottes, mit dessen Vollstreckung das Lamm beauftragt worden war (5,7f.), noch nicht an sein Ende gekommen. Johannes setzt darum noch einmal neu ein, um in einer letzten Visionenreihe die noch ausstehenden Ereignisse dieses Geschichtsplanes darzustellen: Wiederkunft Jesu als Weltrichter (19,11–21), Errichtung des messianischen Reiches (20,1–10), Totenauferstehung und Weltgericht (20,11–15), neue Welt und Heilsvollendung (21,1–22,5). Er folgt dabei einem vorgegebenen traditionellen Schema judenchristlicher Enderwartung. Aber nicht die äußere Komplettierung dieses Schemas ist für ihn der eigentliche Anlaß für die Hinzufügung dieses Visionenschlußteils. Er benutzt ihn vielmehr, um zwei für seine theologische Konzeption wesentliche Themen noch einmal ausführlich zu Wort kommen zu lassen. Das eine ist die Bedeutung Jesu Christi für das Endgeschehen. Daß Jesu Tod und Auferstehung der zentrale Wendepunkt der Geschichte ist und daß von ihm her das Endgeschehen in Gang gesetzt worden ist, wurde zwar immer wieder mit Nachdruck verdeutlicht (5,1–14; 12,5.12), aber bei der Schilderung des Endkampfes fiel Jesus bislang, abgesehen von 14,14–16, keine aktive Rolle zu. Nun aber wird Jesus als der selbst im Endgeschehen Handelnde eingeführt. Indem er Gottes Gegner endgültig ausschaltet und Gottes Herrschaft aufrichtet, erweist er sich als der durch sein Sein und Tun die Zukunft der Welt Bestimmende (vgl. 1,5.7). – Das zweite hier dominierende Thema ist die Zukunft der Heilsgemeinde. In 12,1–19,10 war vorwiegend von der leidenden, unterdrückten, im Vertrauen auf die Zusage Gottes standhaltenden Kirche die Rede gewesen (12,12–17; 13,9f.; 14,1–5; 16,5f.). Nun aber soll entfaltet werden, was der Inhalt dieser Zusage ist, nämlich die Herrschaft mit Christus und das Leben in einem auf Gott und Christus hin geordneten Gemeinwesen auf einer erneuerten Erde.

19,11–21   1. Die Wiederkunft Jesu als Weltrichter

11 Und ich sah den Himmel offen, und siehe, ein weißes Roß, und der Reiter darauf heißt «treu und wahrhaftig»; er richtet und kämpft mit Gerechtigkeit. 12 Und seine Augen sind wie Feuerflammen, und auf seinem Haupt hat er viele Diademe; er trägt einen Namen geschrieben, den keiner kennt außer ihm selbst. 13 Bekleidet ist er mit einem blutgetränkten Mantel; und sein Name heißt «das Wort Gottes». 14 Und die Heere im Himmel folgten ihm auf weißen Rossen, bekleidet mit weißem, reinem Byssusleinen. 15 Und aus seinem Munde geht ein scharfes Schwert hervor, daß er damit die Heiden schlage. Und er wird sie mit eisernem Stabe weiden; und er tritt die Kelter des Weines des

Johannesoffenbarung 19,11–21

grimmigen Zornes Gottes, des Allherrschers. 16 Und er trägt auf seinem Gewand und auf seinem Schenkel einen Namen geschrieben: «König der Könige» und «Herr der Herren».
17 Und ich sah einen Engel in der Sonne stehen, und er rief mit lauter Stimme allen Vögeln zu, die hoch am Himmel flogen: Kommt! Versammelt euch zum großen Mahl Gottes! 18 Ihr sollt Fleisch fressen von Königen und Fleisch von Heerführern und Fleisch von Starken und Fleisch von Rossen und ihren Reitern und Fleisch von allen, von Freien und Sklaven, von Kleinen und Großen!
19 Und ich sah das Tier und die Könige der Erde samt ihren Heeren versammelt, um Krieg zu führen mit dem Reiter und seinem Heer. 20 Und das Tier wurde ergriffen, und mit ihm der falsche Prophet, der die Zeichen vor seinen Augen getan hatte, mit denen er die verführt hatte, die das Zeichen des Tieres annahmen und sein Bild anbeteten. Lebendig wurden die beiden in den Feuerpfuhl geworfen, der mit Schwefel brennt. 21 Und die übrigen wurden getötet mit dem Schwert des Reiters, das aus seinem Mund hervorging; und alle Vögel wurden satt von ihrem Fleisch.

Thema des Abschnitts ist jenes Ereignis, das im Mittelpunkt frühchristlicher Enderwartung stand: die Wiederkunft (Parusie) Jesu Christi. Allerdings wird hier zunächst nur einer der beiden damit traditionell verbundenen Aspekte aufgenommen, nämlich der Vollzug des Gerichtes (vgl. 1. Thess. 1,10; Apg. 17,31) und die Vernichtung der Feinde Gottes (vgl. 1. Kor. 15,25–27). Der andere, die Sammlung und Auferweckung der Glaubenden (vgl. Mk. 13,27; 1. Thess. 4,16f.), bleibt hier zunächst ausgeklammert, um in 20,1–6 behandelt zu werden. Und zwar sind die beiden Gegner, die der wiederkommende Herr niederringt, das Tier und der falsche Prophet. Was auf den ersten Blick als eine verwirrende und unnötige Wiederholung erscheint, daß nämlich nach dem Bericht über die Vernichtung des gottfeindlichen Imperiums nun noch einmal gesondert von der Vernichtung dieser beiden mit dem Imperium eng verknüpften Größen erzählt wird, erweist sich in Wahrheit als Folge der kompositorischen Logik des Buches. In Kap. 13 war das Tier als Antichrist, d. h. als Widersacher und als verzerrtes Gegenbild Jesu Christi gezeichnet worden. Nun kommt es zu einer direkten Konfrontation zwischen Christus und Antichrist, in der die Ohnmacht und Nichtigkeit des letzteren sich abschließend erweist. Der Abschnitt ist dreiteilig aufgebaut: Erscheinung Jesu Christi mit seinem himmlischen Heer (V. 11–16) – Einladung der Vögel des Himmels zum Leichenschmaus (V. 17f.) – Vollstreckung des Gerichtes (V. 19–21). Er hat rekapitulierenden und zusammenfassenden Charakter durch eine Fülle von Anspielungen und Rückverweisen auf Vorhergegangenes.

Bereits mit der Visionseröffnung (V. 11) wird deutlich, daß nunmehr alles Bisherige überboten werden soll. Nicht nur eine Tür des Himmels öffnet sich, um dem Seher Einblick in die himmlischen Vorgänge zu geben (vgl. 4,1; 11,19), sondern der Himmel öffnet sich vollständig, um dem aus ihm hervorkommenden Heer Raum zu geben (vgl. Mt. 3,16; Joh. 1,51; Apg. 10,11). An dessen Spitze schaut der Seher den Christus. Wie in 1,12–28 setzt die Beschreibung zunächst bei den äußeren Requisiten des Erscheinenden ein, um erst allmählich zu seinem Wesen vorzudringen. Daß er auf einem Pferd reitet, ist überraschend: denn nach Sach. 9,9 ist das Reittier des Messias ein Esel (vgl. Mk. 11,1ff.; Joh. 12,14ff.) Vermutlich soll hier die Sacharja-Weissagung endzeitlich überboten werden: Bei der Parusie zeigt sich der Herr nicht mehr in Niedrigkeit, sondern als Herrscher. Weiß ist die Farbe himmlischer Reinheit (vgl. 3,4f.; 6,11 u. ö.). Der Name des Erscheinenden umschreibt sein Handeln (vgl. 3,12): In dem, was er sich jetzt anschickt zu tun, erweist sich Jesus als seinen Verheißungen treu, er hat damit die Eigenschaften des Wortes Gottes selbst (vgl. V. 13). Wenn er richtet und gegen die Feinde Gottes kämpft, so schafft er Gottes Gerechtigkeit Raum, deren letztes Ziel die Verwirklichung von Heil ist (vgl. 15,3; Jes. 11,4f.). **V. 12f:** Der Vergleich der Augen mit Feuerflammen deutet an, daß der Erscheinende hier kein anderer ist als in der Beauftragungsvision (vgl. 1,14). Daran, daß er Gegenspieler des Tieres ist, erinnern die Diademe auf seinem Haupt (vgl. 13,1), wobei deren Vielzahl die unendliche Überlegenheit seiner Herrschermacht gegenüber der usurpierten Macht des Widersachers andeutet. Aus der Ankündigung des Kommens Gottes zum Zornesgericht über die Völker Jes. 63,1–6 schließlich ist der vom Blut gerötete Mantel entlehnt. Das Blut ist also nicht das eigene Blut Jesu, das er für die Sünder vergossen hat, sondern das Blut der Feinde Gottes: «Ihr Blut spritzte auf mein Gewand und befleckte meine Kleider» (Jes. 63,3). Man wird dem kaum entgegenhalten können, daß bisher von einem Kampf noch nicht die Rede war, denn hier handelt es sich um ein Bild, das die Richtung des folgenden Geschehens anzeigt. Wie aber sind die widersprüchlich erscheinenden Aussagen über den Namen des Erscheinenden in V. 12 und 13 zu verstehen? Keiner kennt den Namen, der auf seinem Haupt geschrieben steht, außer ihm selbst – aber fast im selben Atemzug legt ihm Johannes den Namen «das Wort Gottes» bei, und im unmittelbaren Umkreis dieser Aussage erscheinen noch weitere Namen (V. 11.16). Hier ist zunächst daran zu erinnern, daß Johannes die üblichen Würde- und Hoheitsprädikate bis auf ganz wenige Ausnahmen (1,1.5; 20,4.6; 22,21) meidet. Besonders deutlich ist dies 1,13; 14,14, wo er die Menschensohn-Bezeichnung nur im Sinne eines annähernden Vergleiches gelten läßt. Auch die Bezeichnung Jesu als «Lamm» ist nicht eigentlich titular zu verstehen, sondern im Sinne eines seine Funktion umschreibenden Bildes. Dahinter scheint die Überzeugung zu stehen, daß keiner der gegebenen Namen und Titel das Wesen Jesu wirklich zu erfassen vermag und daß der wahre, dem Wesen des Heilbringers angemessene Name erst am Ende offenbar werden wird; bis dahin kennt ihn nur Jesus allein. Dieser wahre Name ist identisch mit dem «neuen Namen» Jesu, der dem Überwinder angeschrieben werden wird (vgl. 3,12). Die verschiedenen in V. 11.13b und 16 genannten Namen können nur die jetzt dem Glauben sichtbaren Teilaspekte des Handelns Jesu umschreiben; sie sind darum nur vorläufiger Notbehelf. Dies gilt auch für den Namen «das Wort Gottes (*ho logos tou theou*)». Er umschreibt das Höchste, was sich jetzt von Jesus sagen läßt, insofern er sein Verhältnis zu Gott zum Ausdruck bringt: in ihm gibt sich Gott selbst redend und handelnd kund, er ist der Vollstrecker von Gottes Wort und Willen. Trotz des nahen Anklangs an Joh. 1,1–4 besteht ein erheblicher Unterschied, denn dort ist «das Wort (*ho logos*)» absolut gebrauchte Bezeichnung des präexistenten Schöpfungsmittlers.

In der Apk. fehlt jedoch dieser absolute Gebrauch ebenso wie der Hinweis auf Präexistenz und Schöpfungsmittlerschaft Jesu. Daß der Logos Gott war (Joh. 1,1), könnte die Apk. wahrscheinlich nicht sagen; sie sagt lediglich, daß durch den Logos Gott zuverlässig spricht und handelt, und das bleibt ganz auf der Linie der weisheitlichen Aussage über das Wort Gottes, das vom königlichen Thron im Himmel «herabsprang», um «das scharfe Schwert» des «unerbittlichen Befehls» Gottes auf Erden wirksam werden zu lassen (Weish. 18,15f. vgl. Hebr. 4,12; Eph. 6,17). **V. 14** nennt die Begleiter des wiederkommenden Herrn: Es sind die himmlischen Heere der Engel (vgl. Mk. 8,38; 13,27; Mt. 25,31). Überraschend ist, daß ihre Kleider nicht kriegerisch sind, sondern festliche Freude widerzuspiegeln scheinen (vgl. 19,8). Sie treten demnach nicht als Kämpfer, sondern als Begleiter Jesu Christi bei seinem triumphalen Herrschaftsantritt auf Erden in Erscheinung. Alles kämpfende und richtende Handeln geht nämlich von ihm allein aus, wie **V. 15** betont. Er braucht dazu keine Helfer, ja im Grunde bedarf er zur Vernichtung der Feinde auch keiner materieller Kampfmittel und Vernichtungswerkzeuge. Das aus seinem Munde hervorgehende zweischneidige Schwert (s. zu 2,12) genügt, um die Widerstrebenden niederzustrecken (vgl. Jes. 11,4). Gemeint ist damit die Macht des richtenden Wortes Gottes, das in Jesus personhaft der Welt begegnet. In diese Schau des kämpferischen Messias fügt sich die von Johannes bereits mehrfach (2,27; 12,5) herangezogene Ankündigung aus Ps. 2,9, der Messias-König werde «die Heiden mit eisernem Stabe weiden», ebenso wie das bereits 14,19f. (s. dort) eingeführte, aus Jes. 63,2f. stammende Bild vom Treten der Zorneskelter. Um eine Steigerung gegenüber 14,19f. zu erzielen, hat Johannes dieses Bild mit jenem des Zorneskelches Gottes, den die Ungehorsamen im Gericht trinken müssen (14,8.10; 16,19), vermengt und so die klaren Konturen verwischt. Diese Aussage wird nur verständlich, wenn man sie wieder in ihre ursprünglichen zwei Bestandteile zerlegt: Der Christus vollzieht das Gericht, indem er die Widersacher dem – einem tödlichen Trank verglichenen – Zorn Gottes aussetzt und indem er sie so vernichtet, wie man Weinbeeren in der Kelter zerpreßt. – Die Darstellung der herrscherlichen Macht des wiederkommenden Christus erreicht mit der Nennung seiner Namen «König der Könige» und «Herr der Herren» in **V. 16** ihren Gipfel (vgl. 17,14). Er ist der einzige, der diese Herrschernamen, mit denen sich irdische Machthaber immer wieder geschmückt haben, zu Recht trägt, denn ihn hat Gott selbst in seine herrscherliche Würde eingesetzt aufgrund seines Heilswerks. Die Aussage enthüllt ihren vollen Sinn erst, wenn man ihren sachlichen Zusammenhang mit 5,12 erkennt: Würdig, Macht und Ehre zu empfangen, ist allein das geschlachtete Lamm! – Die Namen stehen auf dem Gewand und dem Schenkel des Erscheinenden geschrieben: Das läßt sich bildhaft ebensowenig klar vorstellen wie die «Beschriftung» der Hure Babylon und ihres Reittiers (17,3.5). Wir haben es hier wieder mit einer jener für die Apk. typischen Namensaufschriften zu tun (vgl. auch 3,12; 13,17; 14,1). Möglicherweise steht Jes. 11,5 im Hintergrund, wo es vom Messias heißt: «Gerechtigkeit wird der Gürtel seiner Lenden und Treue der Gurt seiner Hüften sein».

Wenn der erscheint, der Träger der sieghaften Macht Gottes ist, dann haben die Widersacher ausgespielt. Der Kampf ist schon entschieden, ehe er überhaupt begonnen hat. In diesem Sinn ist wohl die kleine Zwischenszene **V. 17f.** zu verstehen: Noch ehe das Tier und die Könige der Erde ihre Streitmacht formiert haben, erscheint ein Engel, um die Aasgeier zum schauerlichen Leichenschmaus auf dem Schlachtfeld einzuladen. Das äußerst krasse Bild ist unmittelbar angeregt durch Ez. 39,17–20, die Weisung an Ezechiel, die Vögel und wilden Tiere einzuladen, sich nach dem Untergang Gogs an den Leichen der Pferde und Reiter zu laben, wie denn auch das Folgende durch Ez. 38f. stark beeinflußt ist (vgl. 20,7ff.). Wahrscheinlich ist, daß darüber hinaus auch das Wort Jesu vom Aas, um das sich die Adler sammeln (Lk. 17,37 par. Mt. 24,28 [Q]), wie schon in 8,13 (s. dort) eingewirkt hat. Die Einladung zum «großen Mahl Gottes» soll den Leser an eine andere Einladung erinnern, deren Gegenbild sie ist: nämlich an die der Glieder der Heilsgemeinde zum «Hochzeitsmahl des Lammes» (19,9). Wieder wird damit auf den inneren Zusammenhang zwischen Gericht und Heil hingewiesen (s. zu 15,3–5): Die Vernichtung der Feinde Gottes ist nur die Außenseite des heilvollen Handelns, in dem Gott sich gegenüber seiner Schöpfung durchsetzt und seinem Volk sein Recht zuteil werden läßt.

Die Abschlußszene **(V. 19–21)** entfaltet jenen Vorgang, der in 17,12–14 bereits angedeutet war. Das Tier versammelt seine Vasallen, um sie zum Endkampf gegen den Christus zu führen. In der spezifischen Konstellation, in der es hier erscheint, gewinnt das Bild des Tieres eine neue Zuspitzung: Es ist mehr als nur der Repräsentant des Imperium Romanum, mehr auch als die dämonische Gestalt des wiederkehrenden Nero – es ist der Antichrist schlechthin, die Verkörperung aller jener Kräfte und Mächte der Geschichte, die den allein Jesus gebührenden Platz des Herrn der Welt usurpieren wollten. Eine Schilderung des Kampfgeschehens unterbleibt: Wenn der Christus seinen Widersachern begegnet, dann ist für sie kein Widerstand mehr möglich; das aus seinem Munde hervorgehende Wort Gottes selbst vernichtet sie. Erzählt wird lediglich das Ende der Gegner. Die Könige der Erde mit ihren Kriegern werden ausnahmslos getötet – die Aasvögel kommen also zu dem ihnen angekündigten Leichenschmaus. Ungleich härter als der bloße Tod ist die Strafe des Antichrist und seines zweiten Ich, des falschen Propheten: Beide werden in die Feuerhölle geworfen und damit ewiger Pein überantwortet (vgl. 14,10; 20,10. 14f.; 21,8). Dieses Ende des Tieres fand Johannes bereits in Dan. 7,11 angekündigt (vgl. Asc. Jes. 4,14). Zwei Glieder der widergöttlichen satanischen Dreiheit sind damit ausgeschaltet. Noch bleibt jedoch ihr drittes und wichtigstes übrig: der Drache. Von seinem Geschick soll im Folgenden die Rede sein.

Exkurs: Jesus als Richter

Es mag zunächst scheinen, als habe die hier gezeichnete Gestalt des kriegerischen Christus, der ein unbarmherziges Vernichtungsgericht vollzieht, nichts gemein mit dem Jesus der Evangelien, der Liebe verkündigt und grenzenlose Vergebung im Namen Gottes gewährt. Aber ehe man vorschnell einen unüberbrückbaren Gegensatz konstatiert, sollte man bedenken, daß die Verkündigung Jesu nicht nur ein unverbindlicher Appell an die Menschen ist, sondern daß sich am Verhalten ihm gegenüber Heil oder Unheil für die

Zukunft entscheidet. Wer sich der heilvollen Botschaft von Gottes Herrschaft verschließt, unterstellt sich damit dem Gericht (Lk. 10,13f.
par. Mt. 11,21f.; Lk. 11,29ff. par. Mt. 12,41f.; Lk. 12,8f. par. Mt. 10,32f.).
Bereits die synoptische Tradition bringt die Verbindlichkeit der Stellungnahme gegenüber Jesus und seiner Botschaft für die Zukunft der Menschen dadurch zum Ausdruck, daß sie Jesus als den wiederkommenden Richter zeichnet, der Abrechnung hält und die Ungehorsamen bei den Folgen ihres Tuns
festmacht (Lk. 19,11–27 par. Mt. 25,14–30; Mt. 25,31–46). Hinzu kommt
noch ein Weiteres: Wenn Jesus die Herrschaft Gottes verkündigt, so meint er
damit das heilvolle Zur-Herrschaft-Kommen Gottes über seine Schöpfung,
das sich nicht nur in einer inneren Erneuerung des einzelnen, sondern in einer Wandlung aller Verhältnisse vollzieht. Dieser Welt- und Schöpfungsbe-
zug der Gottesherrschaft ist für die Apk. von zentraler Bedeutung. Weil sie
in Jesus den Bringer der Gottesherrschaft erkennt, darum wagt sie es, ihn als
den darzustellen, der als Weltrichter alle jene Mächte und Menschen vernichtet, die sich aufgrund ihrer Entscheidung gegen Jesus der heilvollen
Herrschaft Gottes entgegenstellten. Es geht bei der Gerichtsschilderung
nicht um die Befriedigung von Rachsucht und Ressentiment der Leser – alle
Züge, die dem Nahrung geben könnten, sind theologisch gebändigt – sondern ausschließlich um die Gewißheit: Gott wird die Verderber der Erde verderben (11,18), um so diese Erde zum Raum seiner heilvollen Herrschaft zu
machen.

20,1–10   2. Das tausendjährige Reich und die Vernichtung des Satans

**1 Und ich sah einen Engel vom Himmel herabsteigen, der hatte den Schlüssel
des Abgrunds und eine große Kette in seiner Hand. 2 Und er ergriff den Drachen, die alte Schlange, welcher der Teufel und der Satan ist, und band ihn für
tausend Jahre 3 und warf ihn in den Abgrund, schloß diesen zu und versiegelte
ihn über ihm, damit er nicht weiterhin die Völker verführe, bis die tausend
Jahre vollendet sind. Danach muß er für kurze Zeit** (wieder) **freigelassen werden.**
**4 Und ich sah Throne, und denen, die sich darauf setzten, wurde ihr Recht ver-
schafft, und** (ich sah) **die Seelen derer, die um des Zeugnisses Jesu und um des
Wortes Gottes willen enthauptet worden waren und die nicht das Tier oder
sein Standbild angebetet hatten und nicht das Zeichen auf ihrer Stirn und ihrer
Hand empfangen hatten. Und sie gelangten zum Leben und herrschten mit
Christus tausend Jahre. 5 Die übrigen Toten gelangten nicht zum Leben, bis
die tausend Jahre vollendet sind. Dies ist die erste Auferstehung. 6 Selig und
heilig, wer an der ersten Auferstehung teil hat. Über diese hat der zweite Tod
keine Macht; vielmehr werden sie Priester Gottes und Christi sein und mit ihm
tausend Jahre herrschen.**
**7 Und wenn die tausend Jahre vollendet sind, wird der Satan aus seinem Ge-
fängnis befreit werden, 8 und er wird ausziehen, um die Völker in den vier Ek-
ken der Erde zu verführen, den Gog und den Magog, um sie zum Krieg zu sammeln; deren Zahl ist wie der Sand am Meer. 9 Und sie stiegen herauf auf die**

Ebene der Erde und umzingelten das Lager der Heiligen und die geliebte Stadt. Da fiel Feuer vom Himmel herab und verzehrte sie. 10 Und der Teufel, der sie verführt hatte, wurde in den Pfuhl von Feuer und Schwefel geworfen, wo auch das Tier und der falsche Prophet sind, und sie werden Tag und Nacht gepeinigt werden in alle Ewigkeit.

Soll die Erde ganz für Gott befreit werden, dann muß auch der Anreger und Initiator allen menschlichen Widerstandes gegen Gott ausgeschaltet werden, der Satan, den die Apk. im Bild des Drachen zeichnet. Der vorliegende Abschnitt bildet ein Gegenstück zu 12,7–12: War dort davon die Rede gewesen, daß dem Satan noch für begrenzte Zeit Macht auf der Erde gegeben ist, so wird hier nun von seiner endgültigen Entmachtung gehandelt. Überraschenderweise erfolgt diese in zwei Phasen: Die erste Szene (V. 1–3) berichtet von seiner Fesselung in der Unterwelt für den begrenzten Zeitraum von tausend Jahren; die dritte Szene (V. 7–10) läßt ihn erst nach einem neuerlichen Aufstandsversuch, den er mit Hilfe dämonischer Mächte unternimmt, endgültig vernichtet werden. Diese Aufteilung sollte offensichtlich Raum schaffen für die dazwischen stehende zweite Szene, die von der tausendjährigen Herrschaft des Christus mit den Seinen auf einer vom Satan befreiten Erde erzählt (V. 4–6).

Exkurs: Das tausendjährige Reich

Das tausendjährige Reich ist seit alters das wohl umstrittenste Thema der Apk. Dogmatisch versteht man darunter ein messianisches Zwischenreich auf Erden, das zwischen der Parusie und der allgemeinen Totenauferstehung sowie der Schaffung der neuen Welt Gottes liegt. Der Umstand, daß die Apk. diese Vorstellung vertritt, trug wesentlich Schuld daran, daß sie nur zögernd von der alten Kirche als Teil des biblischen Kanons anerkannt worden ist. Während ihr einige, vor allem westliche Kirchenväter in dieser Vorstellung folgten – so Papias von Hierapolis, Justin, Irenäus, Tertullian und Hippolyt, standen die Väter des Ostens – Clemens von Alexandrien und Origenes –, die stärker von der griechischen Philosophie beeinflußt waren, der Erwartung eines irdischen Zwischenreichs, dem sogenannten Chiliasmus (von griech. *chilioi* = tausend) ablehnend gegenüber. Durch den Einfluß Augustins wurde der Chiliasmus auch im Westen für lange Zeit zurückgedrängt: In seinem Buch vom Gottesstaat vertrat er nämlich eine kirchengeschichtliche Deutung von Apk. 20, die jahrhundertelang von großem Einfluß blieb: demnach umfasse das tausendjährige Reich die Zeit vom ersten Erscheinen Christi auf Erden bis zu seiner Wiederkunft, d. h. die Zeit der Kirche. Diese den Text gewaltsam enteschatologisierende Deutung war ungemein folgenreich; sie bildete den Nährboden für die Reichsideologie der mittelalterlichen Kaiser ebenso wie für den weltlichen Herrschaftsanspruch des Papsttums. Die Weltuntergangspanik, die um das Jahr 1 000 ganz Europa ergriff, geht ebenfalls auf sie zurück. Die Erwartung eines zukünftigen tausendjährigen Reiches kehrte in einigen radikalen kirchlichen Bewegungen des Hochmittelalters mit Macht wieder. Die Gedanken des Joachim von Fiore (1130–1202), der Apk. 20 wieder als Prophezeiung zukünftiger Ereignisse verstand, beeinflußten die radikalen Franziskaner ebenso wie die Hussiten und die Täuferbewegungen der Reformationszeit. Vor allem um sich von den letzteren abzugrenzen, verwarfen die reformatorischen Bekenntnisse (Confessio Augustana XVII; Confessio Helvetica posterior XI) den Chiliasmus schroff als Irrlehre. Dieses Verdikt konnte jedoch nicht verhindern, daß auch in den Kirchen der Reformation chiliastische Gedanken immer wieder vertreten wurden, vor allem in pietistischen Kreisen. Seit gut hundert Jahren spielt er in der europäischen Schultheologie keine Rolle mehr. Er lebt jedoch weiter in Kreisen bibelforschender Laien, in Sekten und zum Teil auch in den jüngeren Kirchen der dritten Welt.

Die theologische Ablehnung des Chiliasmus kann sich – so viel läßt sich heute mit Sicherheit sagen – darauf berufen, daß es sich bei dem messianischen Zwischenreich um keine allgemein-urchristliche Vorstellung handelt. Paulus weiß zwar davon, daß Christus nach seiner Parusie die widergöttlichen Mächte endgültig ausschaltet, so daß alles der Herrschaft Gottes zurückgegeben werden kann (1. Kor. 15,20–28), aber er weiß nichts von zwei Auferstehungen und einem dazwischen liegenden irdischen Friedensreich. Für ihn beginnt vielmehr mit dem zweiten Kommen Christi unmittelbar die ewige Gottesherrschaft, an der die auferstandenen Christen Anteil bekommen (1. Thess. 4,13–18).

Die Vorstellung vom Zwischenreich findet sich außerhalb der Apk. nur noch in zwei jüdischen Apokalypsen, dem 4. Esrabuch und der Baruchapokalypse. Beide sind nach der Katastrophe Jerusalems im ausgehenden 1. Jahrh. entstanden und somit der Apk. nahezu gleichzeitig. Nach 4. Esr. 7,26–33 wird der Messias vierhundert Jahre herrschen, dann wird er zusammen mit allen Menschen sterben, und das Schweigen der Urzeit wird wiederkehren. Darauf folgen die Auferstehung der Toten und das Erscheinen des Höchsten auf dem Richterthron zum allgemeinen Weltgericht. Nach syr. Bar. 29f. wird der Messias bei seinem Kommen die beiden dämonischen Urweltungeheuer Leviathan und Behemoth vernichten. Dann wird eine üppige Zeit anbrechen: die Weinstöcke werden 1 000 Ranken haben und eine Ranke 1 000 Trauben, und eine Traube 1 000 Beeren, und eine Beere wird 40 Liter Wein bringen (syr. Bar. 29,5f.), und Manna wird vom Himmel herabfallen, «und sie (die Menschen der Heilszeit) werden davon essen, weil sie das Ende der Zeiten erlebt haben» (29,8). Sodann wird der Messias in den Himmel zurückkehren, und es finden die Auferstehung der Gerechten und die Verwerfung der Gottlosen statt. In beiden Fällen hat die messianische Zeit ganz irdisch-diesseitsbezogenen Charakter. Ihr geht – anders als in der Apk. – keine «erste Auferstehung» voraus; Teilnehmer an ihr sind lediglich die beim Kommen des Messias noch lebenden Gerechten.

Es ist deutlich, daß es sich hier um eine Vorstellung handelt, die durch Verschmelzung zweier an sich unvereinbarer Auffassungen von der zukünftigen Vollendung zustandegekommen ist. Die ältere Davidsmessiastradition erwartet von der Zukunft eine Heilsvollendung auf der Erde. Der davidische Heilskönig der Endzeit wird die nationale Hoffnung Israels erfüllen, alle Feinde des Volkes vernichten, Gericht über die Völker halten und ein Reich des Friedens aufrichten, dessen Mittelpunkt Jerusalem sein wird. Die jüngere Hoffnung, die sich in der Apokalyptik ausbildete, erwartet von der Zukunft den Abbruch des gegenwärtigen Äons und den Anbruch des neuen Äons, wobei der Übergang zwischen beiden markiert wird durch das Kommen des messianischen Menschensohn-Weltrichters, der die Toten auferstehen läßt und sie vor das Gericht Gottes stellt. Nach der Katastrophe des Jahres 70 n. Chr. war die alte irdisch-nationale Hoffnung gedämpft, aber dennoch nicht ganz geschwunden. So suchte man sie in einen Ausgleich mit der universal-transzendenten Vorstellung der zwei Äonen zu bringen. Das Ergebnis war jene seltsame Anschauung von einem der neuen Weltzeit vorangehenden irdisch-nationalen Zwischenreich.

Was aber veranlaßte die Apk., die sich sonst von aller jüdisch-nationalen Hoffnung gelöst hat, zur Übernahme dieser Vorstellung? Man hat zur Erklärung darauf verwiesen, daß sie in den Kapiteln 20 und 21 Ez. 37–48 als Leitfaden benutzte: Ezechiel handelt zunächst von der Auferweckung Israels und Aufrichtung der Herrschaft des Davidsmessias über das endzeitlich erneuerte Volk (Ez. 37); sodann läßt er den letzten Ansturm eines riesigen Feindheeres und dessen Vernichtung folgen (Ez. 38,1–39,22), und am Ende steht die Vision vom neuen Tempel der Endzeit (Ez. 40–41). Ganz entsprechend folgen in der Apk. einander tausendjähriges Reich (20,1–6), Vernichtung des Satans und seiner Heere (20,7–10) und Erscheinung des neuen Jerusalem (21,1–22,5). So richtig das ist, so wenig ist damit letztlich erklärt. Johannes folgt Ezechiel nämlich keineswegs sklavisch, sondern nur so weit, wie er seinen eigenen Vorstellungen entgegenkommt. Dies zeigt nicht zuletzt die Einfügung von 20,11–15, die das Ezechiel-Schema durchbricht. Hätte der Gedanke des messianischen Zwischenreichs für Johannes keine Bedeutung gehabt, so hätte er ihn schwerlich aufgenommen.

Worin aber liegt diese Bedeutung? Die Antwort ergibt sich von seinem Gottes- und Weltverständnis her: Gott ist für Johannes der Schöpfer (4,11) und Allherrscher (1,8 u. ö.), dessen Geschichtsplan das Ziel hat, seine Macht und Herrschaft in allen Bereichen seiner Schöpfung sichtbar durchzusetzen. Gottes Herrschaft bedeutet darum die Unterstellung auch der vorfindlichen Welt mit ihrer Geschichte und Lebenswirklichkeit unter Gottes heilvolle Macht. Heil kann für Johannes niemals nur jenseitig und spirituell sein; es ist immer auch welthaft, ja politisch, weil Gott für ihn der Herr der Welt und der Geschichte ist. Das letzte Ziel Gottes ist auch für Johannes die Schaffung einer neuen Welt, aber ihm ist darüber hinaus gewiß, daß Gott diese alte Welt nicht völlig preisgibt, sondern sie zunächst auch voll unter seine Herrschaft heimholt und zugleich den ihm zugehörigen Menschen ihr Recht auf diese alte Welt zuteil werden läßt. Diese Betonung der Welthaftigkeit des Heils liegt im übrigen auch auf der Linie der Distanzierung der Apk. von allem gnostischen Enthusiasmus.

Johannes hat auf eine spekulative Entfaltung der Vorstellung des Zwischenreiches weitgehend verzichtet. So fehlt das Motiv des paradiesischen Überflusses völlig. Auch bleibt das Schicksal der der ersten Auferstehung teilhaftigen Menschen im Weltgericht völlig ungeklärt: Johannes scheint demnach nicht an einen Tod der Auserwählten am Ende des Zwischenreiches zu denken, sondern setzt voraus, daß die erste Auferstehung bereits die endgültige ist, so daß die Auserwählten unmittelbar in die zukünftige neue Welt Gottes eingehen. Ist das aber so, dann ist auch die Grenze zwischen jener und dem irdischen Messiasreich offen und fließend. Nicht im Sinn einer zeitlichen Spekulation darf schließlich auch die Zeitangabe «tausend Jahre» verstanden werden. Hier handelt es sich, wie bei den Zahlen der Apk. durchweg, um eine Symbolzahl. Ihr liegt die Vorstellung der Weltenwoche von 7 × 1 000 Jahren zugrunde. Der gegenwärtige Äon (6 × 1 000 Jahre) wird von dem siebten Tag, der eine tausendjährige Sabbathruhe darstellt, abgeschlossen (vgl. sl. Hen. 33,1ff.). Dahinter steht wohl eine Kombination von Gen. 1,31; 2,1–3 und Ps. 90,4 («tausend Jahre sind vor dir wie ein Tag»). Auch Barn. 15,4.8 vergleicht die Messiaszeit mit dem siebten Tag, dem Tag des Weltschweigens.

Die Aussage der Apk. über das Zwischenreich ist ein Bild, das als Ganzes nicht unmittelbar in kirchliche Lehre umsetzbar ist und dessen bizarre mythologische Einzelzüge Anlaß zu theologischer Sachkritik geben. Theologisch legitim verstanden ist es – unter Berücksichtigung dieser Grenzen – ein Hinweis auf einen wichtigen Aspekt neutestamentlicher Eschatologie, den die Christenheit zu ihrem und der Welt Schaden immer wieder verdrängt hat: Weil Gott der Schöpfer und der Herr der Geschichte ist, darum hat sein Heil auch mit dieser Welt und ihrer Geschichte zu tun. Gott schafft seine neue Welt nicht deshalb, weil er ohnmächtig wäre, sich und den Seinen in der alten Raum zu erkämpfen, sondern weil er noch Größeres will und verheißen hat. Die neue Schöpfung ist nicht Verneinung und Preisgabe der alten, sondern deren Überbietung.

Der Beginn der Vision **(V. 1)** will an 12,7–9 erinnern: Damals hatten Michael und seine Engel den Drachen vom Himmel auf die Erde gestürzt, nunmehr aber steigt ein Engel vom Himmel auf die Erde herab, um dort die Zeit seiner Herrschaft zu beenden. Das geschieht zunächst in der Weise, daß er den Drachen, an dessen Identität die feierliche Wiederholung seiner schon in 12,9 (s. dort) genannten Prädikate erinnert **(V. 2)**, in Fesseln legt und in die Unterwelt verschließt **(V. 3a)**. Damit ist ein uraltes mythisches Motiv aufgenommen. Die iranische Eschatologie erzählt von der Schlange Azhi Dahaka, die gefesselt wird, aber am Ende der Tage wieder frei kommt, um schließlich im letzten Kampf endgültig besiegt zu werden, und die jüdische Apokalyptik weiß ähnliches von der Fesselung und Einkerkerung dämonischer Mächte zu berichten (z. B. Jes. 24,21ff.; äth. Hen. 18,13–16; 21,6–10; Test. Lev. 18,12; syr. Bar. 40). Die Unterwelt ist hier nicht als Straf-, sondern als Verbannungsort gesehen. Sie ist, dem für die Apk. maßgeblichen dreistöckigen Weltbild entsprechend, der Bereich unterhalb der festen Erdscheibe, der sich durch seine Dunkelheit und unheimliche Beschaffenheit seit je als Aufenthaltsort dämonischer Mächte anbot (vgl. 9,1; 17,8). Die Erde selbst ist mit der Einkerkerung des Satans frei von seiner verführerischen, zum Aufruhr gegen Gott aufstachelnden Macht: Dies allein wird man aus **V. 3b** entnehmen dürfen, nicht jedoch, daß Johannes in der messianischen Zwischenzeit mit der Existenz von «Völkern», also von ungläubigen Menschen, auf der Erde rechne. Nach 19,21 ist vielmehr die gesamte nicht der Heilsgemeinde zugehörige Menschheit als bereits im

messianischen Endkampf umgekommen zu denken. Indem **V. 3c** ein nochma-
liges kurzes Freikommen des Drachen ankündigt, betont er zugleich, daß es
sich bei dem nun folgenden um ein zeitlich begrenztes Geschehen handelt.
Mit **V. 4** wechselt die Szenerie. Der Seher schaut «Throne», und er schaut Gestalten, die sich darauf setzen. Man hat dabei an Richterthrone gedacht, auf
denen ein himmlisches Tribunal – etwa die vierundzwanzig Ältesten oder die
zwölf Apostel (vgl. Mt. 19,28) – Platz nehmen, um Gericht zu halten. Die folgende Wendung könnte diese Auffassung stützen, wenn man sie, was sprachlich möglich ist, übersetzen würde mit «und ihnen wurde richterliche Vollmacht gegeben». Daß der Sinn ein anderer ist, ergibt sich aus der Beobachtung, daß hier Dan. 7,22 aufgenommen ist, wo davon die Rede ist, daß Gott
den zu ihm gehörigen Menschen ihr Recht verschaffte und «die Heiligen das
Königtum erhielten». Nicht anders als dort geht es auch hier darum, daß Gott
den ihm zugehörigen Menschen durch seinen Urteilsspruch ihr Recht verschafft. Er tut dies, indem er ihnen die Würde und Ehre wiedergibt, die ihnen
die gegen ihn aufrührerischen Mächte geraubt haben, und indem er sie in die
Herrschaft über die Erde einsetzt. Die Throne sind also Herrscherthrone; mit
anderen Worten: hier wird das als erfüllt geschaut, was in 3,21 den Überwindern verheißen worden war. Die Menschen, die sich in der endzeitlichen Auseinandersetzung bewährt und den feindseligen Mächten widerstanden haben,
übernehmen jetzt gemeinsam mit Christus die Herrschaft. Läßt sich der Kreis
derer, denen diese Verheißung gilt, noch genauer bestimmen? Zu ihm gehören die Märtyrer, deren Geschick den Apk.-Autor durchweg besonders beschäftigt hat (vgl. 6,9–11; 16,6; 18,24), aber nicht nur sie, sondern alle, die
dem Anspruch des Kaiserkults unter Gefahr für Leib und Leben Widerstand
entgegengesetzt haben. Da die Apk. aber grundsätzlich auf alle Christen die
Herausforderung durch den Kaiserkult und damit auch die Verfolgung zukommen sieht, hat sie hier ebenfalls die Gesamtheit der Heilsgemeinde, die
«dem Lamm nachgefolgt ist» und sich im Gehorsam bewährt hat, im Blick
(vgl. 14,4f.). Ihr rigoristischer Ansatz schließt für sie von vornherein die Möglichkeit aus, daß der Heilsgemeinde auch Menschen zugehören könnten, die
ihre Treue zu Jesus nicht im standhaften Festhalten des Zeugnisses von Jesus
(1,9) und im Überwinden (vgl. die Überwindersprüche der Sendschreiben) bewähren. Die Erwartung einer zukünftigen Teilhabe der Glaubenden an der
Herrschaft Jesu Christi begegnet bereits bei Paulus (1. Kor. 6,2); hier wird sie
speziell im Sinn eines Herrschens mit Christus über die Erde entfaltet. Bei diesem Herrschen kann es nicht um ein gewaltsames Niederhalten von feindlichen Menschen und Mächten gehen, da solche nicht mehr vorhanden sein werden, sondern ausschließlich um das Zur-Geltung-Bringen des heilvollen Willens Gottes für die Welt. Der Rehabilitierung der Treuen und ihrer Einsetzung
in die Herrschaft geht ihre Auferweckung voran. Diese ist, wie **V. 5** präzisiert,
die «erste Auferstehung». Sie wird damit unterschieden von dem in V. 12–15
geschilderten Geschehen, das die außerhalb der Heilsgemeinde stehenden Toten umfaßt, für das Johannes allerdings die Bezeichnung «zweite Auferstehung» vermeidet. Mit der Seligpreisung von **V. 6** – der fünften des Buches
(s. zu 1,3) – wendet sich der Autor direkt an die Leser: Sie sollen aus der Vision
unmittelbare Folgerungen für ihr Tun und Verhalten ziehen: Die Größe der

Verheißung lohnt den Einsatz, geht es dabei doch um nichts Geringeres als um die ganze, unzerstörbare Christusgemeinschaft. Erst für die der ersten Auferstehung Teilhaftigen ist Heiligkeit, d. h. Zugehörigkeit zum Heilsbereich Gottes, eine unangefochtene Realität. Das bedeutet: der zweite Tod, die ewige Vernichtung (vgl. 20,14) bedroht sie nicht mehr; sie werden für alle Zeit die Rechte von Priestern haben, die als solche unmittelbar dem Heilsbereich Gottes und Christi zugehören (vgl. 1,6; 5,10).

In der mit **V. 7** beginnenden dritten Szene fehlt die übliche Visionseinleitung, ähnlich wie in 12,1. Und wie in Kap. 12 bedient sich Johannes hier einer mythischen Bildersprache, die sich der Übertragung in die Kategorien logisch-kausalen Denkens letztlich widersetzt. Warum wird der Satan aus seinem Gefängnis herausgelassen? Wo sind noch Völker, die sich durch ihn verführen lassen, nachdem doch nur noch die Christustreuen auf der Erde herrschen? Und wie ist solche Verführung überhaupt möglich, wenn die Erde unmittelbar der Herrschaft Christi und der Seinen untersteht? Diese Fragen bleiben ohne Antwort. Man muß die Szene von ihrem zentralen Anliegen her verstehen: Sie soll zeigen, daß nun, nach Himmel und Erde, auch die Unterwelt von den Feinden Gottes gereinigt wird, so daß am Ende die gesamte Welt in allen ihren Bereichen vom Widerstand gegen Gott frei ist (vgl. 1. Kor. 15,25). **V. 8:** Wie es seinem Wesen entspricht, plant der befreite Satan alsbald wieder Krieg gegen Gott und die Seinen. Dafür benötigt er Bundesgenossen. Er sucht sich diese, da ihm die Könige der Erde nicht mehr zur Verfügung stehen (vgl. 19,19–21), unter den dämonischen Mächten. So versammelt er Gog und Magog, zwei riesige mythische Völker, als seine Hilfstruppen um sich. Im Hintergrund steht hier Ez. 38–39, wo vom mächtigen König Gog aus dem Lande Magog die Rede ist, der mit seinem Heer aus dem Norden gegen Israel heranzieht, um dort von Gott vernichtet zu werden. War damit wohl ursprünglich ein Ansturm des wilden Reitervolks der Skythen gemeint, so denkt Johannes an das Aufgebot einer dämonischen Macht (vgl. 16,12). Er folgt hier apokalyptischer Überlieferung, für die Gog und Magog zu zwei parallel einander zugeordneten geheimnisvollen Namen geworden waren (Sib. 3,319.512). **V. 9:** Von den Rändern der Erde führt der Satan die unübersehbar großen Heere Gogs und Magogs zum Kampf gegen das «Lager der Heiligen» und die als Erdmittelpunkt gedachte Stadt Gottes. Der Ausdruck «die geliebte Stadt» bezeichnet im Alten Testament Jerusalem (vgl. Ps. 78,68; 87,2). Doch Johannes denkt schwerlich an das reale Jerusalem, sondern er versteht auch hier wieder die Heilsgemeinde als Gemeinwesen *(polis)*, in dessen Existenz sich die ursprünglich Jerusalem geltenden Heilszusagen erfüllen und das zugleich Gegenbild zu der «großen Stadt» der Feinde Gottes ist (s. zu 3,12; 11,8; 14,20). Durch Gottes Eingreifen wird die Gefahr abgewendet: Feuer fällt vom Himmel und vernichtet die feindlichen Heere (vgl. Ez. 38,22; 39,6). Lediglich ihren Anführer, den Satan erwartet nach **V. 10** ein anderes Geschick. Gleich seinen Kreaturen, dem Tier und dem falschen Propheten (vgl. 19,20), wird er in den – an einem unzugänglichen Ort außerhalb der Welt gedachten – Feuerpfuhl geworfen. Die Macht des Bösen ist damit endgültig beseitigt.

20,11–15   3. Weltende und allgemeines Gericht

11 Und ich sah einen großen weißen Thron und den, der darauf saß. Vor seinem Angesicht flohen die Erde und der Himmel, und keine Stätte wurde (mehr) für sie gefunden. 12 Und ich sah die Toten, die Großen und die Kleinen, vor dem Thron stehen, und Bücher wurden aufgeschlagen, und ein anderes Buch wurde aufgeschlagen, welches das (Buch) des Lebens ist, und die Toten wurden gerichtet gemäß dem, was in den Büchern geschrieben stand, (und das heißt): nach ihren Werken. 13 Und das Meer gab die Toten heraus, die in ihm waren; und der Tod und der Hades gaben die Toten heraus, die bei ihnen waren, und sie wurden gerichtet nach ihren Werken. 14 Und der Tod und der Hades wurden in den Pfuhl von Feuer geworfen. Dies ist der zweite Tod, der Pfuhl von Feuer. 15 Und wenn einer nicht im Buch des Lebens eingeschrieben gefunden wurde, so wurde er in den Pfuhl von Feuer geworfen.

Mehrfach hatte Johannes seine Leser bereits unmittelbar an die Schwelle des die Geschichte abschließenden Gerichts herangeführt (6,12–17; 8,1; 11,19) und ihnen teilweise Ausblicke darauf eröffnet (14,14–20). Vielleicht hängt es damit zusammen, daß die Schilderung, die er nun im Rahmen des Ablaufs der Endereignisse davon gibt, so auffallend knapp und karg ausgefallen ist. Diese beschränkt sich streng genommen nur auf einen einzigen Aspekt: das Gericht über die Toten. Daß nicht nur die Geschichte in ihrer Gesamtheit auf ein letztes, entscheidendes Handeln Gottes zuläuft, sondern daß auch jeder einzelne Mensch einer Stunde entgegengeht, in der er sein Leben dem abschließenden Urteil Gottes unterstellen muß, ist die zentrale Botschaft dieses Abschnitts. Die erzählerischen Einzelheiten, mittels derer diese Botschaft zum Ausdruck gebracht wird, sind als bloße Bilder zu werten, die je auf bestimmte Sachverhalte hinweisen wollen. Jeder Versuch, sie als Beschreibungen eines realen Geschehensablaufs spekulativ auszudeuten, ist von vornherein zum Scheitern bestimmt, weil er sich in unlösbare Widersprüche verstricken muß.

V. 11: Der Seher schaut diesmal nicht nur den himmlischen Thron (4,2), sondern auch der auf ihm Sitzende, Gott selbst, wird für ihn sichtbar. Wenn das Ende kommt, tritt Gott aus der unzugänglichen Verborgenheit, in der er sich für Welt und Menschen befand, hervor. In leuchtendem Weiß erstrahlt der Thron, zum Zeichen der Heiligkeit und Reinheit Gottes (vgl. 2,17; 3,4f.18; 4,4; 7,9; 19,11.14). Vor dem Angesicht des heiligen Gottes aber müssen Himmel und Erde vergehen. Wie das Schöpferwort die Welt hatte aus dem Nichts hervorgehen lassen, so läßt sie die Begegnung mit dem Richter ins Nichts zurücksinken – nirgends mehr ist ein Raum für sie vorhanden (vgl. Jes. 51,6; Mk. 13,31). **V. 12:** Es entspricht der zentralen Ausrichtung allen Geschehens auf Gott in der Apk., wenn sie Gott auch als Weltrichter in Erscheinung treten läßt. Daß Christus am Gericht beteiligt ist, ist für sie dabei nach allem Bisherigen (vgl. 14,14–16; 19,11–13) eine Selbstverständlichkeit. Zwar war es die Grundüberzeugung des Urchristentums, daß Jesus Christus das Amt des Weltrichters habe (2. Kor. 5,10; Mt. 25,31ff.; Apg. 10,42; 17,31; vgl. den Exkurs

S. 187), doch finden sich daneben – etwa bei Paulus (Röm. 14,10) – auch Aussagen, die von einem Vollzug des Gerichts durch Gott handeln (vgl. Mt. 6,4; 18,35). Vor dem Thron Gottes stehen die Toten, um ihr Urteil zu empfangen. Johannes vermeidet es offensichtlich, von einer allgemeinen Totenauferstehung zum Gericht zu sprechen. Der Begriff «zweite Auferstehung», den man in Parallele zu der «ersten Auferstehung» von V. 5 hier erwarten möchte, bleibt ausgespart. Lebendig gemacht im Sinne einer Gewährung neuer Leiblichkeit werden nur die, denen die Auferstehung zum Heil zuteil wird (vgl. 20,4). Anscheinend denkt Johannes die vor Gott stehenden Toten nur als leiblose Seelen (vgl. 6,9; 20,4). Zwei verschiedene Bücher werden – anscheinend durch Engel – aufgeschlagen, um als Grundlagen für das Urteil zu dienen: In dem einen stehen die Taten und die Verfehlungen der Menschen verzeichnet (vgl. 4. Esr. 6,20; Dan. 7,10; syr. Bar. 24,1). Das andere, davon zu unterscheidende, ist das Buch des Lebens; in ihm stehen die Namen derer geschrieben, die Gott zum Heil erwählt hat (vgl. 3,5; 13,8; 17,8; 20,15; 21,27; Phil. 4,3; Lk. 10,20; Hebr. 12,23). Das Gericht erfolgt zwar nach den Werken; das gesamte Leben der Menschen mit allen seinen Taten wird nun im Licht Gottes aufgedeckt. Aber nicht etwa das Ergebnis der Aufrechnung der negativen gegen die positive Bilanz gibt den Ausschlag, sondern Gottes freie Entscheidung. Die Werke eines Menschen, seine Treue zu Jesus, seine Standhaftigkeit im Bezeugen und Bekennen (vgl. 14,13; 19,8) – dies alles ist nicht sein Verdienst, sondern Folge göttlicher Erwählung. Es wäre müßig, wissen zu wollen, wo der Thron Gottes steht, nachdem der Himmel nicht mehr ist. Ebensowenig darf man auch angesichts der Erwähnung des Meeres in **V. 13** fragen, wo Johannes es nach dem Untergang der Erde lokalisiert. Das Meer wird hier vielmehr als eine personifizierte dämonische Macht dargestellt: Die Toten, die von ihr festgehalten werden, sind dem Umkreis des Lebens besonders fern, denn von ihnen gibt es nicht einmal sichtbare Gräber. Der antike Mensch, für den die Bestattung große Bedeutung hatte, gedachte darum mit besonderem Grauen der im Meer Umgekommenen (vgl. äth. Hen. 61,5). Wenn Gott Gericht hält, dann vermag aber nicht einmal das Meer ihm die Menschen vorzuenthalten, auf die er als der Herr und Schöpfer Anspruch hat. Ebenso müssen Tod und Hades die in ihrem Gewahrsam befindlichen Toten freigeben. In Anlehnung an die hellenistische Vorstellung vom Unterweltsgott Hades wird hier die Totenwelt personifiziert (vgl. 6,8). Tod und Hades sind die beiden letzten Verderbensmächte, die vor dem Anbruch der neuen Welt Gottes ausgeschaltet werden (vgl. 1. Kor. 15,26.54f.). Davon, wie das geschieht, handelt **V. 14** in einem ungemein kühnen Bild: Er läßt Tod und Hades in den Feuersee werfen; die Todesmächte selbst werden also getötet. Gott verfährt mit ihnen wie mit dem Satan selbst und dessen übrigen Gehilfen (vgl. V. 10; 19,20). Es geht hier nicht um Bestrafung, sondern, wie Johannes in einem erklärenden Nachsatz vermerkt, um ewige Vernichtung: Der Feuersee ist der «zweite», d. h. ewige und endgültige Tod. **V. 15** lenkt noch einmal zurück auf den zentralen Inhalt des Abschnitts, um ihn den Lesern warnend und mahnend einzuprägen: Eben solchen ewigen Tod werden auch alle die erleiden, die nicht zu den Erwählten Gottes gehören. Nicht darum geht es, theoretisch darüber zu spekulieren, wie groß der Teil der Menschheit ist, den Gott für das

Heil erwählt hat, sondern darum, die Zusage der Erwählung, derer man in Christus gewiß sein darf (vgl. 1,5), im praktischen Lebensvollzug zu bewähren und das Heil nicht leichtfertig durch Ungehorsam aufs Spiel zu setzen.

21,1–22,5   4. Die neue Welt Gottes

Mit der Erschaffung einer neuen Welt erreicht das Handeln Gottes sein Ziel. Ihr ist die letzte Visionengruppe der Apk. gewidmet. So knapp und aussparend das Gericht abgehandelt worden war, so breit, ja fast ausufernd wird die Darstellung jetzt. Hier liegt ohne Zweifel der Zielpunkt des Buches, an dem alle Linien zusammenlaufen.

Johannes greift in diesen Schlußvisionen auf eine Fülle von alttestamentlichen und jüdisch-apokalyptischen Motiven und Traditionen zurück: der neue Himmel und die neue Erde, das vom Himmel auf die Erde herabkommende Jerusalem der Endzeit, der neue Tempel, Lebensstrom und Lebensbaum – um nur die wichtigsten zu nennen. Aber der erste Eindruck eines ungegliederten Nebeneinanders von zum Teil widersprüchlichen Einzelheiten trügt, und erst recht scheinen die häufig unternommenen Versuche, in diesem Abschnitt verschiedene schriftliche Quellen zu unterscheiden, unbegründet. Es zeigt sich nämlich, daß Johannes das vielfältige Material durch Anordnung und Gliederung ganz seinem zentralen theologischen Anliegen dienstbar gemacht hat, zu zeigen, daß im Mittelpunkt der neuen Welt Gottes die vollendete Heilsgemeinde steht, die ganz aus der unmittelbaren und unverstellbaren Gegenwart Gottes und Jesu Christi lebt. Als sinnvoll und gezielt erweist sich vor allem die Aufteilung in zwei Visionen: Die erste (21,1–8) gibt zunächst einen allgemeinen Überblick über das Geschehen der Neuschöpfung, während die zweite (21,9–22,5) daraus gleichsam in Großaufnahme den entscheidenden Aspekt herausgreift: die vollendete Heilsgemeinde als das neue Jerusalem.

21,1–8   a. Gottes neues Schöpfungshandeln

1 Und ich sah einen neuen Himmel und eine neue Erde. Denn der erste Himmel und die erste Erde sind vergangen, und das Meer ist nicht mehr. 2 Und die heilige Stadt, das neue Jerusalem, sah ich aus dem Himmel von Gott her herabkommen, bereitet wie eine Braut, die für ihren Mann geschmückt ist.
3 Und ich hörte eine laute Stimme vom Thron her sprechen:
　　Siehe, die Wohnung Gottes unter den Menschen!
　　Und er wird unter ihnen wohnen,
　　und sie werden seine Völker sein,
　　und er, Gott, wird bei ihnen sein.
4 Und abwischen wird er alle Tränen von ihren Augen,
　　und der Tod wird nicht mehr sein,
　　weder Leid, noch Geschrei, noch Mühsal wird mehr sein,
　　denn das Erste ist vergangen.
5 Und der auf dem Throne saß, sprach: Siehe, ich mache alles neu! Und er

spricht: Schreib! Denn diese Worte sind zuverlässig und wahrhaftig. 6 Und er sprach zu mir: Sie sind geschehen. Ich bin das Alpha und das Omega, der Anfang und das Ende. Ich werde dem Dürstenden umsonst (zu trinken) geben von der Quelle des Lebenswassers. 7 Wer überwindet, der wird dies erben, und ich werde ihm Gott sein, und er wird mir Sohn sein. 8 Aber den Feigen und Treulosen und mit Greuel Befleckten und Mördern und Hurern und Zauberern und Götzendienern und allen Lügnern wird ihr Los beschieden sein in dem Pfuhl, der mit Feuer und Schwefel brennt; das ist der zweite Tod.

Einer kurzen Doppelvision (V. 1f.) folgen zwei Auditionen: Zunächst spricht ein Engel (V. 3f.), dann nimmt Gott selbst das Wort (V. 5–8). Beide Auditionen beziehen sich auf die Doppelvision zurück. Während die Gottesrede deren ersten Teil – die Erschaffung der neuen Welt Gottes – deutet, gibt die Engelsbotschaft eine gezielte Interpretation des zweiten Teils – der Erscheinung des himmlischen Jerusalem – und bereitet damit 21,9–22,5 vor.

V. 1: Von einem totalen Neuanfang ist die Rede. Der alte Kosmos ist für immer verschwunden. An seiner Stelle erschafft Gott nun einen neuen. Damit erfüllt sich die prophetische Verheißung von Jes. 65,17: «Denn siehe, ich will einen neuen Himmel und eine neue Erde schaffen, daß man der vorigen nicht mehr gedenken wird» (vgl. Jes. 66,22; 4. Esr. 7,29ff.). Ausdrücklich wird hervorgehoben, daß auch das Meer nicht mehr ist: Es war der unheimliche Grenzbereich zur Unterwelt, der dämonischen, die Erde bedrohenden Mächten Unterschlupf bot (vgl. 13,1; Sib. 8,236f.). Die neue Welt wird dem Bösen keinen Raum mehr geben – sie wird ganz und gar Welt Gottes sein. Der Schöpfungsakt selbst bleibt dem Auge des Sehers verborgen; was er schauen darf, ist lediglich dessen Ergebnis. Ganz unvermittelt steht neben dem ersten Visionsteil der zweite **(V. 2)**: Der Seher schaut vom Himmel «die Stadt Gottes, das neue Jerusalem» auf die neue Erde herabkommen. Von einer grundlegenden Erneuerung Jerusalems in der Heilszeit als irdische Wohnstätte Gottes und Mitte des Erdkreises wußte schon prophetischer Glaube (Jes. 54,11–17; 60,1; Ez. 40–48). Die Apokalyptik entwickelte darüber hinaus jene Vorstellung, der auch Johannes folgt, wonach das neue Jerusalem im Himmel präexistent sei, um von dort in der Endzeit auf die Erde zu kommen (4. Esr. 7,26; 8,52; 10,27.54; 13,36; syr. Bar. 4,2–6). Es wäre falsche Konsequenzmacherei, zu fragen, wieso nun das neue Jerusalem «vom Himmel» kommen könne, nachdem doch der Himmel, in dem es bislang aufbewahrt war, nach V. 1 nicht mehr ist; mit dem Himmel ist, wie die ergänzende Erklärung «von Gott her» zeigt, nicht ein Teil des Kosmos, sondern der Bereich Gottes gemeint. Nur hier und in 3,12 erscheint in der Apk. das Wort «Jerusalem»; an beiden Stellen aber meint es die endzeitliche Gottesstadt. Dem irdischen Jerusalem bleibt der Name konsequent vorenthalten: Es hat aufgehört, Gottes Stadt zu sein und hat statt dessen das Wesen der großen gottfeindlichen Stadt angenommen (vgl. 11,8).

Hinter das Bild des neuen Jerusalem schiebt sich nun ein weiteres, das erste erhellend und deutend: das der Braut, die sich schmückt für den Bräutigam, der kommt, um sie zur Hochzeit heimzuholen (vgl. 19,7.9). Es geht hier also letztlich nicht um ein Stück endzeitlicher Topographie, sondern um das In-Erscheinung-Treten der vollendeten Heilsgemeinde; sie ist zugleich Gottes Stadt und die Braut des Lammes. Die Verschmelzung beider Bilder lag nahe, da bereits im Alten Testament Zion/Jerusalem häufig als Frau dargestellt wurde (Jes. 1,8; Jer. 4,31; 4. Esr. 9,38ff.; s. zu 12,1). Es ist wahrscheinlich, daß Johannes hier eine ältere Tradition aufnimmt, die in Gal. 4,21–31 und Hebr. 11,10; 12,22 belegt ist. Nach ihr gehören die Christen nicht mehr dem alten, irdischen Jerusalem zu, das der Ort des Gesetzes und der Feindschaft gegen Jesus ist, sondern sie haben aufgrund der Verheißung ihre Heimat in dem himmlischen, neuen Jerusalem, das Raum der in Christus geschenkten Freiheit ist. Wie Johannes das Doppelbild vom endzeitlichen Jerusalem als Stadt Gottes und als Braut des Lammes hier verstanden wissen möchte, ergibt sich aus dem Gegenüber zu dem anderen Doppelbild von der großen Stadt Babylon und der den Erdkreis verführenden großen Hure (17,1–6): An die Stelle jener Stadt und jener Gesellschaft, die das Recht Gottes des Schöpfers auf seine Welt bestritt und die unbegrenzte Macht der Menschen mit ihren Götzen religiös verherrlichte, tritt in der Endzeit die Heilsgemeinde als die Gemeinschaft derer, die ganz mit Gott und aus ihm leben. Sie ist die Mitte der neuen Welt Gottes.

Eine himmlische Stimme, die vom Thron Gottes, also aus der unmittelbaren Nähe Gottes, kommt (vgl. 16,17; 19,5), nennt in **V. 3** das entscheidende Wesensmerkmal der endzeitlichen Gottesstadt: Gottes direkte und unverstellbare Gegenwart unter den Menschen. Gott wird dann nicht mehr als der Heilige in unnahbarer Distanz von den Menschen thronen, sondern er wird ihnen ganz nahe sein, so daß sie unmittelbaren Zugang zu ihm haben. Die alttestamentliche Verheißung enger, durch nichts mehr gestörter Gemeinschaft zwischen Mensch und Gott (Ez. 37,27; Sach. 2,14) wird in Erfüllung gehen. Und zwar wird die ursprüngliche Eingrenzung dieser Verheißung auf Israel als das eine Volk Gottes nun aufgesprengt: Alle Völker werden durch diese unmittelbare Gemeinschaft mit Gott zu der neuen Menschheit vereinigt. Wo aber Gott gegenwärtig ist und keine Entfremdung zwischen ihm und den Menschen mehr herrscht, da ist, wie **V. 4** in fast wörtlicher Wiederholung von 7,17b (s. dort) ausführt, kein Raum mehr für all das, was gegenwärtig noch, als Folge der gestörten Gemeinschaft mit Gott, menschliches Leben beschädigt und bedroht: Tod, Leid und Schmerz werden dann verschwunden sein. In einer absteigenden Reihe wird der Tod als verursachende Macht zuerst genannt (vgl. 20,14), es folgt das von ihm Verursachte. Bedenkenswert ist übrigens, daß die heilvolle Auswirkung der Gemeinschaft Gottes mit den Menschen hier nur negativ umschrieben wird. Man kann zwar sagen, daß die in der gegenwärtigen Welt erfahrenen lebensmindernden Faktoren nicht mehr vorhanden sein werden, aber man kann die Neuschöpfung nicht positiv beschreiben, weil das, was sie bringt, nicht eine Verbesserung und Steigerung des in der gegenwärtigen Welt Erfahrenen sein wird, sondern eben das Neue schlechthin. Wenn Gott einen neuen Anfang setzt, dann wird «das Erste», nämlich die alte Welt, die durch die Auflehnung der Geschöpfe gegen ihren Schöpfer zu einem Bereich des Unheils geworden war, endgültig dahin sein (vgl. Jes. 43,18; 65,15; 2. Kor. 5,17).

In einer letzten Steigerung führt **V. 5** noch über das Bisherige hinaus. Denn Gott spricht hier, zum zweiten und letzten Mal in der Apk., selbst (vgl. 1,8). In einer feierlichen Willenserklärung bestätigt er die prophetische Verheißung von Jes. 43,19: Er wird alles neu machen. Was Paulus in 2. Kor. 5,17 in ähnlichen Worten im Blick auf die Vollendung des einzelnen Glaubenden ausgesagt hatte, nämlich, daß er «neue Schöpfung» sein werde, das wird hier universal als Ziel der Wege und des Handelns Gottes proklamiert. Auch darin liegt eine Steigerung, daß nunmehr Gott selbst – und nicht mehr, wie in 19,9, der Engel – dem Seher einen Schreibbefehl erteilt, der wie dort begründet wird mit der Zusicherung der absoluten Zuverlässigkeit und Wahrhaftigkeit der gehörten Worte. Der Streit darüber, worauf sich dieser Schreibbefehl bezieht – nur auf die Ankündigung der neuen Schöpfung oder auf alle bisher empfangenen Visionen – ist gegenstandslos, sobald man erkennt, daß die Ankündigung der neuen Schöpfung das Ziel ist, auf das der durch Christus vollstreckte Geschichtsplan Gottes hinauslief. Mit einem gewissen Recht könnte man V. 5a den zentralen Schlüsselsatz des ganzen Buches nennen: Die Akte der Selbstdurchsetzung Gottes gegenüber der alten Welt und ihrer Geschichte, von denen die vorangegangenen Visionen kündeten, dienen letztlich nur dazu, den letzten Erweis der Schöpfermacht und Geschichtshoheit Gottes vorzubereiten, nämlich die Schaffung einer neuen Welt, die ihm ganz gemäß ist, in der nur sein heilvoller Wille gilt. **V. 6:** Die Worte, mit denen Gott die neue Schöpfung zusagt, sind insofern «geschehen», als sie eine Willenskundgabe Gottes enthalten, für die Gott sich selbst verbürgt (vgl. 16,17). Weil er Schöpfer und Herr der Geschichte ist, darum wird er sein Werk nicht unvollendet lassen: Dieser Gedanke wird hier mit der bereits zu Beginn des Buches eingeführten Formel (vgl. 1,8) zum Ausdruck gebracht, die Gott als Anfang und Ende aller Dinge und allen Geschehens umschreibt. Die folgende Zusage Gottes, daß er selbst in der neuen Schöpfung allen Durst mit Lebenswasser umsonst stillen werde, ist in engem Anschluß an Jes. 55,1 formuliert. Wir haben es hier mit einem elementaren Bild für die Gewährung von Heil zu tun (vgl. 7,17; Joh. 4,10–14; 7,37f.): Das, wonach die Glieder der Kirche jetzt in ihrer Verfolgungsnot und in ihrem Leiden dürsten (vgl. Mt. 5,6), nämlich die rettende Gegenwart Gottes und die Gemeinschaft mit ihm, wird ihnen dereinst zuteil werden, und zwar – hierauf liegt die Betonung – «umsonst». So groß die Bedeutung auch ist, die die Apk. den Werken der Christen zumißt (vgl. 14,13; 19,8; 20,12) – sie hält doch fest, daß das Heil nicht durch Werke verdient wird, sondern allein aus dem Werk Christi kommt, in dem sich Gottes schenkende Liebe erweist (vgl. 1,5; 5,10; Röm. 3,24). Der Überwinderspruch in **V. 7** verweist auf die Überwindersprüche der Sendschreiben zurück, indem er deren Botschaft abschließend zusammenfaßt (s. zu 2,7): Die «Überwinder», jene Menschen also, die das ihnen anvertraute Zeugnis Jesu in Leiden und Bedrängnis treu festhalten (vgl. 1,9; 7,14; 14,4), werden alle Verheißungen Gottes, die in der Zusage der Teilhabe an der neuen Welt gipfeln, als ihr Erbteil empfangen (vgl. 1. Kor. 15,50; 1. Petr. 1,3–5). Und zwar geht es in diesen Verheißungen im letzten nicht um den Empfang bestimmter Gaben, die Gott gibt, sondern um das Verhältnis zu Gott selbst, dem Geber aller Gaben. Die Überwinder sollen zu Söhnen Gottes werden. Damit wird der Inhalt der ursprünglich nur dem messianischen König geltenden Natansweissagung (2. Sam. 7,14) gleichsam demokratisiert: Nicht nur Jesus, der Gesalbte Gottes, ist «Sohn» (vgl. Hebr. 1,5), sondern durch ihn und mit ihm auch alle Glieder der vollendeten Heilsgemeinde (vgl. 2. Kor. 6,18). Als Söhne Gottes aber werden sie unmittelbar sein zu Gott und an seiner endzeitlichen Herrschaft unumschränkt Anteil haben. Was das bedeutet, wird 22,3–5 des näheren entfalten. **V. 8** ist ein indirekter Appell an die Leser: Gerade angesichts der überwältigenden Größe der Verheißung ist die Gefahr, ihrer durch Ungehorsam und Laxheit verlustig zu gehen, besonders groß. Formal handelt es sich hier um einen Lasterkatalog, d. h. um eine Aufzählung jener Verhaltensweisen und Eigenschaften, durch die sich der Mensch selbst vom Erbe des Heils ausschließt (vgl. Röm. 1,29–32; 1. Kor. 6,9–11; Gal. 5,19–21). Der Sitz im Leben solcher Kataloge war die Taufunterweisung. Wahrscheinlich hat Johannes den hier vorliegenden Katalog aus der Tradition übernommen. Er hat ihn jedoch durch Erweiterungen und Veränderungen seiner spezifischen Aussageabsicht angepaßt. Auffällig ist nämlich, daß der Katalog nicht mit den traditionellen großen Lastern des Heidentums einsetzt, sondern zunächst Feigheit und Treulosigkeit nennt. Damit wird auf das Verhalten jener Christen abgezielt, die in Verfolgung und Drangsal schwach werden und den Gehorsam gegenüber ihrem Herrn aufkündigen. Daß zwischen ihnen und jenen Menschen, die offen heidnischen Kult und heidnische Laster praktizieren, nicht unterschieden wird, gibt dem Katalog seine provozierende Härte und ist ein weiterer Erweis des ethischen Rigorismus der Apk. (s. zu 14,4f.). Im Gegenzug gegen das Pochen der Adressaten auf ihren unverlierbaren Heilsbesitz macht Johannes auch hier wieder deutlich: Gerade angesichts der Größe der empfangenen Zusage ist die Bedrohung durch Ungehorsam und mangelnde Treue zu Jesus umso ernster. Wer ihr erliegt, gehört nicht zu denen, die im Buch des Lebens stehen (s. zu 20,12), und ist damit im Urteil Gottes grundsätzlich den Feinden Gottes gleich.

21,9–22,5   b. Die vollendete Heilsgemeinde

9 Und es kam einer von den sieben Engeln, die die sieben Schalen hatten, die voll sind mit den sieben letzten Plagen, und er sprach zu mir und sagte: Auf! Ich will dir die Braut zeigen, die Frau des Lammes. 10 Und er entrückte mich im Geist auf einen großen und hohen Berg, und er zeigte mir die heilige Stadt Jerusalem, die herabkommt vom Himmel, von Gott, 11 die die Herrlichkeit Gottes hat. Ihr Lichtglanz ist gleich dem kostbarsten Edelstein, wie ein kristallklarer Jaspis. 12 Sie hat eine große und hohe Mauer (und) **sie hat zwölf Tore, und auf den Toren zwölf Engel, und Namen sind darauf geschrieben, nämlich die der zwölf Stämme der Söhne Israels. 13 Von Osten drei Tore, und von Norden drei Tore, und von Süden drei Tore, und von Westen drei Tore. 14 Und die Mauer der Stadt hat zwölf Grundsteine, und auf ihnen** (stehen) **die zwölf Namen der zwölf Apostel des Lammes.**
15 Und der zu mir sprach, hatte einen Meßstab, ein goldenes Rohr, um die Stadt, ihre Tore und ihre Mauer zu vermessen. 16 Und die Stadt ist viereckig

erbaut, und ihre Länge ist so groß wie ihre Breite. Und er vermaß die Stadt mit dem Rohr auf zwölftausend Stadien; ihre Länge, Breite und Höhe ist gleich. 17 Und er vermaß ihre Mauer auf einhundertvierundvierzig Ellen nach Menschenmaß, das das Maß des Engels ist. 18 Und ihre Umfassungsmauer ist aus Jaspis, und die Stadt ist aus reinem Gold, wie aus reinem Glas. 19 Die Grundsteine der Stadtmauer sind mit allen Arten von Edelsteinen geschmückt:

der erste Grundstein ist ein Jaspis,

der zweite ein Saphir,

der dritte ein Chalzedon,

der vierte ein Smaragd,

20 der fünfte ein Sardonyx,

der sechste ein Sardion,

der siebte ein Chrysolith,

der achte ein Beryll,

der neunte ein Topas,

der zehnte ein Chrysopras,

der elfte ein Hyazinth,

der zwölfte ein Amethyst.

21 Und die zwölf Tore sind zwölf Perlen. Jedes Tor bestand aus einer einzigen Perle. Und die Straße der Stadt war reines Gold, durchsichtig wie Glas.
22 Und einen Tempel sah ich nicht in ihr; denn der Herr, Gott, der Allherrscher, ist ihr Tempel und das Lamm. 23 Und die Stadt braucht weder Sonne noch Mond, daß sie ihr leuchten, denn die Herrlichkeit Gottes erleuchtet sie, und ihre Leuchte ist das Lamm. 24 Und die Völker werden in ihrem Licht wandeln, und die Könige der Erde bringen ihre Pracht in sie hinein. 25 Und ihre Tore werden den ganzen Tag nicht geschlossen werden, denn Nacht wird dort nicht sein, 26 und man wird die Pracht und die Schätze der Völker in sie hineinbringen. 27 Aber nichts Unreines wird in sie hineingehen, auch keiner, der Greuel tut und Lüge, sondern nur diejenigen, die im Lebensbuch des Lammes geschrieben stehen.
22,1 Und er zeigte mir einen Strom von Lebenswasser, klar wie Kristall, der ausgeht vom Thron Gottes und des Lammes. 2 In der Mitte zwischen ihrer Straße und dem Strom hüben und drüben stand Holz des Lebens, das zwölf Früchte trägt, indem es jeden Monat seine Frucht bringt, und die Blätter des Holzes dienen zur Heilung der Völker. 3 Und nichts Verfluchtes wird es mehr geben. Und der Thron Gottes und des Lammes wird in ihr (= der Stadt) sein, und seine Knechte werden ihm dienen, 4 und sie werden sein Angesicht schauen, und sein Name ist auf ihre Stirn geschrieben. 5 Und es wird keine Nacht mehr geben, und sie brauchen weder das Licht einer Leuchte noch das Licht der Sonne, denn der Herr, Gott, wird über ihnen leuchten, und sie werden herrschen in alle Ewigkeit.

Die letzte Vision der Apk. bringt der Sache nach gegenüber 21,1–8 nichts Neues. Sie soll vielmehr dazu dienen, das dort Gesagte an dem für Johannes zentralen Punkt zu verdeutlichen und zu vertiefen, indem sie zeigt: Die Verheißung des alles erneuernden endzeitlichen Schöpfungshandelns Gottes ist in ihrem Zentrum Verheißung der Vollendung der Heilsgemeinde. Und zwar ist das, was die vollendete Heilsgemeinde kennzeichnet, die volle, leibhafte Gemeinschaft der Christen mit Gott und Jesus, von der aus sich alle Lebensbezüge neu gestalten. Trotz der verwirrenden Vielfalt anschaulicher Details geht es hier letztlich nicht um Kosmologie, d. h. um Aussagen über Gestalt und Wesen der neuen Schöpfung, sondern um Ekklesiologie, d. h. um das Bild der der Kirche verheißenen Zukunft. Wobei diese Zukunft keineswegs von der Gegenwart radikal geschieden ist: Sie bringt vielmehr nur die leibhafte Vollendung dessen, was jetzt schon, wenn auch noch unter Leiden und Drangsal verborgen, das Wesen der Kirche auf Erden bestimmt.

Die Vision hat ihr literarisches Vorbild in der Vision Ezechiels von der Erneuerung des Tempels und seines Kults (Ez. 40–48). Ezechiel wird darin auf einen hohen Berg geführt, von dem aus ihm ein Engel den neuen Tempel zeigt, wie er nach Gottes Willen in der Endzeit erbaut werden soll. Vor seinen Augen vermißt der Engel den Tempel, um ihm so eine detaillierte Baubeschreibung an die Hand zu geben, die der Prophet dem Hause Israel übermitteln soll (Ez. 40,4f.). Johannes hat neben der Ausgangssituation (Ez. 40,2) viele Details von Ezechiel übernommen, so das Vermessen durch den Engel und die Schilderung der Tempelquelle als Paradiesesstrom (47,1–12). Er hat jedoch den Duktus des Ganzen entscheidend verändert. Denn während bei Ezechiel der Tempel der eigentliche Gegenstand der Vision ist und die Stadt Jerusalem nur als ein diesem zugeordneter Annex erscheint, handelt die Vision des Johannes ausschließlich vom endzeitlichen Jerusalem. Aussagen, die bei Ezechiel eindeutig dem Tempel gelten, werden nunmehr auf die Stadt übertragen (z. B. 21,11 = Ez. 43,2; 21,15 = Ez. 40,3–5; 21,16 = Ez. 40,3.5; 21,16 = Ez. 43,16; 22,1 = Ez. 47,12); das dem Ezechielbuch vermutlich erst redaktionell angefügte Nachtragsstück Ez. 40,30–35, das von den Toren der heiligen Stadt handelt, wird in die Vision integriert (21,12f.), vor allem aber wird ergänzend auf Aussagen jenes alttestamentlichen Traditionskreises zurückgegriffen, der die Erneuerung Jerusalems in das Zentrum der Endzeiterwartung stellt (Jes. 54,11–17; 60,1–22; 62,1–12; Tob. 13,16; 14,5; 4. Esr. 8,52; 10,27.44.55; syr. Bar. 4,3–6). Hinter diesem Verfahren steht eine klare theologische Absicht: Johannes will herausstellen, daß die endzeitliche Gottesstadt selbst zum Tempel geworden ist. Einen eigenen Tempel gibt es in ihr nicht mehr, weil die Eigenschaft des Tempels, Wohnort Gottes zu sein, ganz auf die Stadt übergegangen ist (21,22).

Die Verschmelzung von Tempel und Stadt ist von besonderer Tragweite im Rahmen des Kirchenverständnisses der Apk. Denn durch sie werden zwei ekklesiologische Aussagekomplexe miteinander in Verbindung gesetzt. Der eine, für das Kirchenverständnis der Apk. maßgebliche, deutet die Heilsgemeinde als endzeitliche Gottesstadt, als der Herrschaft Gottes unterstehendes Gemeinwesen, und damit als Gegenbild zur großen Stadt Rom, die Zentrum aller widergöttlichen Kräfte in der Welt ist (s. zu 11,8; 14,1). Der andere, vor allem von Paulus und seiner Schule bevorzugte, versteht die Kirche als den neuen endzeitlichen Tempel, der den alten Tempel in Jerusalem abgelöst hat und nun Stätte der Gegenwart Gottes ist (z. B. 1. Kor. 3,16; 6,19; 2. Kor. 6,16; Eph. 2,21; 4,12; 1. Tim. 3,15). Durch die Verbindung mit dem zweiten Aussagenkomplex gewinnt nun hier das Bild der Heilsgemeinde als *polis* eine neue

Tiefendimension hinzu, indem deutlich wird: Es ist die leibhafte Gegenwart Gottes und Jesu in ihr, die sie zu einem heilvollen, in allen Lebensbezügen von Gott her geordneten Gemeinwesen werden läßt.

Der *Aufbau* der Vision ist relativ locker: Einer ersten Beschreibung der Stadt (21,9-14) schließt sich die Vermessung ihrer Bauwerke (21,15-21), die Schilderung des Lebens in ihr (21,22-27) und ihre Kennzeichnung als endzeitliches Gegenbild zum Paradies (22,1-5) an.

Der Visionsbeginn **(V. 9f.)** entspricht in Anlage und Aufbau genau 17,1-3: Der Leser soll das nun Geschaute als Gegenbild zur Erscheinung der großen Hure Babylon erkennen. Wie dort, so ist es auch hier einer der sieben Schalenengel (vgl. 15,7), der dem Seher durch seine Aufforderung die Vision ermöglicht. Vielleicht darf man, über die beabsichtigte Entsprechung hinaus, in diesem Zug einen weiteren Hinweis auf das Ineinander von Gericht und Heil im Handeln Gottes sehen (s. zu 15,3f.). Der hohe Berg, auf den der Seher in vom Geist gewirkter Ekstase geführt wird, ist, wie die Wüste in 17,3, kein realer, sondern ein typischer Ort: Er gehört zusammen mit Gottes heilvollen Offenbarungen (vgl. auch Ez. 40,2). Das Bild der Heilsgemeinde als Braut des Lammes war bereits in 19,7 (s. Exkurs); 21,2 eingeführt. Wenn hier, über das Bisherige hinausgehend, die Braut zugleich als Frau gekennzeichnet wird, so soll wohl damit angedeutet sein, daß die in 19,7 angekündigte Hochzeit des Lammes inzwischen stattgefunden hat: Die endzeitliche Heilsgemeinde ist nunmehr ganz mit ihrem Herrn vereinigt (vgl. 22,3). Auffallend ist, daß dieses Bild der Braut bzw. Frau im folgenden keine Rolle mehr spielt, sondern durch das der Stadt ersetzt wird. Dieser durch die sachliche Gleichsetzung beider Bilder in V. 2 ermöglichte Bildwechsel mag durch die Absicht mit veranlaßt worden sein, jeden Anklang an das in heidnischen Religionen verbreitete Motiv der heiligen Hochzeit zu vermeiden. Der wichtigste Grund dafür war jedoch wohl, daß das Bild der Stadt der Aussageabsicht des Johannes besser entsprach. **V. 11:** Das bedeutsamste Merkmal der Stadt wird an erster Stelle genannt: Es ist der Lichtglanz Gottes, das Zeichen seiner sichtbaren Gegenwart, das sie erfüllt (Ez. 43,2f.; Jes. 60,1). Wie in der Thronsaalvision wird die von Gott ausgehende Lichtfülle mit dem Leuchten des Jaspissteins verglichen (s. zu 4,3). Das nächste, dessen der Seher gewahr wird **(V. 12f.)**, sind die mächtigen, mit zwölf Torbauten versehenen Mauern der Stadt. Man darf daraus nicht den falschen Schluß ziehen, daß die Stadt Festungscharakter habe und ihre Mauern der Abwehr von Gegnern dienen sollten – denn Feinde Gottes und der Seinen wird es in der neuen Schöpfung nicht mehr geben, und überdies wird in V. 24f. ja gerade die Offenheit der Stadt betont. Mauern und Tore waren – wie viele Ausgrabungen zeigen – sehr markante Bauwerke einer Stadt und für deren Erscheinungsbild bestimmend. Speziell die Tore waren Orte der Kommunikation, der Beratung und der Verwaltung. Die symbolische Zwölfzahl der Tore, über denen je einer der Namen der zwölf Stämme Israels steht, ist aus Ez. 48,31-34 übernommen. Auch für Johannes ist die Kirche das endzeitlich erneuerte Zwölfstämmevolk, dem die Verheißungen Israels gelten (s. zu 7,4-8). Als Wächter stehen Engel auf den Toren (vgl. Jes. 62,6). Was die Stadt aber speziell als endzeitliche Heilsgemeinde Jesu Christi ausweist, das sind nach **V. 14** die Fundamente, auf denen ihre Mauern errichtet sind, denn diese tragen die Namen der «zwölf Apostel des Lammes». Dies ist wohl so vorzustellen, daß jeder zwischen zwei der Tore liegende Mauerabschnitt einem bestimmten Apostel zuzuordnen ist. Johannes greift hier die geläufige urchristliche Vorstellung von den Aposteln als dem Felsenfundament auf, über dem sich der endzeitliche Tempel der Kirche erhebt (vgl. Mt. 16,18; 1. Kor. 3,10; Eph. 2,20), um sie auf sein Konzept der heiligen Stadt zu übertragen. Auch er mag dabei (wie Eph. 2,20) an die apostolische Verkündigung denken, die der Kirche als bleibende Norm gegeben ist. Die Vorstellung der «zwölf Apostel», die den Apostolat faktisch auf den Zwölferkreis um den vorösterlichen Jesus eingrenzt und damit Paulus ausklammert, hat sich erst in der zweiten urchristlichen Generation, möglicherweise unter dem Einfluß des Jesuslogions Mt. 19,28, entwickelt und ist im Neuen Testament sonst nur bei Lukas klar bezeugt (Lk. 6,13; Apg. 1,2.26).

V. 15: Während in 17,7–18 der Engel der vorhergegangenen Vision eine Deutung anfügt, vermißt er hier wortlos vor den Augen des Sehers die Stadt. Aber diese aus Ez. 40,3.5 übernommene Vermessung hat faktisch die Funktion einer Deutung (anders übrigens als in 11,1, wo das Ausmessen des Tempels durch den Seher prophetisches Zeichen der Verschonung ist). Denn sie führt dem Seher die *erlesene Kostbarkeit*, die *übermächtige Größe* und die *harmonische Schönheit* der Stadt vor Augen. Harmonisch ist bereits der quadratische Grundriß der Stadt **(V. 16)**. Auch Babylon und Ninive waren nach antiker Überlieferung quadratisch angelegt. Aber die Gottesstadt überragt in ihrer Harmonie diese Weltstädte, da sie nicht nur ein Quadrat, sondern einen Kubus bildet: Ihre Länge, Breite und Höhe sind gleich, und zwar betragen sie jeweils umgerechnet etwas über 2 000 km, ein alles menschliche Vorstellungsvermögen übersteigendes Maß. Der Würfel galt in der antiken Welt als Bild höchster Vollkommenheit. Mitspielen dürfte hier aber auch der Gedanke daran, daß das Allerheiligste des Jerusalemer Tempels kubische Form hatte: Auch in ihren Proportionen ist die Gottesstadt ein riesiger Tempel (1. Kön. 6,20). Ob man hier darüber hinaus einen Hinweis darauf sehen darf, daß die Gottesstadt das endzeitliche Gegenbild des Turmbaus von Babylon sei, ist fraglich, da konkrete Hinweise in diese Richtung fehlen. Im Vergleich zu den Riesenmaßen der Stadt auffallend gering ist nach **V. 17** die Höhe der Mauer: 144 Ellen = ca. 70 m. Aber der Seher hat schwerlich über das reale Verhältnis dieser Maße zueinander nachgedacht; wichtig dürfte ihm vielmehr die Zahl 144 gewesen sein, die – als Quadratzahl von 12 – in der Apk. durchweg die Fülle des endzeitlichen Gottesvolkes symbolisiert (vgl. 7,4; 14,1.3). Der etwas seltsame Hinweis, daß der Engel sich eines menschlichen Maßes bediente, wird vielleicht klarer, wenn man bedenkt, daß die Elle insofern ein «menschliches» Maß war, als sie einem Grundmaß des menschlichen Körpers entsprach. Möglicherweise soll durch die Herabsetzung des Engels auf Menschenmaß indirekt gegen Engelverehrung polemisiert werden.

Die **V. 18–21** befassen sich mit der erlesenen Kostbarkeit des Baumaterials der Stadt. Das von uns mit «Umfassungsmauer» übersetzte Wort *(endōmesis)* ist nicht ganz klar; es kann die Einfriedung eines Tempelbezirks oder – weniger wahrscheinlich – die Schichtung von Steinen innerhalb eines Bauwerks bedeuten. Im ersten Fall wäre der Sinn, daß die gesamte Mauer aus Jaspissteinen (s. z. V. 11) erbaut ist, im zweiten hätte man lediglich an Edelsteine zu denken, die als Inkrustationen die eigentliche Mauer bedecken. Die Stadt selbst ist aus Gold erbaut, das von solcher Reinheit ist, daß es glitzert und leuchtet wie durchsichtiges Glas. Daß die Fundamente und Grundmauern des endzeitlichen Jerusalem aus Edelsteinen sind, wird bereits in Jes. 54,11; Tob. 13,17 erwähnt. Entsprechend der Zwölfzahl der Grundsteine (V. 14) führt Johannes nun zwölf Edelsteine an. Im alten Orient war es üblich, Edelsteine mit den astralen Tierkreiszeichen in Verbindung zu bringen. Und zwar scheint die Reihenfolge der in V. 19f. genannten Edelsteine in umgekehrter Reihenfolge den Tierkreiszeichen zu entsprechen. Das ist schwerlich ein Zufall. Zwar spricht nichts dafür, daß Johannes von sich aus solche Astralsymbolik zum Ausdruck bringen wollte. Diese war ihm jedoch sicher bekannt, zumindest aber hat er eine von ihr geprägte Liste von Edelsteinen hier verwendet. Nicht ganz von der Hand zu weisen ist darüber hinaus die Möglichkeit, daß er eine Beziehung zu den zwölf Edelsteinen herstellen wollte, die nach 2. Mose 28,17–20; 39,10–14 den Brustschild des Hohenpriesters schmückten. Daß die Bezeichnungen nicht in allen Fällen übereinstimmen, hat wenig zu besagen, da die griechischen Äquivalente der hebräischen Edelsteinnamen nicht eindeutig festlagen. Sowohl im hellenistischen (Phil. spec. leg. 1,87; Jos. Ant. 3,186) wie auch im palästinischen Judentum (Gen. R. 100/64b; Ex. R. 15 [76c]; vgl. Bill. III,214; II,116) finden sich übrigens Spekulationen über den Zusammenhang zwischen den zwölf Edelsteinen des Brustschildes, den zwölf Stämmen Israels und den Tierkreiszeichen. Die Stadttore bestehen aus zwölf Perlen. Diese waren erst in hellenistischer Zeit als Schmuck bekannt geworden und galten nun als besonders kostbar (vgl. Mt. 7,6; 13,45f.). Wie die Gebäude der Stadt (V. 18), so ist auch ihre Hauptstraße aus reinstem, kristallgleich leuchtendem Gold.

Mit **V. 22** ist der eigentliche Spitzensatz der Vision erreicht: «Einen Tempel sah ich nicht». Nur durch den Tempel war das historische Jerusalem die Stadt Gottes (Ps. 46,5), in der die Herrlichkeit Gottes thronte (1. Kön. 8,10–13). Der Tempel war der Ort, der Gottes Nähe bei seinem Volk garantierte. Hier konnte man ihm nahen und ihm im Kult begegnen. Zur jüdischen Endzeiterwartung eines neuen Jerusalems gehörte darum durchweg auch die Erneuerung des Tempels (Dan. 8,14; Tob. 14,5; Jub. 1,17; 28; äth. Hen. 93,7). Diese theologische Sicht, wonach der Tempel auch für die Heilszukunft das gültige Zeichen wahrer Gottesnähe bedeutete, wird hier nun schroff abgelehnt: Ein Tempel wird nicht mehr nötig sein, weil Gott selbst und das Lamm der Tempel sind. An die Stelle der indirekten, kultisch vermittelten, tritt eine direkte und leibhafte Gegenwart Gottes. Die vollendete Heilsgemeinde wird sich darum nicht mehr nur um den Ort der Gegenwart Gottes und der Heilsvermittlung scharen, sondern sie wird selbst Ort dieser Gegenwart sein. Der Ansatz urchristlicher Tempelkritik, die in der Erfahrung der unmittelbaren Gegenwart Gottes in Jesus gründete (vgl. Mk. 14,58; Joh. 2,19; Apg. 6,14), wird hier konsequent zu Ende gedacht. **V. 23** beschreibt mit einem eingängigen, aus Jes. 60,19 entlehnten Bild die Folge der unmittelbaren Gegenwart Gottes für das Leben in der Stadt: Man braucht nunmehr weder Sonne noch Mond zur Vermittlung des Lichtes, da die «Herrlichkeit Gottes», der von Gott ausge-

hende Lichtglanz (vgl. V. 11), die Stadt erleuchtet und ihre «Leuchte» das
Lamm ist. Licht, das lebensnotwendige Medium, das Orientierung und Klarheit ermöglicht, wird nunmehr unmittelbar, beständig und ohne Unterlaß vorhanden sein (vgl. Joh. 1,4.9; 3,19; 8,12; 9,5; 2. Kor. 4,6; Eph. 5,8; 1. Petr. 2,9).
Alle Finsternis, Unklarheit und Entfremdung ist darum für immer geschwunden. Wohl um das Bild des Lichtes und seiner Wirkung auf die Menschen wei-
terzuführen, wird in **V. 24** Jes. 60,3–6 aufgenommen: Angezogen vom Licht
der heiligen Stadt, kommen in der Endzeit die Weltvölker und ihre Könige
nach Jerusalem, um dort ihre Gaben darzubringen. Man wird der Aussage
nicht entnehmen dürfen, daß nach Meinung des Johannes auf der erneuerten
Erde noch Heiden und Völkerschaften außerhalb des neuen Jerusalems exi-
stieren werden. Ein «außerhalb» der Stadt kann es für ihn nicht mehr geben,
weil die Stadt – genauer gesagt: die von ihr bildlich repräsentierte Heilsgemeinde – mit der neuen Schöpfung voll und ganz identisch ist. Die Erfüllung
der Verheißung von der endzeitlichen Völkerwallfahrt dient ihm lediglich als
Sinnbild des universalen, von Distanz und Furcht freien Miteinanders der
Menschen im Lichte der Gegenwart Gottes. Den gleichen Sinn haben **V. 25–
26**, die Jes 60,11 aufnehmen: Die Mauern und Tore haben keine abgrenzende
Funktion, denn der Stadt droht von keiner Seite Gefahr. Ihre Tore stehen alle-
zeit offen, so daß alle Menschen in ihr zusammenkommen können. Die unmittelbare Gemeinschaft mit Gott hat ein neues, offenes und vertrauenvolles Miteinander der Menschen zur Folge. Gottes Gegenwart, die alles mit ihrem Licht
durchdringt, macht die Stadt zu einer Stätte der Reinheit und Klarheit, in der
Unreines und Unwahres keinen Platz mehr hat **(V. 27)**. Ähnlich wie in V. 8
schwingt in diesem Hinweis auf die Möglichkeit des Ausgeschlossenbleibens
ein paränetischer Unterton mit: Wer jetzt nicht den ganzen, ungeteilten Gehorsam wagt und sich auf unwahrhaftige Kompromisse mit den gottfeindlichen Mächten einläßt, wird zur Gottesstadt keinen Zugang erhalten!
In **22,1–3a** wird noch einmal ein Bild aus dem Ezechielbuch aufgenommen:
Nach Ez. 47,1–12 (vgl. auch Jo. 4,18; Sach. 14,8) soll in der Heilszeit am Jerusalemer Tempel ein mächtiger Fluß entspringen, der dem Toten Meer entge-
genströmen und die Wüste in lebendiges Land verwandeln wird. An seinen
beiden Ufern werden Obstbäume wachsen, die jeden Monat frische Früchte
tragen und deren Blätter heilsame Wirkung haben. Dieser lebenspendende
Strom, dessen reales Urbild die unterhalb des Tempelberges entspringende
Gihonquelle gewesen sein mag, trägt bereits bei Ezechiel alle Züge des Para-
diesesstromes (1. Mose 2,10–14). Johannes läßt diesen Strom nicht mehr vom
Tempel ausgehen, sondern, der Gesamtkonzeption der Jerusalemvision entsprechend, vom Thron Gottes und des Lammes. Darüber hinaus aber verstärkt er den Hinweis auf das Paradies, indem er das Motiv des Lebensbaumes,
der nach 1. Mose 2,9; 3,22 seinen Platz «in der Mitte» des Paradieses hatte,
einbringt. Etwas gewaltsam werden die Baumreihen, die nach Ez. 47,12 den
Strom beidseitig begleiten, mit dem Lebensbaum in eins gesetzt. So ist die
Wendung «Holz des Lebens» wohl als kollektiver Plural zu verstehen. Störend
wirkt in diesem Kontext das ursprünglich den einen Lebensbaum im Paradies
meinende «in der Mitte». Im Sinne des Johannes könnte man sich die Situation
etwa so vorstellen: Inmitten der breiten Hauptstraße der Stadt fließt der Para-

diesesstrom, und er ist an beiden Seiten, «hüben und drüben», von Baumreihen eingesäumt. Aber es ist zweifelhaft, ob es Johannes überhaupt um solche
reale Vorstellbarkeit ging. Worauf es ihm ankam, war die Transparenz der
theologischen Aussage: In der Endzeit wird das Paradies, mit dem die alte
Schöpfung begann, in einer Weise überboten, die dem Wesen der neuen
Schöpfung entspricht. Und zwar ist die Stadt Gottes, die Heilsgemeinde, zugleich auch dieses erneuerte Paradies. Besonders betont scheint nämlich der
Zug zu sein, wonach der Lebensstrom *in der Stadt* fließt und dieser zugehört.
Strom und Bäume bewirken Leben und universales Heilwerden, und zwar für
alle «Völker». Denn aus allen Völkern ist die Heilsgemeinde durch Christi
Werk zusammengeführt worden (vgl. 5,9). Tod, Leid und Schmerz sind nunmehr für immer vergangen (vgl. 21,4), denn – so unterstreicht der an
Sach. 14,11 anklingende V. 3a – «nichts Verfluchtes», d. h. nichts, was außerhalb der heilvollen Sphäre Gottes steht, wird es mehr geben. Darin wird sich
die Heilsvollendung vom Paradies der Urzeit unterscheiden, daß sich in ihr die
todbringende Verführung durch gottwidrige Mächte nicht wiederholen wird.
Ähnlich wie in der Coda eines Sinfoniesatzes wird in **V. 3b–5** die zentrale Thematik der Vision noch einmal in letzter Steigerung vorgeführt. Aus der verwirrenden Vielfalt der vorher gebrauchten Bilder tritt die gemeinte Sache nun mit
äußerster Klarheit ans Licht: Heilsvollendung ist ihrem Wesen nach Vollendung der Gemeinschaft mit Gott und Jesus. Gottes und des Lammes Thron bildet die Mitte der Stadt (vgl. 21,3.22), und die ihnen zugehörigen Menschen
dürfen Gottes Angesicht direkt schauen. Was selbst Mose verweigert war
(2. Mose 33,20–23), wird ihnen geschenkt (vgl. Mt. 5,8; 2. Kor. 3,18). Denn
sie tragen seinen Namen auf der Stirn und sind damit als Gottes Eigentum ausgewiesen (vgl. 14,1). Gottes Klarheit gibt ihnen für alle Zeit Richtung und
Weisung (vgl. 21,11.23). Vor allem aber dürfen Gottes Knechte an seiner
Herrschaft für immer teilhaben. Die Zusage, die bereits in der Gegenwart den
Gliedern der Kirche gilt, daß sie nämlich durch Christus zur Königsherrschaft
und zu Priestern für Gott gemacht sind (vgl. 1,6), wird nun in realer Leiblichkeit abschließend erfüllt.

22,6–21   Der Buchschluß

**6 Und er sprach zu mir: Diese Worte sind zuverlässig und wahr, und der Herr,
der Gott der Geister der Propheten, hat seinen Engel gesandt, um seinen
Knechten zu zeigen, was in Kürze geschehen muß. 7 Und siehe, ich komme
bald. Selig, wer an den prophetischen Worten dieses Buches festhält!**
**8 Und ich, Johannes, bin es, der dies hörte und schaute. Und als ich es gehört
und geschaut hatte, fiel ich nieder zu den Füßen des Engels, der mir dies
gezeigt hatte, um ihn anzubeten. 9 Und er spricht zu mir: Nicht doch! Dein
Mitknecht bin ich und einer von deinen Brüdern, den Propheten, und von
denen, die an den Worten dieses Buches festhalten. Gott (allein) sollst du anbeten!**
**10 Und er spricht zu mir: Versiegle die prophetischen Worte dieses Buches
nicht; denn die Zeit ist nahe! 11 Wer Unrecht tut, der tue weiter Unrecht, und**

wer unrein ist, der mache sich (vollends) unrein, und wer gerecht ist, der handle weiter gerecht, und wer heilig ist, der heilige sich weiter.

12 Siehe, ich komme bald, und mein Lohn mit mir, um einem jeden zu vergelten, wie es seinem Werk entspricht. 13 Ich bin das Alpha und das Omega, der Erste und der Letzte, der Anfang und das Ende. 14 Selig, die ihre Gewänder waschen, damit sie Anrecht bekommen am Holz des Lebens und durch die Tore in die Stadt eingehen dürfen. 15 Draußen bleiben die Hunde und die Zauberer und die Hurer und die Mörder und die Götzendiener und jeder, der die Lüge liebt und tut.

16 Ich, Jesus, habe meinen Engel gesandt, um euch dies für die Gemeinden zu bezeugen. Ich bin der Sproß und das Geschlecht Davids, der strahlende Morgenstern.

17 Und der Geist und die Braut sprechen: Komm!
Und wer es hört, der spreche: Komm!
Und wer dürstet, der komme,
und wer will, empfange Lebenswasser umsonst.

18 Ich bezeuge jedem, der die prophetischen Worte dieses Buches hört: Wenn einer etwas zufügt, so wird Gott ihm die Plagen zufügen, die in diesem Buch geschrieben sind, 19 und wenn einer etwas wegnimmt von den prophetischen Worten dieses Buches, so wird Gott seinen Anteil am Holz des Lebens und an der heiligen Stadt, von denen in diesem Buch geschrieben ist, wegnehmen.

20 Es spricht, der dies bezeugt: Ja, ich komme bald!
Amen, komm, Herr Jesus!
21 Die Gnade des Herrn Jesus sei mit allen!

Der Buchschluß ist keineswegs nur ein belangloses Anhängsel. Ihm sind vielmehr vom Verfasser eine Reihe von wichtigen Funktionen zugedacht worden: 1. Er soll die Brücke zurück zum Vorwort (1,1–3) und zum brieflichen Anfang (1,4–8) schlagen und so das Ganze zusammenklammern. – 2. Er soll noch einmal Auskunft geben über Zweck und Absicht des Buches und dabei insbesondere verdeutlichen, daß Jesus dessen eigentlicher Urheber ist. – 3. Er soll den angeschriebenen Gemeinden Hinweise darauf geben, wie sie seine Botschaft sachgemäß aufnehmen, und er soll schließlich 4. gezielt jenen zentralen Lebensbereich der Gemeinden ansprechen, in dem die Heilszusagen des Buches mit gegenwärtiger Heilserfahrung zusammenkommen, um einander wechselseitig zu bestätigen: den eucharistischen Gottesdienst. Der Umstand, daß alle diese Gesichtspunkte auf engstem Raum zusammengebündelt werden, mag den Abschnitt auf den ersten Blick unübersichtlich erscheinen lassen. Es zeigt sich jedoch bei näherem Zusehen, daß der Verfasser seine Leser hier sehr gezielt führt. In etwa ist sogar eine Gliederung erkennbar: Wesen und Funktion der prophetischen Botschaft des Buches (V. 6–11); Bestätigung dieser Botschaft durch Jesus selbst (V. 12–16); Ausblick auf den eucharistischen Gottesdienst (V. 17–20); brieflicher Segenswunsch (V. 21).

In **V. 6** nimmt noch einmal der Engel das Wort, dem der Seher die Schauung der himmlischen Stadt verdankt. Seine Worte sind zunächst Abschluß und Bestätigung dieser unmittelbar vorangegangenen Vision, sie beziehen sich aber, wie alsbald deutlich wird, darüber hinaus auf das gesamte Buch zurück. Denn zwar ist die Beglaubigungsformel mit dem göttlichen Schreibbefehl (21,5b) fast wörtlich identisch, doch die ihr folgende Erklärung, daß Gott selbst als der Herr über den prophetischen Geist durch seinen Engel seinen Knechten das gezeigt habe, was «in Kürze geschehen» soll, verweist zurück auf 1,1 (s. dort). Damit wird angedeutet, daß das zu Anfang des Buches formulierte Programm nunmehr erfüllt ist: Die Apk. beansprucht, von Gott autorisiertes prophetisches Zeugnis zu sein, das die Geschichtsmächtigkeit Gottes für die nahe bevorstehenden Endereignisse kundtut. Gleichsam als Demonstration dafür, daß die Apk. authentisches Wort Gottes bzw. Jesu ist, ist es zu verstehen, wenn in **V. 7** die Rede des Engels in eine direkte Rede Jesu übergeht. Jesus verheißt, wie im folgenden noch zweimal (V. 12.20), sein baldiges Kommen und schließt eine Seligpreisung an. Diese – die sechste des Buches – ist nahezu eine Wiederholung der ersten (1,3). Weggelassen ist lediglich die auf den Buchbeginn bezogene Seligpreisung des Vorlesers und der Hörer. Jetzt, am Buchschluß, nachdem vorgelesen und gehört wurde, kommt es allein auf eines an: daß jeder das Gehörte festhält und in seinem Verhalten zur Wirkung kommen läßt!

V. 8: Zum dritten und letzten Mal innerhalb des Buches (vgl. 1,4.9) nennt Johannes seinen Namen. Er verbürgt sich damit für die Zuverlässigkeit seiner Darstellung (vgl. Dan. 12,5.9). Jeden besonderen Geltungsanspruch für seine Person lehnt er jedoch ab. Darauf dürfte nämlich die sich unmittelbar anschließende Szene zwischen ihm und dem Offenbarungsengel abzielen, auch wenn sich ihr Sinn darin nicht ganz zu erschöpfen scheint. Sie ist eine fast wörtliche Wiederholung von 19,10 (s. dort). Was sie dort im Blick auf den zweiten Hauptteil der Visionen zum Ausdruck brachte, das soll sie nun hinsichtlich des Buchganzen noch einmal nachdrücklich einschärfen: Weder ist der Offenbarungsmittler wichtig, noch sind es die durch ihn erschlossenen himmlischen Geheimnisse; wichtig ist vielmehr allein, daß das Zeugnis Jesu zu Wort kommt und von der Gemeinde im Gehorsam festgehalten wird! Der Engel hat keinen besonderen Rang, sondern er steht als Knecht Gottes gleichrangig neben den Gliedern der irdischen Gemeinde. Sie wie er sind nichts anderes als Diener Gottes (**V. 9**). Das gleiche gilt aber auch für Johannes als den irdischen Offenbarungsboten: Er gehört hinein in die Reihe gemeindlicher Propheten, die wiederum in der Kirche für sich keinen Sonderrang beanspruchen dürfen. Einen sehr entschiedenen Geltungsanspruch erhebt Johannes jedoch für den Inhalt seines Buches. Die Wendungen «die an den Worten dieses Buches festhalten» und «die das Zeugnis Jesu haben» (19,10) scheinen sich gegenseitig zu interpretieren; demnach ist der Inhalt dieses Buches maßgebliches Zeugnis Jesu. Und zwar hält man dann in rechter Weise an seinen Worten fest, wenn man sich durch sie zur Anbetung Gottes, des Schöpfers und Vollenders führen läßt. In **V. 10f.** nimmt noch einmal der Engel das Wort und weist den Seher an, seine Schriftrolle nicht zu versiegeln. Damit wird ein wesentlicher Unterschied zwischen diesem Buch und den damals bekannten jüdischen Apokalypsen ausdrücklich thematisiert: Während jene versiegelt waren, d. h. Botschaften zu enthalten vorgaben, die während der Entstehungszeit verborgen bleiben muß-

ten, um erst in einer fernen Zukunft veröffentlicht zu werden (s. S. 12; vgl.
Dan. 8,26; 12,4.9; äth. Hen. 1,2), ist die Botschaft dieses Buches für die Gegenwart bestimmt und drängt an die Öffentlichkeit. Denn diese Gegenwart steht
im Zeichen des baldigen Kommens Jesu (vgl. 1,3). Alles kommt darauf an, daß
die Gemeinde Weisung und Mahnung für die bevorstehende Zeit der Drangsal
erhält. Allerdings ist eine Bekehrung der Feinde Gottes auch durch die Prophetie des Buches kaum mehr zu erwarten. Der nahezu fatalistisch klingende **V. 11**
steht in der Tradition der prophetischen Verstockungsaussagen (vgl. Jes. 6,9ff.;
Ez. 3,27), nach denen die Umkehrpredigt die von Gott Verworfenen nur noch
stärker in ihrem Nein zu Gott festmacht. Die Front zwischen den Gliedern der
Heilsgemeinde und den Feinden Gottes, die sich um das «Tier» geschart haben,
ist klar; mit ihrer Veränderung ist bis zum Abschluß des Geschichtsplans Gottes nicht mehr zu rechnen (vgl. 9,20f.; 16,9. 11.21).

In **V. 12–16** ist Jesus selbst der Sprechende. Mit der Ankündigung seines
Kommens in **V. 12** faßt er zunächst bestätigend die Botschaft des Buches zusammen. Er wird als der Richter in Erscheinung treten, der die Scheidung zwischen Gott Gehorsamen und Ungehorsamen, die sich bereits in der Gegenwart vollzogen hat, durch seinen Richtspruch bestätigen wird (vgl. 2,23;
19,11–21). In dieser Richterfunktion ist nach **V. 13** Jesus mit Gott identisch
(vgl. 20,11–15), und darum darf er auch die Würde- und Machtprädikationen
Gottes für sich beanspruchen: Wie Gott selbst, so ist auch er Alpha und Omega, Anfang und Ende (vgl. 1,8), der Erste und der Letzte (vgl. 21,6). Mit einer
Seligpreisung, der siebten und letzten der Apk. (s. zu 1,3), wendet sich Jesus in
V. 14 direkt an die Leser. Ihr Vordersatz nimmt 7,14 in verkürzter Form auf,
während ihr Nachsatz auf die Jerusalem-Vision (21,25f.; 22,2) anspielt: Denen, die ihre Gewänder im Blut des Lammes gebleicht haben, denen also, die
sich durch Jesu Heilswerk haben erneuern lassen und dieses erneuerte Sein im
Gehorsam festgehalten haben (vgl. 19,8), werden das Bürgerrecht in der vollendeten Heilsgemeinde und der Empfang der aus der Gegenwart Gottes flie-
ßenden Heilsgaben ausdrücklich zugesagt. Angesichts der Größe dieser Heilszusage steht in der Gegenwart unendlich viel auf dem Spiel. Denn man kann
aus dem empfangenen Heil auch wieder herausfallen. Die Kehrseite der Heils-
gewährung ist, wie die Apk. nicht müde wird zu betonen (vgl. 20,15; 21,8.27),
der Ausschluß vom Heil. Er wird nach **V. 15** die treffen, die an heidnischen Lastern und heidnischem Götzenkult festhalten und nicht in ungeteiltem Gehorsam am Willen Jesu bleiben. Konkret dürfte diese Warnung vor allem auf
Christen abzielen, die sich auf Irrlehren eingelassen (vgl. 2,2.14f.20) und sich
gegenüber dem pseudo-religiösen Anspruch des Imperiums kompromißbereit
gezeigt haben. Das den Lasterkatalog (s. zu 21,8) eröffnende Schmähwort
«Hunde» dürfte hier, wie auch sonst in frühchristlichen Zeugnissen, auf Irrlehrer (vgl. Phil. 3,2) und abgefallene Christen (vgl. Mt. 7,6; Did. 9,5) gemünzt
sein. Mit dem schroffen Nebeneinander von Heilszusage an die Treuen und
Ausschluß der Feinde Gottes soll, wie der weitere Fortgang bestätigt, eine
Verbindung zum Gottesdienst der Gemeinde hergestellt werden. Denn in der
Liturgie der Herrenmahlsfeier folgt der Einladung an den Tisch des Herrn
bzw. dem die Gemeinschaft der Getauften bekräftigenden Friedensgruß der
Ausschluß der Nichtgetauften und der Unbußfertigen:

Grüßt einander mit dem heiligen Kuß!   Wer heilig ist, der komme!
Wenn einer den Herrn nicht lieb hat,   Wer es nicht ist, tue Buße!
der sei verflucht!
Maranatha!   (1. Kor. 16,20.22) Maranatha!   (Did. 10,6; vgl. 9,4f.).

Mit dem Kommen zum Herrenmahl wird das von Gott verheißene Heil der Gemeinde schon jetzt zugänglich. Indem die Christen am Tisch des Herrn seinen Leib und sein Blut empfangen, werden sie festgemacht in der Lebensgemeinschaft mit Jesus, der die Verheißung leibhaft – sichtbarer Vollendung in der neuen Welt Gottes gilt. Der Empfang des Herrenmahls bedeutet aber auch Verpflichtung zu ungeteiltem Gehorsam in den gegenwärtigen Nöten und Bedrängnissen. So vollzieht sich bereits jetzt am Tisch des Herrn eine Scheidung zwischen den mit Jesus Verbundenen und den ihm Fernen, die vorausweist auf das kommende Gericht.

Noch einmal nimmt Jesus in **V. 16** direkt das Wort, um sich ausdrücklich als der eigentliche Urheber und Initiator der Apk. zu erkennen zu geben. Er selbst hat seinen Engel damit beauftragt, den Gemeinden den Heilsratschluß Gottes für die bevorstehende Endzeit kundzutun. In 1,1 war Gott als letzter Urheber der Botschaft des Buches genannt worden: Wieder zeigt sich, daß für die Apk. Gott und Jesus funktionsgleich sind. Jesus ist der messianische Herrscher der Endzeit; in ihm erfüllen sich die David und seinem Geschlecht gegebenen Verheißungen (s. zu 5,5). Er ist der «strahlende Morgenstern», dessen Aufleuchten den Anbruch des großen Tages Gottes ankündigt (vgl. 2,28; 4. Mose 24,17).

Die Botschaft Jesu an seine Kirche, die sich in der Ankündigung seines baldigen Kommens zuspitzt (vgl. V. 12; 3,11; 16,15), fordert eine Antwort heraus. **V. 17** deutet an, daß der konkrete Lebensbereich, in dem die Kirche dieser Botschaft antwortet, der eucharistische Gottesdienst ist. Vieles spricht dafür, daß Johannes hier die Verlesung seines Buches im Gottesdienst voraussetzt. Ähnlich hatte bereits Paulus die gottesdienstliche Verlesung seiner Briefe vorausgesetzt und diese an ihrem Ende in die Herrenmahlsliturgie einmünden lassen (1. Kor. 16,19–24; 2. Kor. 13,11–13). In der Herrenmahlsfeier betet die Gemeinde um das Kommen des Herrn mit dem aramäischen Gebetsruf Maranatha (= unser Herr, komm; vgl. 1. Kor. 16,22; Did. 10,6). Sie blickt damit aus auf das zukünftige Erscheinen Jesu in der Parusie und bittet zugleich um sein dieses Erscheinen vorwegnehmendes Kommen zu den Seinen in der gegenwärtigen Mahlgemeinschaft. Eben dieser Doppelsinn ist auch hier beabsichtigt. Veranlaßt durch das geistgewirkte prophetische Zeugnis kann und darf die Gemeinde in ihrem Gottesdienst rufen: «Komm!». Und zwar ist diese Gemeinde, indem sie so ruft, jetzt schon die Braut, die das Hochzeitsmahl mit Jesus feiert (vgl. 19,7ff.; 22,17). In diesem Ruf, in den jeder Hörer der Verlesung der Apk. einstimmen soll, wird die gesamte in 21,1–22,5 für die Zukunft verheißene Heilsvollendung ins Personale gewandt und mit dem gegenwärtigen Kommen Jesu im Herrenmahl zusammengebracht. Jeder, der nach dem Lebenswasser dürstet (vgl. 21,6; 22,1), wird aufgefordert, hinzuzutreten. Wo die Gemeinde sich um den Tisch des Herrn sammelt, da empfängt sie bereits jetzt die Heilsgabe, die Gott den Seinen schenken will. Johannes begnügt sich also

nicht damit, auf einen zeitlich nahen zukünftigen Einbruch des Heils zu verweisen (vgl. 1,3; 22,10), sondern er zeigt, wo das Heil gegenwärtig erfahrbar
und erlebbar ist.

Nach Jesus, dem eigentlichen Autor und Initiator der Botschaft des Buches,
spricht in **V. 18–19** noch einmal Johannes als deren menschlicher Vermittler.
Wieder verbürgt er sich für die Zuverlässigkeit seiner Prophetie (vgl. V. 8), um
daran eine deutliche Warnung anzuschließen: Weil das Buch Wort Gottes zu
sein beansprucht, darum untersteht es auch dem besonderen Schutz Gottes.
Jedem, der es durch Hinzufügungen oder Weglassungen verändert, wird nach
dem Recht der Vergeltung *(ius talionis)* eine entsprechende Strafe angedroht.
Literarisches Vorbild waren die Worte des Mose in 5. Mose 4,2, mit denen Israel auf die unversehrte Wahrung der Gebote Gottes verpflichtet wurde: «Ihr
sollt dem Wortlaut dessen, worauf ich euch verpflichte, nichts hinzufügen und
nichts davon wegnehmen; ihr sollt auf die Gebote des Herrn, eures Gottes,
achten, auf die ich euch verpflichte». Um diese Drohung zu verstehen, muß
man sich klar machen, daß sie ganz auf der Linie prophetischen Selbstbe-
wußtseins liegt. Denn der Prophet spricht in der Gewißheit, daß durch ihn Gott
bzw. Christus selbst zur Gemeinde redet (vgl. 1,2). Die Apk. ist das einzige
umfassende literarische Zeugnis urchristlicher Prophetie innerhalb des Neuen
Testaments; deshalb ist in ihm auch die hier vorliegende Wendung ohne Analogie. Sie war einer der Faktoren, auf die sich Luthers Abneigung gegen die
Apk. gründete. So schreibt er in seiner Vorrede von 1522: «Dazu dünkt mich
das allzu viel zu sein, daß er hart solch sein eigen Buch mehr denn andere heilige
Bücher, da viel mehr an gelegen ist, befiehlt und dräuet». Diese Kritik über-
sieht die spezifische Eigentümlichkeit prophetischen Redens.

Mit **V. 20** mündet das Buch geradezu in die Liturgie des eucharistischen Gottesdienstes ein. Die alles Vorangegangene nochmals zusammenfassende Zusicherung Jesu: «Ja, ich komme bald!», schließt die gottesdienstliche Verlesung
des Buches ab. Ihr antwortet die Gemeinde mit einem bekräftigenden
«Amen» (s. zu 5,14), sowie dem liturgischen Ruf «Komm, Herr Jesu!», der zur
Feier des Herrenmahles überleitet. Es handelt sich hier um eine freie Übertragung des Gebetsrufes Maranatha (s. o.) ins Griechische. Dieser setzt sich aus
zwei Worten zusammen: der Anrede *marana* (= unser Herr) und dem Imperati-
v *tha* (= komm!). Der abschließende Gnadenwunsch **(V. 21)** vollendet den
brieflichen Rahmen des Buches (vgl. 1,4ff.). Er ist den Schlußwendungen der
paulinischen Briefe ähnlich (bes. Phil. 4,23; 1. Thess. 5,28). Nicht anders als
jene ist er aber zugleich mehr als nur ein Stück brieflicher Konvention. Er entspricht nämlich dem in der Liturgie dem Maranatha-Ruf folgenden Gnadenzu-
spruch (vgl. 1. Kor. 16,24). Der gottesdienstliche Duktus des Schlußabschnitts
wird also bis zum letzten Satz des Buches durchgehalten.

Diese Betonung des Gottesdienstes hat für die Theologie der Apk. programm-
matische Bedeutung. Der Gottesdienst ist für sie der Ort, wo die Gemeinde
die Gegenwart des Kommenden erfährt, wo sie sich immer wieder neu seiner
Herrschaft unterstellt, und er ist damit zugleich der Ausgangsort einer Gehor-
samsverweigerung gegenüber dem Kult des seine eigene Macht über die Welt
feiernden Menschen. So ist die Apk. zugleich ein eminent politisches und ein
eminent liturgisches Buch.

Verzeichnis der Abkürzungen

1. Alttestamentliche Apokryphen

Tob.	Buch Tobit
Weish.	Buch der Weisheit
1.2. Makk.	1.2. Buch der Makkabäer

2. Jüdisches Schrifttum 2./1. Jahrh. v. Chr.

äth. Hen.	Äthiopisches Henochbuch
Asc. Jes.	Ascensio Jesajae (Martyrium und Himmelfahrt des Jesaja)
Jub.	Buch der Jubiläen
LXX	Septuaginta (griech. Fassung des Alten Testaments)
3. Makk.	3. Buch der Makkabäer
1 QH	Hymnenrolle (Hodajot) aus Qumran
1 QM	Kriegsrolle aus Qumran
1 QS	Sektenregel aus Qumran
4 Qpatr.	Patriarchensegen aus Qumran
4 QpHab.	Habakuk-Kommentar aus Qumran
4 Qtest.	Testimonien-Sammlung aus Qumran
Sib.	Sibyllinische Orakel (jüdische, christlich überarbeitete Propaganda-schrift)
Test. Dan	Testament des Dan
Test. Jud.	Testament des Juda
Test. Lev.	Testament des Levi
Test. Naph.	Testament des Naphtali

3. Jüdisches Schrifttum 1.–3. Jahrh. n. Chr.

Apk. Abr.	Apokalypse Abrahams
Apk. Eliae	Elija-Apokalypse
Ass. Mos.	Assumptio Mosis (Himmelfahrt des Mose), Apokalypse
4. Esr.	4. Esrabuch, Apokalypse
Jos. Ant.	Josephus (jüdischer Geschichtsschreiber, ca. 37–100 n. Chr.), Antiquitates Judaicae (Jüdische Altertümer)
Jos. Bell.	Josephus, Bellum Judaicum (Jüdischer Krieg)
Mekh. Ex.	Mekhilta, rabbinischer Kommentar zum 2. Buch Mose
Phil. spec. leg.	Philo von Alexandria (jüdischer Philosoph und Schriftausleger, Zeitgenosse Jesu), De specialibus legibus
sl. Hen.	Slavisches Henochbuch, Apokalypse
syr. Bar.	Syrische Baruch-Apokalypse

4. Nichtchristliches griechisches und römisches Schrifttum

Dion Chrysostomus, Oratio	Dion Chrysostomus (kynisch-stoischer Popularphilosoph, ca. 40–120 n. Chr.), Reden
Lukian, De dea syr.	Lukian (griech. Schriftsteller, ca. 120–180 n. Chr.), De dea syrica
Ovid, metam.	Publius Ovidius Naso (röm. Dichter, 43 v.–ca. 18 n. Chr.), Metamorphosen
Plin. epist.	Plinius der Jüngere (röm. Rhetor und Staatsmann, ca. 61–112 n. Chr.), Episteln
Sueton, Domitian	Cajus Suetonius Tranquillus (röm. Historiker und Verfasser von Kaiserbiographien, ca. 75–150 n. Chr.), Vita Domitianii
Sueton, Nero	Cajus Suetonius Tranquillus, Vita Neronii
Tacitus, ann.	Cornelius Tacitus (röm. Geschichtsschreiber, ca. 55–120 n. Chr.), Annales
Tacitus, hist.	Cornelius Tacitus, Historiae

5. Christliches Schrifttum 1./2. Jahrh. n. Chr. und später

Barn.	Barnabasbrief
1. Clem.	1. Klemensbrief
Did.	Didache (Kirchenordnung, Ende 1. Jahrh. Syrien)
Euseb, KG	Eusebius (Bischof von Cäsarea, ca. 263–339), Kirchengeschichte
Herm. vis.	Hirt des Hermas (Apokalypse, 1. Hälfte 2. Jahrh. Rom), Visiones
Hippolyt, frag. in Gen.	Hippolytus (Kirchenschriftsteller, ca. 160–235), Fragmente über das Buch Genesis
Hippolyt, KO	Hippolytus, Kirchenordnung
Ign. Eph.	Ignatius, Bischof von Antiochia (Märtyrertod in Rom ca. 110), Brief an die Epheser
Ign. Magn.	Ignatius von Antiochia, Brief an die Magnesier
Irenäus, adv. haer.	Irenäus, Bischof von Lyon († ca. 202 n. Chr.) Adversus Haereses, Gegen die Häretiker
Justin, Apol.	Justinus Martyr († ca. 165 n. Chr.), Apologie
Justin, Dial.	Justinus Martyr, Dialoge mit Tryphon
Mart. Polyk.	Martyrium des Polykarp
Polyk.	Polykarp, Bischof von Smyrna (Märtyrertod ca. 155), Brief an die Philipper

6. Moderne Quellensammlungen und Textausgaben

Bill.	(H. L. Strack-) P. Billerbeck, Kommentar zum Neuen Testament aus Talmud und Midrasch, I–IV, 1922–1961
Hennecke-Schneemelcher	E. Hennecke, Neutestamentliche Apokryphen in deutscher Übersetzung, hg. v. W. Schneemelcher, I, 1959; II, 1964

Literaturverzeichnis

Kommentare für Leser ohne Griechischkenntnisse:

E. Lohse, Die Offenbarung des Johannes, Das Neue Testament Deutsch, Band 11, Göttingen, 3. Aufl. 1971.
M. Rissi, Alpha und Omega. Eine Deutung der Johannesoffenbarung, Basel 1966.
A. Vögtle, Das Buch mit den sieben Siegeln. Die Offenbarung des Johannes in Auswahl gedeutet, Freiburg-Basel-Wien 1981.
A. Wikenhauser, Die Offenbarung des Johannes, Regensburger Neues Testament, Regensburg 3. Aufl. 1959.

Wichtige *Kommentare* für Leser mit Griechischkenntnissen:

W. Bousset, Die Offenbarung des Johannes, Kritisch-exegetischer Kommentar über das Neue Testament, Band 16, Göttingen 1906 (Neudruck Göttingen 1966).
W. Hadorn, Die Offenbarung des Johannes, Theologischer Handkommentar zum Neuen Testament, Band 18, Leipzig 1928.
H. Kraft, Die Offenbarung des Johannes, Handbuch zum Neuen Testament, Band 16a, Tübingen 1974.
E. Lohmeyer, Die Offenbarung des Johannes, Handbuch zum Neuen Testament, Band 16, Tübingen 2. Aufl. 1953.
P. Prigent, L'Apocalypse de Saint Jean, Commentaire du Nouveau Testament, Band 14, Paris 1981.

Weitere wichtige *Bücher* und *Aufsätze*:

O. Böcher, Die Johannesapokalypse. Erträge der Forschung, Band 41, Darmstadt 1975.
O. Böcher, Die Kirche in Zeit und Endzeit. Aufsätze zur Offenbarung des Johannes, Neukirchen-Vluyn 1983.
G. Bornkamm, Die Komposition der apokalyptischen Visionen in der Offenbarung Johannis, in: ders., Gesammelte Aufsätze, Band 2, München 1959, S. 204–222.
L. Goppelt, Theologie des Neuen Testaments, herausgegeben von J. Roloff, Göttingen 3. Aufl. 1980 (S. 509–528).
Ferd. Hahn, Die Sendschreiben der Johannesapokalypse. Ein Beitrag zur Bestimmung prophetischer Redeformen, in: Tradition und Glaube. Festgabe für Karl Georg Kuhn zum 65. Geburtstag, herausgegeben von G. Jeremias, H.-W. Kuhn und H. Stegemann, Göttingen 1971 (S. 357–394).
T. Holtz, Die Christologie der Apokalypse des Johannes, Berlin 2. Aufl. 1971.
H. J. Holtzmann, Lehrbuch der neutestamentlichen Theologie, Bd. 2, Tübingen 2. Aufl. 1911.
K.-P. Jörns, Das hymnische Evangelium. Untersuchungen zu Aufbau, Funktion und Herkunft der hymnischen Stücke in der Johannesoffenbarung, Gütersloh 1971.
M. Karrer, Die Johannesoffenbarung als Brief. Studien zum literarischen, historischen und theologischen Ort dieses Werkes, Diss. Erlangen 1983.
K. Koch, Ratlos vor der Apokalyptik. Eine Streitschrift über ein vernachlässigtes Gebiet der Bibelwissenschaft und die schädlichen Auswirkungen auf Theologie und Philosophie, Gütersloh 1970.
H. P. Müller, Die himmlische Ratsversammlung. Motivgeschichtliches zu Apc 5,1–5, in: Zeitschrift für die Neutestamentliche Wissenschaft und die Kunde der älteren Kirche, 54, 1963, S. 254–267.
U. B. Müller, Zur frühchristlichen Theologiegeschichte. Judenchristentum und Paulinismus in Kleinasien an der Wende vom ersten zum zweiten Jahrhundert n. Chr., Gütersloh 1976.
A. Satake, Die Gemeindeordnung in der Johannesapokalypse, Neukirchen-Vluyn 1966.
W. Schrage, Ethik des Neuen Testaments, Göttingen 1982 (S. 307–324).
E. Schüßler-Fiorenza, Priester für Gott. Studien zum Herrschafts- und Priestermotiv in der Apokalypse, Münster 1972.
A. Vögtle, Mythos und Botschaft in Apokalypse 12, in: Tradition und Glaube. Festgabe für Karl Georg Kuhn zum 65. Geburtstag, herausgegeben von G. Jeremias, H.-W. Kuhn und H. Stegemann, Göttingen 1971, S. 395–415.

Stichwortverzeichnis

Zürcher Bibelkommentare

Die «Zürcher Bibelkommentare» gibt es seit 1960. Die Reihe ist die Fortführung der 1942 gegründeten Kommentarreihe «Prophezey». Sie wird herausgegeben von den Professoren Hans Heinrich Schmid und Siegfried Schulz.
Die Reihe kann subskribiert werden, und zwar nach dem Alten und Neuen Testament getrennt. Der Subskribent spart rund 10 % gegenüber dem Einzelverkaufspreis.

Zum Alten Testament sind lieferbar:

Walther Zimmerli, Das erste Buch Mose (Urgeschichte)
Walther Zimmerli, Das erste Buch Mose (Abraham)
Fritz Stolz, Das 1. und 2. Buch Samuel
Arndt Meinhold, Das Buch Esther
Franz Hesse, Hiob
Georg Fohrer, Jesaja 1–23, Band 1
Georg Fohrer, Jesaja 24–39, Band 2
Georg Fohrer, Jesaja 40–66, Band 3
Robert Brunner, Ezechiel 1–24, Band 1
Robert Brunner, Ezechiel 24–48, Band 2
Jürgen-Ch. Lebram, Das Buch Daniel

Weitere Bücher zum Alten Testament sind in Vorbereitung. Ihre Autoren: Hans-Jochen Boecker, Othmar Keel, G. Ch. Macholz, Albert de Pury, Martin Rose, Erich Zenger.

Zum Neuen Testament sind lieferbar:

Walter Schmithals, Das Evangelium nach Lukas
Walter Schmithals, Die Apostelgeschichte des Lukas
Dieter Lührmann, Der Brief an die Galater
Gerhard Barth, Der Brief an die Philipper
Andreas Lindemann, Der Kolosserbrief
Willi Marxsen, Der erste Brief an die Thessalonicher
Willi Marxsen, Der zweite Thessalonicherbrief
Victor Hasler, Die Briefe an Timotheus und Titus
Alfred Suhl, Der Brief an Philemon
Eduard Schweizer, Der erste Petrusbrief
Gerd Schunack, Die Briefe des Johannes
Jürgen Roloff, Die Offenbarung des Johannes

Weitere Bücher zum Neuen Testament sind in Vorbereitung. Ihre Autoren: Klaus Berger, Egon Brandenburger, Hans Dieter Betz, Helmut Köster, Andreas Lindemann, Ulrich Luck, Otto Merk, Martin Rese, August Strobel.

Zürcher Bibelkonkordanz

Das vollständige Wort-, Namen- und Zahlenverzeichnis zur Zürcher Bibel einschließlich der Apokryphen. Das umfassendste deutschsprachige Stellennachschlagewerk für biblische Begriffe und Realien, das je erschien.

«Wenn die Bezeichnung ‹unentbehrlich› auf ein Werk zutreffen kann, dann auf dieses. Theologen und bibelkundige Laien werden die Zürcher Bibelkonkordanz für die wissenschaftliche Erarbeitung, für das Studium und die Auslegung des Bibelwortes nicht mehr missen wollen.»

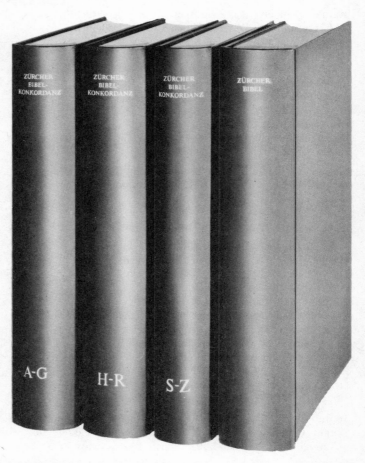

3 Bände, zusammen 2436 Seiten. Wird nur komplett abgegeben. In gleicher Ausstattung ist zusätzlich die «Zürcher Bibel» erhältlich.